AN LITRÍOCHT RÉIGIÚNACH

LEABHAIR THAIGHDE
An 40ú hImleabhar

AN
LITRÍOCHT RÉIGIÚNACH

MÁIRÍN NIC EOIN

An Clóchomhar Tta
Baile Átha Cliath

An Chéad Chló 1982
© An Clóchomhar Tta

Leinster Leader, Nás, a chlóbhuail

Do mo thuismitheoirí
Tomás agus Áine

AN CLÁR

NODA

AI	*Allagar na hinise* (Tomás Ó Criomhthain)
AT	*Na haird ó thuaidh* (Pádraig Ua Maoileoin)
B	*Bríde bhán*
BB	*An béal bocht* (Myles na gCopaleen)
BPS	*Beatha Pheig Sayers* (Peig Sayers)
BRD	*Bean ruadh de Dhálach* (Séamas Ó Grianna)
CO	*Caisleáin óir*
D	*An Draoidín*
FA	*An fear aduaidh* (Mícheál Ó Súilleabháin)
FBF	*Fiche blian ag fás* (Muiris Ó Súilleabháin)
GR	*Na glúnta Rosannacha* (Niall Ó Domhnaill)
GSO	*Gura slán le m'óige* (Fionn Mac Cumhaill)
ID	*Iarbhlascaodach ina dheoraí* (Seán Sheáin Í Chearnaigh)
LB	*Na laetha a bhí* (Eoghan Ó Domhnaill)
LS	*Lá dár saol* (Seán Ó Criomhthain)
MDR	*Mo dhá Róisín* (Séamas Ó Grianna)
MM	*Mám as mo mhála* (Seaghán Mac Meanman)
MS	*Machtnamh seana-mhná* (Peig Sayers)
N	*Niall Mac Giolla Bhríghde* (Niall Mac Giolla Bhríghde)
NO	*Nuair a bhí mé óg* (Séamas Ó Grianna)
O	*An t-oileánach* (Tomás Ó Criomhthain)
OMS	*Ó mhuir go sliabh* (Séamas Ó Grianna)
OT	*An t-oileán a tréigeadh* (Seán Sheáin Í Chearnaigh)
P	*Peig* (Peig Sayers)
RB	*Na Rosa go brách* (Fionn Mac Cumhaill)
RF	*Rann na Feirste* (Séamas Ó Grianna)
RM	*Ó rabharta go mallmhuir* (Seán Mac Fhionnlaoich)
RMS	*Rotha mór an tsaoil* (Micí Mac Gabhann)
SC	*Saoghal corrach* (Séamas Ó Grianna)
SHS	*Scéal Hiúdaí Sheáinín* (Hiúdaí Sheáinín Ó Domhnaill)
SI	*Suipín an Iolair* (Séamas Ó Grianna)
ST	*An sean-teach*
TBI	*Thar bealach isteach* (Nóra Ní Shéaghdha)
TFO	*Is truagh ná fanann an óige* (Mícheál Ó Gaoithín)
TM	*Tarngaireacht Mhiseoige* (Séamas Ó Grianna)
TT	*Toraigh na dtonn* (Eoghan Ó Colm)

AN RÉAMHRÁ

Is éachtach an méid leabhar a foilsíodh ó tosaíodh ar iarracht a dhéanamh ar an litríocht a chothú sa Nua-Ghaeilge. Dúirt Máirtín Ó Cadhain i léacht a thug sé sa bhliain 1971: 'I may say that in bulk, if not in anything else, this literature is greater than in any comparable period in the history of our language' (139). Cé go bhfuil sí líonmhar, má scrúdaíonn tú an chuid is mó de litríocht na hathbheochana, áfach, feicfidh tú roimh i bhfad gur beag leabhar Gaeilge atá ann a léifeadh duine díreach ar son na litríochta amháin. Is cinnte gur foilsíodh an-chuid drochshaothar. Ní hamháin sin, ach glacadh agus pléadh mar litríocht saothair nár litríocht chruthaitheach ar chor ar bith iad.

Sna leabhair agus sna hailt sin a phléann le forbairt an nuaphróis is beag iarracht a dhéantar idirdhealú foirmiúil a dhéanamh idir saothair chruthaitheacha agus saothair eile próis. Sa leabhar ar stair na litríochta a scríobh Williams agus Ní Mhuiríosa (1979), mar shampla, déantar cur síos ar bheathaisnéisí agus ar shaothair eile stairiúla; ar chuimhní cinn agus ar dhírbheathaisnéisí a scríobh daoine a ghlac páirt i ngluaiseacht na teanga; ar leabhair thaistil agus ar bhailiúcháin seanchais, agus pléitear na saothair seo ar fad faoin gceannteideal 'Litríocht na hAthbheochana'.

Bhí na cineálacha seo leabhair á scríobh go raidhsiúil ó thús na haoise seo. Níos coitianta ar fad ná na leabhair seo, áfach, ba ea na saothair réigiúnacha agus is iad na saothair sin a bheidh faoi chaibidil agam anseo. Céard atá i gceist le saothair réigiúnacha? Go hachomair, glaoim litríocht réigiúnach ar litríocht ar bith ina dtagann ceantar áirithe, nó pearsantacht cheantair chun tosaigh níos mó ná mar a thagann tréithe nó fadhbanna an duine aonair. Ní litríocht nua-aoiseach[1] ar bhealach ar bith an litríocht seo, dá bhrí sin. Tá an-chuid samplaí den chineál seo leabhar le fáil sa Nua-Ghaeilge. Ina measc tá iliomad dírbheathaisnéisí a scríobh daoine ón nGaeltacht; tá na bailiúcháin d'aistí ag cur síos ar shaol na Gaeltachta; tá na cuntais sin ar ghnéithe faoi leith den saol sin, agus tá na húrscéalta agus na saothair eile réigiúnacha a raibh sé mar phríomhaidhm ag na húdair saol na Gaeltachta a léiriú iontu.[2]

Anois tá difríocht mhór idir an litríocht réigiúnach seo agus na cineálacha eile litríochta a luadh thuas mar glacadh le dírbheathaisnéisí Gaeltachta agus le húrscéalta faoi cheantair bheaga iartharacha mar litríocht chruthaitheach ón tús. Moladh mar sheoda

9

liteartha iad agus scríobhadh iliomad alt fúthu.³ Tugadh comhairle
do scríbhneoirí óga a n-aird a dhíriú orthu. Tharraing siad aire
lucht athbheochan na Gaeilge ar an nGaeltacht mar fhoinse don
litríocht agus leag siad síos múnlaí a raibh sé de nós ag scríbhneoirí
cloí leo ina dhiaidh sin.

Bhí an-tionchar go deo acu ar fhorbairt na litríochta Gaeilge i
gcoitinne agus is é mo thuairim féin gur chuir na nósanna a bhain
leo laincisí ar scríbhneoirí Gaeilge anuas go dtí le fíordheireanaí.
Níl mórán ratha ar an úrscéal, mar shampla, agus bhí an méid seo
leanas le rá ag Flann Mac an tSaoir (1963) agus é ag cur síos ar
dhrochstaid na húrscéalaíochta: 'Tá an Bheathaisnéis agus an
Dírbheathaisnéis linn ó thús. Bhí fonn mór ó thús ar lucht na
Gaeilge bheith á gcur féin i bprionta, agus is treisiú ar an bhfonn
sin atá' (23).

Is cinnte gur chothaigh na cineálacha seo litríochta an cúigeachas,
an paróisteachas agus cúngacht ábhair agus smaointeoireachta, nithe
ba chúis le drochbhail na bhfoirmeacha eile próis. Dúirt Seán Ó
Tuama sa bhliain 1961 go raibh litríocht na Gaeilge bunaithe 'ar
shaol atá i bponc idir dhá shibhialtacht, ar shaol atá ar an dé
deiridh nó ag dul chun báis. Is follas nach é seo an saol fairsing a
spreagann an úrscéalaíocht' (30). Is ar an saol seo atá ag meath atá
na dírbheathaisnéisí ar fad bunaithe, áfach. D'fhéadfaí iadsan a
chumadh as iarsmaí agus ní fhéadfaí an t-úrscéal. Is cinnte gur chuir
na múnlaí liteartha a bhí i bhfaisean isteach ar scríbhneoirí a bhí ag
iarraidh talamh nua a bhriseadh. In alt a scríobh Diarmaid Ó
Súilleabháin sa bhliain 1965 molann sé don úrscéalaí a shúil a
chaitheamh ar an domhan mór. Molann sé dó litríocht na mór-
theangacha eile a léamh agus deir sé 'Nach cóir dó a bheith sásta
le "stair" cuma an stair dhuine é, stair pharóiste, nó ní is seisce
fós—féinfhaisnéis' (22). Is minic a luaitear cé chomh scoite amach
ó ghluaiseachtaí liteartha na hEorpa a bhí litríocht na Gaeilge.
Dúirt Máire Mhac an tSaoi sa bhliain 1955, mar shampla: 'Do luas
roimhe seo an chaolbhuíon leabhra a bhaineann le gné idir-
náisiúnta na litríochta' (87). Agus dúirt Breandán Ó Doibhlin i
bhfad ina dhiaidh sin: 'It would seem that the modern Irish writer
sees himself as a recorder of experience rather than as an explorer
of the human condition' (1970:8).

Dúradh i go leor áiteanna gur tharla athrú mór i litríocht na
Gaeilge leis an Dara Cogadh Domhanda. Mar shampla, luann
Flann Mac an tSaoir (1963) an t-athrú seo: 'Faoin am céanna ba

léir glún úr nua scríbhneoirí a bheith tagtha ar an bhfód' (19). Agus
é ag caint faoin nglúin nua seo deir Gearóid S. Mac Eoin: 'They
found little to interest them in the rural-orientated literature which
up to then was dominant in Irish' (63). Dúradh gur thiontaigh
scríbhneoirí a gcúl leis an seansaol Gaelach a bhí á léiriú acu roimhe
sin agus gur dhírigh siad a n-aire ar cheisteanna móra an fichiú
haois. Ní aontaím féin leis na tuairimí seo. Is fíor go ndearna cúpla
scríbhneoir iarracht talamh nua a bhriseadh ach féach gur scríobhadh
an-chuid dírbheathaisnéisí faoin saol sa Ghaeltacht, agus úrscéalta
bunaithe ar an saol Gaeltachta ó shin i leith.[4]

   Bhí an tuairim ag daoine freisin go dtiocfadh deireadh leis an
sórt seo litríochta le foilsiú *An béal bocht* (1941). Ba shaothar grinn
é an leabhar seo a léirigh go beacht meon Myles faoi staid na
litríochta Gaeilge ag an am. Is léir, áfach, gur beag aird a tugadh
air ná, go deimhin, ar theoiricí liteartha ar bith ag an am. Mar a
deir Seán Ó Tuama (1976): 'Myles na gCopaleen's satire, however,
did not stop the flow of autobiographical works. They still appear
regularly, year in, year out—the more noteworthy now being
written by non-native speakers of Irish' (40).

   Sa saothar seo breathnófar ar an litríocht réigiúnach mar ghné
faoi leith de nualitríocht na Gaeilge. Is é tuairim an scríbhneora
seo ná gur fáthanna socheolaíocha is mó is cúis le leitheadúlacht an
chineáil sin litríochta ón tús. Sa chéad chuid den leabhar pléifear
na cúiseanna ar scríobhadh an oiread sin saothar réigiúnach i
nGaeilge. Tá sé seo thar a bheith tábhachtach mar is dóigh liom
gurb iad na nithe céanna is cúis leis an nganntanas saothar cruth-
aitheach. Ina dhiaidh sin breathnófar ar an litríocht réigiúnach a
tháinig ó dhá cheantar Gaeltachta—Gaeltacht Chorca Dhuibhne
agus Gaeltacht Thír Chonaill. Léireofar tábhacht na litríochta sin
mar fhoinse don duine ar spéis leis an chaoi a mbreathnaíonn pobal
daoine ar a gceantar dúchais. Is anailís fheiniméaneolaíoch ar an
litríocht a bheidh á dhéanamh agam ansin agus léireofar an leas
agus an taitneamh is féidir a bhaint as saothair nach saothair ard-
litríochta iad, nuair a bhreathnaítear orthu mar fheiniméan a
d'eascair as cúinsí áirithe saoil i dtréimhse áirithe stairiúil.

BUÍOCHAS

Gabhaim buíochas ó chroí leis na daoine go léir a chuidigh liom an saothar seo a chur díom. Gabhaim buíochas go háirithe leis an Ollamh Breandán Ó Buachalla agus le hEoghan Ó hAnluain a thug idir stiúradh agus chomhairle dom agus mé i mbun oibre. Táim faoi chomaoin mhór freisin ag an tíreolaí, an Dr Kevin Whelan, a thug an-spreagadh go deo dom agus a léirigh dom bealach úrnua le breathnú ar chuid mhaith de nuaphrós na Gaeilge. Tá mé fíorbhuíoch de Mhairéad Ní Mhaonaigh a rinne an clóscríobh dom agus de Stiofán Ó hAnnracháin a chuidigh liom an leabhar a ullmhú do na clódóirí.

CUID A HAON

NUAPHRÓS NA GAEILGE :
AN COMHTHÉACS SOCHEOLAÍOCH

Caibidil 1

AN NÁISIÚNACHAS CULTÚRTHA

Ag deireadh an naoú haois déag ba é an náisiúnachas cultúrtha an ghluaiseacht intleachtúil ba thábhachtaí in Éirinn agus san Eoraip. Bhí sé láidir sa Ghearmáin, san Iodáil, sa Ghréig agus sa Pholainn, mar shampla, agus bhí fealsúnacht náisiúntóirí mar Fichte agus Herder á craobhscaoileadh go forleathan ar fud na hEorpa ag an am.

Ba as an náisiúnachas seo a d'eascair an ghluaiseacht 'Young Ireland' roimh aimsir an Ghorta. Bhí tuairimí náisiúntóirí cultúrtha á nochtadh sa nuachtán *The Nation* agus sna hamhráin is sna dánta a bhí á bhfoilsiú ag an am. Chuir an Gorta cosc leis an ngluaiseacht ach tháinig sí chun tosaigh arís ag deireadh an naoú haois déag tríd an gCumann Lúthchleas Gael, Conradh na Gaeilge agus Sinn Féin. Bhí ár bhfealsúnaithe féin againn anseo, daoine mar Thomas Davis, Gavan Duffy agus, ina dhiaidh sin, Eoin Mac Néill, Dubhghlas de hÍde agus an Piarsach.

An náisiúnachas cultúrtha ba bhun le hidéalachas Chonradh na Gaeilge ón tús agus bhí an-tionchar go deo ag an náisiúnachas seo ar chúrsaí litríochta nuair a ghlac an Conradh athbheochan na litríochta Gaeilge mar aidhm air féin. Cuireadh béim faoi leith ar an rud traidisiúnta, ar shaol na tuaithe agus ar chreideamh ár sean, agus cuireadh na rudaí seo i gcomparáid leis an tslí bheatha thruaillithe is na smaointe salacha a bhain le saol na cathrach. Mar a dúirt Dubhghlas de hÍde ina léacht cháiliúil 'The Necessity for de-Anglicizing Ireland' a thug sé sa bhliain 1892: 'Every house should have a copy of Moore and Davis. In a word, we must strive to cultivate everything that is most racial, most smacking of the soil, most Gaelic, most Irish.'

Is ar mhuintir na tuaithe agus ar chultúr an tuathánaigh a tarraingíodh aird an phobail. Rinneadh idéalú ar mhuintir na Gaeltachta mar ba leo fós oidhreacht ár sean agus ár sinsear—an teanga agus an béaloideas. Mar a dúirt Eoin Mac Néill: 'The Irish speaker was the truest and most invincible soldier of his nation.'[5] Bhí sibhialtacht na tuaithe ar leibhéal níos airde ná sibhialtacht na cathrach agus rinneadh comparáid go minic idir cultúr Shasana agus cultúr na tíre seo. Dúirt Dónal Mac Cartney faoi Eoin Mac Néill: 'He

15

16 AN COMHTHÉACS SOCHEOLAÍOCH

believed that English as distinct from Gaelic civilization tended
towards materialism' (1973:93).

Bhí gluaiseacht na teanga agus na litríochta gafa go hiomlán leis
an rómánsachas seo i dtaobh an tseanchultúir a bhí mar chuid
lárnach d'fhealsúnacht an náisiúnachais chultúrtha. Bhí an fheal-
súnacht seo á craobhscaoileadh i roinnt mhaith páipéar agus irisí
ag an am, agus irisleabhar Chonradh na Gaeilge ina measc. Is dóigh
gurb é an *Leader*, faoi eagarthóireacht D. P. Moran, an páipéar is
mó a chuaigh i bhfeidhm ar phobal na hÉireann. Chonaic Moran
todhchaí na tíre freisin sna tuathánaigh bhochta a raibh iarsmaí an
tseanchultúir ina seilbh: 'They still possess that unspoiled raw
material for the making of a vigorous and real Irish character'
(1950:4).

Moladh gur chóir an teanga agus an córas smaointeoireachta a
bhí lonnaithe inti a chaomhnú, agus cuireadh fál an aineolais thart
ar an tuathánach bocht. Ós rud é go raibh an litríocht le bheith mar
scáthán ar aigne an Ghaeil, is é saol an duine a raibh an teanga ó
dhúchas aige agus dearcadh an duine sin ar an saol is mó a fheicimid
inti. Is mar gheall air seo, chomh maith, a fhaighimid a laghad sin
nuachta i litríocht na Gaeilge. Mar a dúirt Liam P. Ó Riain:

> Literature, in Irish especially, was racily alive and companionable,
> though the Gael, as a rule, was too social or critical, or dominated
> by what he regarded as traditional, and as such sacred, to be much
> of an originator so far. (1912:5)

B'shin sa bhliain 1912. D'fhéadfaí an rud céanna a rá i bhfad ina
dhiaidh sin. Ba náisiúntóir cultúrtha Ó Riain féin agus is spéisiúil
an rud é go dtugann sé ardmholadh don dírbheathaisnéis *Le linn
m'óige* le Mícheál Mag Ruaidhrí, fear oibre ó Chontae Mhaigh Eo
a chaith blianta ag obair mar ghairneoir do Phádraig Mac Piarais
i Scoil Éanna:

> His in sooth promised to be the richest, most musical, and freshest
> Irish style of our day. From his joyous, idealistic nature and his
> romantic pictures of the home and fireside life one might deem
> Connemara a Tír na nÓg. (288)

Molann Ó Riain Pádraig Mac Piarais agus deir sé gur sampla maith é
den sórt duine a bhí páirteach sa ghluaiseacht náisiúnta: 'the
educated man who goes down to the haunts of the unspoiled people
and imbibes their lore and traditions to his heart's content' (292).

Sa chaoi chéanna bhí Mícheál Mag Ruaidhrí tipiciúil den fhear
tuaithe:

> a very vivid and racy personage. He overflows with character. He
> also overflows with North Connacht story and tradition, and the
> Irish he speaks is particularly idiomatic and copious .... There is
> a flavour of the earth and antique saga about him. (297-8)

Níorbh iad daoine mar Liam P. Ó Riain agus D. P. Moran amháin
a raibh an dearcadh rómánsúil seo acu ar shibhialtacht na tuaithe.
Bhí sé ag George Russell (Æ) freisin agus seo é an cur síos a
dhéanann seisean ar an tsibhialtacht idéalach a bhí ina aigne aige:
'The idea and plan of a great rural civilization must shine like a
burning lamp in the imagination of the youth of Ireland' (1925:115).
Tá scríbhinní Aodh de Blácam, duine a raibh an-spéis aige i litríocht
na Gaeilge, lomlán le tagairtí don tuathánach geanmnaí uasal. Tá
léiriú ar a dhearcadh rómánsúil le feiceáil go gléineach sa leabhar
dá chuid *Gentle Ireland* a foilsíodh sa bhliain 1935. I gcaibidil sa
leabhar sin déanann sé cur síos ar an 'Age-enduring peasant':

> the shepherds, old, plain men in homespun garb; men with rosy
> faces, keen, untroubled eyes. They are alive with an almost animal
> intensity: can scent smoke down in the glen. ... They are strong,
> untiring men. They travel leagues on the wild heights in many
> weathers, complain not of hunger, hail, or bitter cold. ... They are
> the least spoilt of the old race, because they are farthest from the
> lowland traffic. (14-16)

Déanann sé cur síos ar an iarthar: 'the Atlantic counties, where the
old, Homeric, self-sufficient life is least spoilt' (18) agus déanann sé
comparáid go minic idir saol na cathrach agus saol agus sibhialtacht
na tuaithe:

> We see the European urban civilisation going down today in cor-
> ruption of body and mind, in merciless warfare, and in unbelief. It is
> the price of a wrong philosophy, a wrong set of values. Only 'green'
> Europe, the peasant lands behind the big cities, promises to live on
> after the ruin. (21)

Deir sé faoin teanga: 'The unspoilt Irish language lends itself to
neat and noble utterance' (54).

Mhair na tuairimí seo faoin tuathánach uasal ar feadh i bhfad
sa tír seo agus chothaigh meon na haimsire dearcadh caomhnaith-

each i muintir na hÉireann. Bhí an fhealsúnacht cheannann chéanna mar dhúshraith d'fhealsúnacht pholaitiúil Éamon de Valera i bhfad i ndiaidh dúinn ár neamhspleáchas polaitiúil a bhaint amach. Seo mar a thagraíonn Tim Pat Coogan d'idéil Dev: 'In many ways he resembled Pearse in his piety, his idealised view of Ireland, his devotion to the Gaelic language and culture' (1966:71). In óráid a thug de Valera ar an raidió sa bhliain 1943[6] léirigh sé go beacht an tsamhail den Éire fhoirfe a bhí ina intinn aige:

> The Ireland which we have dreamed of would be the home of a people who valued material wealth only as the basis of right living, of a people who were satisfied with frugal comfort and devoted their leisure to things of the spirit; a land whose countryside would be bright with cosy homesteads, whose fields and villages would be joyous with the sounds of industry, with the romping of sturdy children, the contests of athletic youths, the laughter of comely maidens, whose firesides would be the forums for the wisdom of old age. It would, in a word, be the home of a people living the life that God desires men should live.

Tháinig meath ar shlí bheatha an fheirmeora bhig tar éis an Dara Cogadh Domhanda, áfach, ach bhí an meon dúnta caomhnaitheach fós go forleathan. I gcuideachta leis an eaglais chothaigh sé meon frithintleachtúil i measc an phobail i gcoitinne agus chuir sé srian ar scríbhneoirí cruthaitheacha ar feadh i bhfad. Mar a deir Tim Pat Coogan:

> The maladroit attempt to erect a cultural and intellectual greenbelt around Ireland, combined with the other factors and aggravated by wartime isolation, meant that free and informed discussion in Irish public life was, until the Watershed, a rarity. (166)

B'ionann nua-aimsearthacht fós agus aithris ar an Sasanach agus níor osclaíodh na doirse dáiríre go dtí na seascaidí. Déanann Coogan achoimre mhaith ar mheon na linne roimh an Dara Cogadh Domhanda: 'In the 1930s, in the mingled disillusionment and fervour of post-Civil War nationalism, the portcullis was lowered on the outside world. Within the citadel, the cultural gaze was turned inward and backward to some supposedly pure and blessed era in Ireland's past' (177).

Níl aon tionchar ón Eoraip le brath ar litríocht nó ar ealaín na tíre sa tréimhse sin. Is le linn na tréimhse sin a tosaíodh ar nós na dírbheathaisnéise Gaeilge agus spreagadh an-chuid seandaoine chun scéal a mbeatha a scríobh nó a dheachtú. Roimhe sin ní smaoineodh éinne ar scéal a scríobh faoi shaol na tuaithe i gceantar beag iargúlta. Cuireadh baic uafásacha ar scríbhneoirí cruthaitheacha ag an am, áfach, rud atá soiléir ó na heagarfhocail a scríobh Seán Ó Faoláin don iris *The Bell* sna daichidí. Scríobh sé go minic faoin bhfrustrachas a mhothaigh scríbhneoirí agus iad faoi smacht ag nósmhaireachtaí liteartha. Labhair sé i mBealtaine na bliana 1941 faoin 'doctrine of Regionalism whereby no writer should ever describe anywhere but his own little village or parish' (5). I bhFeabhra na bliana 1942 deir sé: 'every single iota of colour and romance has been knocked out of the inspiration of Gaelic and the Gaelic tradition' (332). Is féidir an leimhe seo a d'eascair as fealsúnacht a bhí calcaithe san aimsir chaite a bhrath ar fhormhór na n-iarrachtaí liteartha a rinneadh i nGaeilge sna daichidí.

Labhair Ó Faoláin go minic faoin gcinsireacht, ach bhí rud níos measa ná sin ann, dar leis, rud a dtugann sé 'censorship consciousness' air. Deir sé faoi na daoine sin a scríobh ar bhealach a thaitneodh leis na cinsirí:

> they obscure the light, they sentimentalise everything into a pretty fable which is no less a lie for being pretty, and is far more insidious. The effect of this on the 'general intellectual atmosphere' is corrosive. (1942:333)

Ní féidir é seo a léamh gan cuimhneamh ar Shéamas Ó Grianna, scríbhneoir nach raibh fadhb aige riamh leis na cinsirí, scríbhneoir a chothaigh stíl réigiúnach a thaitneodh le pobal áirithe léitheoirí agus a d'admhaigh é féin nár scríbhneoir éifeachtach é mar nár chloígh sé go leor le fírinne an tsaoil. Bhí imfhios thar cionn ag Seán Ó Faoláin in imeachtaí a linne. San alt céanna labhraíonn sé faoin gcaoi ar deineadh coinbhinsiúin liteartha a adhradh: 'no new thing is accepted, and only endless imitations be welcomed for their orthodoxy, approved by literary theologians, and justified as Tradition' (333). Smaoiním ar na dírbheathaisnéisí ar fad a raibh na nótaí ceannann céanna á seinm ina bhformhór ach a fuair ardmholadh ó phobal na Gaeilge, agus smaoiním freisin ar na gearáin a rinneadh agus ar na maslaithe a tugadh do shaothair scríbhneoirí a rinne iarracht briseadh amach ó ghéarleanúint na gcoinbhinsiún sin.

I Márta na bliana 1943 agus é ag plé 'Ireland and the Modern World' labhraíonn Ó Faoláin faoin gcaoi ar mhair tuairimí lucht

Sinn Féin chomh fada sin go raibh siad ag déanamh dochair do fhorás na tíre ar leibhéal intleachtúil agus eacnamúil:

> The world is wicked: we are good. The world will contaminate us: we must keep out the world. The whole mental outlook of our neo-puritans and neo-nationalists is of that order, and all their efforts are correspondingly directed towards protecting us by insulation and isolation. (424)

Bhí muintir na Poblachta fós ag breathnú siar, cúng ina gcuid smaointe agus a gcuid idéal bunaithe ar an stair in ionad iad a bheith dírithe ar fhadhbanna comhaimseartha na tíre. Ní raibh aon nuacht le haireachtáil ina bhfealsúnacht agus bhí siad scoite amach ó na lárionaid smaointeoireachta trí fhál saorga an traidisiúin thuaithe, traidisiún a bhí ar an dé deiridh i bhfad roimhe sin.

Ós rud é go raibh an náisiúnachas ceangailte i gcónaí le hath-bheochan na teanga, níor tháinig athbheochan na litríochta Gaeilge saor ó na laincisí a ghabh leis ach an oiread. Ba mheasa an litríocht í dá bharr, áfach, rud a dúirt Francis Stuart amach go neamhbhalbh ina leabhar *Politics and the modern Irish writer:*

> No great risks were taken, a safe pattern or formula having been arrived at and the kind of ⟨Irishness⟩ that Kavanagh satirized promoted. Nothing alien nor disruptive of the new complacencies, encouraged by the politicans, got a foot inside the closed door. (1978:51)

Sa chéad chaibidil eile breathnófar ar iarrachtaí an Chonartha féin chun litríocht nua-aoiseach Ghaeilge a spreagadh, ag cuimhneamh i gcónaí ar an gcúlra seo a bhí taobh thiar d'iarrachtaí na heagraíochta sin.

Caibidil 2

CONRADH NA GAEILGE

Ghlac Conradh na Gaeilge aidhm liteartha air féin sa bhliain 1897 nuair a bunaíodh an tOireachtas. Ó shin i leith, chomh maith le caomhnú na Gaeltachta agus athbheochan na teanga sna ceantair Ghalltachta, bhí sé mar aidhm ag an gConradh litríocht nua-aoiseach Ghaeilge a chur chun cinn. Ba eagraíocht pholaitiúil an Conradh ag an am, áfach, leis an bhfealsúnacht náisiúnach mar bhonn aige. Mar a dúirt Domhnall Ó Corcora:

> In general the philosophy of the Gaelic League is nothing else than that of Irish Ireland, of the National Ideal, of Ireland a Nation, of Irish Nationality. Irish mind restored, living in action, is the vital principle of each. Of the existence of a national mind the Gaelic League is assured. (1948:3)

I léacht a thug an tAthair Pádraig Ua Duinnín sa bhliain 1904 léirigh sé dearcadh an Chonartha faoi chúrsaí liteartha. Bhí gá le litríocht Ghaelach, mar go raibh an oiread sin truaillithe ag baint le litríocht an Bhéarla:

> This country is, to a large extent still untainted by the teaching of the positivist, the materialist, the hedonist which pervades English literature whether serious or trivial . . . it will be difficult to prevent that literature from planting the seeds of social disorder and moral degeneracy amongst even our still untainted population. (1904:9-10)

B'shin a bhí mar aidhm ag an Duinníneach agus é ag scríobh é féin. Ní gá ach breathnú ar an réamhrá a chuir sé le *Cormac Ua Conaill,* an chéad úrscéal i nGaeilge, chun a aidhmeanna liteartha a thuiscint. Tar éis dó cur síos ar an gcaoi ar fhigh sé 'beagán de chainnt na bhfileadh agus de ráidhtibh na sean' isteach i scéal simplí soléite don aos scoile, deir sé:

> Cheapas gur bh'fhearr gan aithris a dhéanamh ar úr-scéaltaibh eachtrannacha an lae sin—bhíodar ró leamh, ró bhaoth, ró fholamh don aos scoile—agus nár mhiste scéal do cheapadh go mbeadh baint aige le stair na hÉireann. (1901:vii)

Shamhlaigh an Duinníneach aidhmeanna polaitiúla leis an litríocht. Dúirt sé i léacht eile:

21

the rising generation should be inoculated with the spirit of their ancestors, should drink Irish traditional lore at the fountain-head, and should have their souls steeped in the health-giving waters of native literature and legend . . . (1904:48)

Bhí an tuairim chéanna ag Charles Gavan Duffy. Ní raibh rud ar bith ach truflais le fáil i litríocht nach raibh dúchasach:

It is not alone that we are deficient in knowledge essential to equip us for the battle of life by an acquaintance with the character, capacities and history of our own country; but, far worse than that, the mind of the generation destined some day to fill our place, the youthful mind which must be kindled and purified by the poetry and legends of Ireland, runs serious risks of becoming debased, perhaps depraved, by battering on literary garbage. (1892:1)

Bhí athbheochan na litríochta Gaeilge róghafa ón tús le cruthú litríochta náisiúnta agus chuir an aidhm seo cosc cuid mhaith ar fhorbairt na nualitríochta cruthaithí. Bhí an fhadhb fós linn sna seascaidí agus níos déanaí. Ba namhaid don litríocht chruthaitheach an tírghrá i gcónaí agus mhol Diarmaid Ó Súilleabháin don scríbhneoir smacht a choinneáil air: 'Tá sé an-fhurast do scríbhneoir a bheith meallta ina dhíograis i dtranglam na hAthbheochana (agamsa atá fios). B'fhiú dó smacht a choimeád ar a thírghrá ar mhaithe a ealaíona' (1965:20).

Ós rud é gur eascair an Conradh ón náisiúnachas cultúrtha a bhí go forleathan ag an am, ní iontas ar bith é gur chuir na Conraitheoirí an bhéim chéanna ar chultúr na tuaithe agus a chuir na náisiúntóirí cultúrtha. Dúirt Liam P. Ó Riain: 'Every Irish literature must have its roots deep in the racy home soil' (1894:38). Leag an Duinníneach béim ar thábhacht an chainteora dhúchais freisin:

It is the native speaker alone that can hand on the living torch to future generations. It is in the native speaker as a single individual and in groups and combinations that the only hope of the language rests. (1904:52)

Ar ndóigh, ba é Dubhghlas de hÍde ba mhó a tharraing aird an phobail ar an tuathánach agus go háirithe ar shaol an iarthair. Foilsíodh a leabhar iomráiteach *Abhráin grádh Chúige Connacht* sa bhliain 1895, dhá bhliain i ndiaidh bhunú an Chonartha. Bhí antionchar ag an leabhar seo, agus ag na leabhair eile a d'fhoilsigh sé, ar mheon an phobail i leith na litríochta. Den chéad uair riamh bhí

litríocht an phobail le fáil i bhfoirm leabhair. Ba ag breathnú siar
ar chultúr an iarthair a bhí na Conraitheoirí agus iad ag smaoin-
eamh ar an bhfíor-Ghaelachas. Bhí todhchaí na teanga ag brath
ar mhuintir na tuaithe sna ceantair Ghaeltachta, dar leo. Mar a
dúirt Eoin Mac Néill:

> Is í céud-obair is indeanta dhúinne, an Ghaedhealg do chongbháil
> beó cois na dteallach.
> Ar chaoi go mbudh amhlaidh éireóchas linn, is éigean dúinn an
> tóghairm dhíreach do dhéunamh chum na tuaithe. (1893:178)

Rinne na Conraitheoirí amhlaidh. Chuaigh siad síos i measc na
ndaoine sin agus thug siad spreagadh dóibh. Seo mar a thagraíonn
Criostóir Mac Aonghusa don tionchar a bhí ag an gConradh ar an
nGaeilgeoir ó dhúchas:

> D'fhoilsíodar dánta agus scéalta agus amhráin a raibh eolas aige
> orthu. Bhí rud éigin le léamh feasta. Ina cheann sin thugadar ugach
> dó leabhair a scríobh. Nuair a scríobh d'fhoilsíodar dó iad. Chuir
> sin áthas croí ar na seanGhaeilgeoirí. Den chéad uair riamh chual-
> adar a gcaint féin á léamh as leabhair. (1972:78)

Níos mó ná eagraíocht ar bith eile ba é an Conradh a spreag spéis
as an nua i dtraidisiúin agus i luachanna na ngnáthdhaoine: 'The
language, literature and folk culture of Ireland were the basic
elements in the League's programme' (Kevin B. Nowlan, 1972:46).
Ba chuid den ghluaiseacht náisiúnta na nithe seo ar fad, áfach.
Go praiticiúil, cad a rinne Conradh na Gaeilge chun an litríocht a
chur chun cinn?
Ar an gcéad dul síos is cinnte gur spreag an tOireachtas scríbh-
neoirí Gaeilge. Dúirt Máirín Ní Mhuirgheasa 'gur beag scríbhneoir
Gaeilge nach bhfuair aitheantas nó misniú ar bhealach éigin ón
Oireachtas' (1964:16). Is iomaí duais a fuair Pádraic Ó Conaire ar
ghearrscéalta, ar úrscéalta agus ar dhrámaí. Fuair Pádraig Ó
Siochfhradha, Pádraig Ó Domhnalláin, Seosamh Mac Grianna,
Pádraig Óg Ó Conaire, Pádraig Ó Séaghdha, Pádraig Ó Sé ('Conán
Maol'), Séamus Ó Dubhghaill ('Beirt Fhear'), Domhnall Ó Corcora,
Mícheál Breathnach, Seaghán Mac Meanman agus go leor leor eile
duaiseanna ar ghearrscéalta, úrscéalta, ar fhilíocht agus ar dhrámaí.
Ba mhinic a bhuaigh saothair réigiúnacha duaiseanna. Ba dhuais-
iarrachtaí na dírbheathaisnéisí seo ar fad, mar shampla: *Rotha mór
an tsaoil* le Micí Mac Gabhann, *Na haird ó thuaidh* le Pádraig Ua

Maoileoin, *Dialann deoraí* le Dónall Mac Amhlaigh, *Lá dár saol* le Seán Ó Criomhthain, *An t-oileán a tréigeadh* le Seán Sheáin Í Chearnaigh agus *Iarbhlascaodach ina dheoraí* leis an duine céanna. Nuair a bunaíodh an tOireachtas i dtosach ba mhinic a ghnóthaigh bailiúcháin seanchais, seanscéalta, paidreacha nó seanfhocal na príomhdhuaiseanna. In ainneoin a ndeir Máirín Ní Mhuirgheasa faoin Oireachtas áfach is cinnte gur bronnadh duaiseanna go minic ar dhrochshaothair. Níor chúnamh ar bith é gurbh é Coiste Gnó an Chonartha féin a thogh na moltóirí,[7] agus mar thoradh air sin cuireadh béim ar dhúchas na teanga agus ar an mbéaloideas níos mó ná ar cháilíochtaí liteartha na saothar a cuireadh faoina mbráid. Sa bhliain 1932, mar shampla, ní raibh ach ceithre chomórtas do shaothair liteartha nuacheaptha cé go raibh ocht gcomórtas go hiomlán ann. Bhí ceithre chomórtas ann do Ghaeilgeoirí ó dhúchas amháin agus is spéisiúil an rud é nár bhain ach ceann amháin acu siúd le litríocht nuacheaptha—cnuasach gearrscéalta. Bhain na comórtais eile le seanscéalta, amhráin nó dánta, seanfhocail, seanráite, beannachtaí agus mar sin de. Is léir nach raibh sé mar aidhm ag lucht an Oireachtais na cainteoirí ó dhúchas, an t-aon dream a raibh an teanga ina seilbh i gceart acu, a spreagadh chun talamh nua a bhriseadh i gcúrsaí litríochta. Agus é ag caint faoin bpáirt a ghlac na daoine sin i ngluaiseacht na litríochta, deir Muiris Ó Droighneáin:

> ní bhíodh de bhaint le litridheacht na nua-ghluaiseachta ag na gnáth-Ghaedhilgeoirí acht go mbíodh a n-anál ag dul fé na sgríbhneoirí a bhíodh ag cnuasach sgéalta uatha nó ag éisteacht leo ag aithris agus ag seanchas ag Feis agus ag Oireachtas. (1936:45)

Rinneadh muintir na Gaeltachta a adhradh ach níor tuigeadh iad. Tugann Seosamh Ó Duibhginn léargas an-mhaith dúinn ar an atmaisféar a ghabh le cuid de na comórtais san Oireachtas. Seo é an cur síos a rinne sé ar scéalaithe ón nGaeltacht agus iad ag dul os comhair na moltóirí i gcomórtas scéalaíochta:

> Bhíodh atmasféar séipéil ann, agus mar bharr ar an donas, shamhlaítí dom brón uile an chine a bheith suite go daingean ar cheannaghaidh an mholtóra agus é ag trácht ar an mbás: an Bás a bhí ag sciobadh lucht chleachta an nós sin scéalaíochta leis gach bliain; an Bás a fuair an nós sin scéalaíochta i dtíortha eile; an Bás a bhí i ndán di gan mórán achair i nÉirinn. Ní cosúlacht bháis a bhíodh ar na scéalaithe ar an ardán. A mhalairt ar fad. Fir spreagúla agus rógair-

eacht ina súile a bhíodh iontu. Údar éadóchais agus mímhisnigh a ghinfeadh na comórtais úd i gcroí an duine. (1962:122)

An locht ba mhó a bhí ar an Oireachtas, is dóigh, ná an róbhaint a bhí ag díograiseoirí an Chonartha leis. Bhí an rud céanna fíor nuair a chuir an Conradh Coiste na bhFoilseachán ar bun sa bhliain 1900. Ba bhaill de Choiste Gnó an Chonartha féin a bhí ar an gCoiste sin ón tús. Cuireadh comhlacht foilsitheoireachta—Clódhanna Tta.—ar bun sa bhliain 1908 agus arís chaithfeá bheith i do bhall de Choiste Gnó Chonradh na Gaeilge sula nglacfaí leat sa chomhlacht. Chiallaigh sé sin gur dhíograiseoirí teanga a bhí i bhfeighil cúrsaí foilsitheoireachta, agus is cinnte go raibh daoine ar Choiste na bhFoilseachán ó am go chéile, agus ar choiste Chlódhanna Tta. nár spéis leo an litríocht ar chor ar bith. Cuireadh an bhéim i dtosach ar leabhair a sholáthar don fhoghlaimeoir agus don náisiúntóir agus, tríd is tríd, is beag saothar cruthaitheach a d'fhoilsigh an Conradh féin. Dúirt Donnchadh Ó Súilleabháin faoin gceist seo:

Ba thábhachtaí, is cosúil, leis an gConradh, leabhair a chur ar fáil ná caighdeán agus oiriúnacht na leabhar. Glacadh le leabhair agus foilsíodh iad, is dócha, toisc gur ball den Choiste nó den Choiste Ghnó a scríobh iad. ... Is léir ó na tuairiscí go raibh rudaí imithe go mór ó smacht faoin bhliain 1913. Tá an nóta seo ón Iniúchóir, Domhnall Ó Conchubhair, ina thuairisc d'Ardfheis, 1913: 'Is é mo thuairim go bhfuil cuid mhór de na leabhair atá in bhur seilbh is gur suarach is fiú iad agus ar a laighead de ní fiú iad an méid a chosain siad". (Bealtaine 1971:13)

Phléigh Pádraic Ó Conaire droch-chaighdeán na litríochta go minic. Sa bhliain 1920 d'fhoilsigh sé alt fíochmhar in *Old Ireland.* Cén fáth nár cuireadh tuairimí an Phiarsaigh i ngníomh? Cén fáth ar scríobhadh a laghad sin den litríocht chruthaitheach nua-aoiseach? Cuireann Ó Conaire a mhéar ar an bhfadhb nuair a luann sé na daoine a bhí i bhfeighil fhoilsitheoireacht na Gaeilge faoi choimirce Chonradh na Gaeilge:

Na daoine a bhí i bhfeighil obair an Chonartha an tráth sin, agus atá i mbun na hoibre sin inniu, ní lucht litríochta a bhí iontu ach lucht teanga. ... Dá ndéantaí trácht i scéal ar an olc agus ar an mailís, ar an gcaime agus ar an suarachas a bhíos i gcroí an duine, thógfaidís a súile agus a lámha le huafás agus déarfaidís go mba mheasa an scéalaí sin ná an Sasanach féin agus go raibh sé ag tabhairt masla dá

thír agus dá bhunadh. . . . Ní ionadh é, agus a leithéid de sheanóirí
leathléannta leathchaocha a bheith i mbun foilsitheoireachta na
leabhar, gur milleadh an obair. I ndiaidh a chéile thosaigh na
scríbhneoirí óga a raibh misneach acu, agus suim acu i nglanlitríocht,
ag éirí as an scríbhneoireacht, gur cuireadh cosc leis an nglúin nua
a bhí ar tí a leanúint, gur fágadh branar na litríochta gan cur. Lucht
teanga agus lucht teanga amháin a bhí sna seanóirí leathchaocha
seo a bhí i mbun clónna na Gaeilge. . . . (42)

San alt sin luann Ó Conaire cúngaigeantacht lucht an Chonartha.
Is spéisiúil an rud é breathnú ar an gcineál duine a bhí páirteach i
ngluaiseacht na Gaeilge ag an am. In alt faoi Chonradh na Gaeilge
mar ghluaiseacht shóisialta deir Martin J. Waters go raibh an
ghluaiseacht ag brath cuid mhaith ar imirceoirí agus ar dhaoine de
bhunús tuathánach—leithéidí D. P. Moran agus Liam P. Uí Riain.
Ba éalú ón suíomh laethúil a raibh siad sáinnithe ann an pháirt a
ghlac siad i ngluaiseacht na Gaeilge, dar leis:

> The Irish-Ireland movement offered them the hope of participating
> in something new and grand, something that provided a sense of
> high purpose as well as the hope that their true merits and sacrifices
> would be recognised and appreciated. (1977:170)

Bhí easpa fuinnimh intleachtúil ag baint leis an ngluaiseacht i
gcoitinne, áfach. Seo mar a chuireann Breandán Ó Doibhlin síos air:

> Ag breathnú siar ar ghluaiseacht na Gaeilge duit, b'eagal leat
> uaireanta agus a theirce is atá an machnamh a rinneadh ar fáthanna
> na hathbheochana agus ar pé tábhacht a bhí léi do shaol na tíre, go
> bhfuil cuid éigin den cheart ag an dream a dhéanann beag di, á rá
> nach raibh de bhunús léi riamh ach tionchar athláimhe ó aois an
> rómánsachais agus ó fhealsúnacht na nGearmánach úd—Herder,
> Fichte agus Schleiermacher. (1976:246)

Ba mhinic Seosamh Mac Grianna ag gearán faoi chúngaigeantacht
lucht na Gaeilge. D'aontaigh sé le Tomás Mac Donncha nuair a
dúirt an duine sin go raibh sé dodhéanta do dhream mar an Conradh
litríocht nua-aoiseach a chur chun cinn. Deir sé:

> Níl obair an Chonartha, ná na daoine atá ag déanamh na hoibre sin,
> liteartha ar dhóigh ná ar dhóigh eile. . . . Níorbh iad na daoine ba
> leithne intinn, ná ab fhearr oideachas a thóg iad féin leis an teanga.
> Tá mórán sna cathracha a bhfuil measarthacht léinn acu—máistrí
> scoile agus a leithéidí—ach nach bhfuil intleacht ard acu. Seo an
> cineál is mó a bhíos ag ruaigeadh ar an Ghaeilge. (1924:5)

An iontas ar bith é nár éirigh le Conradh na Gaeilge mórshaothar a dhéanamh ar son na nualitríochta. Ba í an ghluaiseacht féin agus an cineál duine a bhí gafa léi a chlis ar an scríbhneoirí. Nuair a bhí tríocha bliain slán ag an gConradh bhí an méid seo leabhar foilsithe acu:

Leabhair mhúinte Gaeilge	16
Scéalta Fiannaíochta agus béaloideasa	31
Téacsleabhair scoile	13
Filíocht agus amhráin	17
Ceol	38
Nuascéalta	24
Drámaí	17
Litríocht ghinearálta	16

(Donnchadh Ó Súilleabháin, 1971:14)

Is léir ón liosta seo go raibh toradh ar an mbéim a cuireadh ar bhailiú an bhéaloidis. Ba é *Scéalaí Fearnmhaighe,* cnuasach sean-chais a bhailigh Seosamh Laoide i ndeisceart Mhuineacháin, an chéad leabhar de shraith a raibh an-éileamh uirthi. Mar a deir Proinsias Ó Conluain agus Donncha Ó Céileachair, ba roimh an mbliain 1916 a rinne an Conradh formhór a chuid oibre ar son na foilsitheoireachta i nGaeilge:

[bhí] a lán de na bunleabhair ba riachtanaí curtha ar fáil, beatha úr tugtha do chuid mhór de na filí agus de na scríbhneoirí clasaiceacha a bhí ligthe i ndearmad leis na céadta bliain, a lán de sheanchas na Gaeltachta bailithe agus na seanscéalta agus na seanamhráin curtha i gcló do na glúnta a bhí le teacht. (1958:214-5)

D'éirigh leis na Conraitheoirí ábhar scolártha agus leabhair scoile a sholáthar; d'éirigh leo roinnt saothar cruthaitheach a chur i gcló; ach an rud is mó a rinne siad, b'fhéidir, ná gur éirigh leo an gnáth-dhuine de chuid na Gaeltachta a chur os comhair an phobail agus cultúr an duine sin a léiriú tríd an mbéaloideas agus an ceol a bailíodh uaidh.

Caibidil 3

AN GÚM

Cuireadh an Gúm ar bun sa bhliain 1926. Ghlac an Roinn Oideachais litríocht na Gaeilge faoina cúram ag an am sin. Ceapadh Coiste na Leabhar chun lámhscríbhinní ó scríbhneoirí Gaeilge a léamh agus a mheas, agus chun comhairle a thabhairt don Roinn Oideachais i dtaobh na leabhar sin a bheadh oiriúnach le foilsiú do na scoileanna. Choinnigh an Gúm ag scríobh iad siúd a chuir an tOireachtas ag scríobh agus chuir sé dream nua ag breacadh páipéir. Níor tháinig aon mhórghaisce ón nGúm, áfach. Foilsíodh raidhse leabhar Gaeilge. Ba iad na dírbheathaisnéisí agus na saothair eile réigiúnacha na cineálacha ba choitianta seachas, ar ndóigh, an meall mór aistriúchán a rinneadh, a bhformhór ón mBéarla. Íocadh na scríbhneoirí de réir líon na bhfocal agus dá bhrí sin tháinig fad as compás i leabhair Ghaeilge. Dúirt Máirtín Ó Cadhain faoin nGúm: 'Immediately whole lots of novels began to get written by the most unexpected people, and quantity surveyors noticed that these had become twice and three times the size of previous novels' (1971:147).

Chuir an Gúm Seosamh Mac Grianna ag aistriú agus Pádraic Ó Conaire ag scríobh leabhair scoile. An iontas ar bith é gur faoin rialtas Gallda a scríobh an bheirt seo scoth a gcuid saothar cruthaitheach? D'éirigh Séamas Ó Grianna oilte ar cheird an aistriúcháin agus scríobh sé níos mó bunleabhar ná aon scríbhneoir eile Gaeilge —iad uile mór téagarthach ó thaobh líon na bhfocal de ach gan aon mhórchruthaitheacht ag baint le ceann ar bith acu.

Is sna fichidí agus sna tríochaidí a cothaíodh an rud a nglaoim 'galar an tsoláthrachais' air. Bhí airgead le déanamh as leabhair Ghaeilge agus thosaigh daoine, cuid acu nár scríbhneoirí ar chor ar bith iad, ag soláthar ábhar léitheoireachta do phobal na Gaeilge. Ar go leor bealaí ba namhaid don litríocht chruthaitheach an Gúm mar, arís, cheangail sé an litríocht le polasaí stáit,[8] rud nach bhfuil sláintiúil ar bhealach ar bith don fhíorchumadóireacht.

Tá neart fianaise le fáil go raibh na scríbhneoirí féin míshásta le cúrsaí mar a bhí siad. In alt a scríobh Roibeard Ó Faracháin sa bhliain 1937 luann sé na coinníollacha sin a cuireadh ar an scríbhneoir Gaeilge a thug leabhar don Ghúm le foilsiú:

28

a) The author must cede all rights. . . .
b) The author consents to any change or correction which the Minister may deem necessary in the text of the book.
c) The Minister may refuse to proceed with the publication of the book should he decide that he has sufficient and good reason for so doing. . . .
d) Should any dispute arise as to the interpretation or meaning or implementation of any provision in this contract, the decision shall rest with the Minister, and there shall be no appeal against his decision. (172/3)

An iontas ar bith é gur tháinig a rud ar ghlaoigh Seán Ó Faoláin 'censorship consciousness' air i dtreis i measc údar Gaeilge, agus gur choinnigh siad orthu ag saothrú an ruda a bhí sábháilte. Chuir sé seo srianta ar an gcruthaitheacht, ar ndóigh, agus is beag den úire a fhaighimid sa litríocht a d'fhoilsigh an Gúm sa tréimhse seo. Is beag difríocht atá idir céadsaothair Shéamais Uí Ghrianna, mar shampla, agus na saothair is deireanaí dá chuid, agus d'admhaigh sé féin gur cur i gcéill cuid mhaith a bhí ar bun aige. In alt a scríobh sé sa bhliain 1946 léiríonn sé a dhíomá leis an scríbhneoireacht i nGaeilge. Tá sé ag comhairliú óganaigh atá ag iarraidh bheith ina scríbhneoir Gaeilge, agus molann sé dó bheith fimíneach leithleasach chun é féin a chosaint ón neamhaird nó ón ionsaí:

> Buailfear agus brisfear thú. Beidh tú 'do luighe sa lábán agus gach aon duine le n-a bhuille is le n-urchar ort. Agus déarfaidh lucht do chéasta gur maith an airidh ort é. Gur duine corr canntálach atá ionnat. Leigfidh cuid eile ortha féin go bhfuil truaighe aca duit. Déarfaidh siad go bhfuil tú ar mire, agus nár chóir áird a thabhairt ort. . . . Acht má's maith leat rud éigint a dhéanamh a rachas ar sochar duit féin, seachain an fhírinne. . . . Áthruigh do sgód do réir mar áthróchas an ghaoth. Agus seolfaidh tú isteach go h-oileán an iolmhaithis, an áit a bhfuighidh tú biadh agus deoch agus onóir agus gradam. (28-9)

Admhaíonn sé nár scríbhneoir éifeachtach é féin: 'Ní rabh mé riamh éifeachtach. Níor innis mé acht slis bheag den fhírinne. Dá n-innsinn an t-iomlán bheinn éifeachtach' (30). Ní ligfeadh an eagla dó an fhírinne a nochtadh ina chuid scríbhneoireachta. Ní raibh sé de mhisneach aige dul in iomar na haimiléise ar son na litríochta mar a rinne Seosamh Mac Grianna agus Pádraic Ó Conaire. Ba eisceachtaí Mac Grianna agus Ó Conaire ag an am, áfach, rud atá soiléir ó alt faoin gConaireach a d'fhoilsigh P. S. O'Hegarty in *The Rell* sa bhliain 1944:

A great deal of writing in Irish is difficult to read. Many of the writers have no natural talent for writing, and their writing is in the nature of a grammatical exercise. They have vocabularies, and these they display with great virtuosity. But their writing is not alive, and to read them is a task rather than a pleasure. They really contribute nothing to literature, nothing towards making the language an instrument through which modern life may be expressed. (237)

Ní raibh an tsaoirse is gá don litríocht chruthaitheach le fáil ag an scríbhneoir Gaeilge agus ní raibh sé de mhisneach ag mórán díobh bheith réabhlóideach i gcúrsaí litríochta nuair nach raibh aon spreagadh á fháil acu ón bpobal nó ón Stát. Mar a dúirt Máirtín Ó Cadhain faoi úrscéalta na Gaeilge:

> They need not detain us. They are as harmless as cement or tractor novels. Under this soviet organisation of literature [an Gúm] two censorships operated, the ordinary state censorship and a special Gúm censorship which presumed that everything that was to be written in Irish was for children or nuns. (1971:147)

Ba mhinic Pádraic Ó Conaire ag caint faoi thíoránachas an pháiste scoile. Seo é ag gearán faoi dhrochstaid na foilsitheoireachta sa bhliain 1923:

> tá an tíoránach beag sin, an páiste scoile, i n-uachtar, agus níl foill-sightheoir i mBaile Átha Cliath nach bhfeacann glún dó. An leabhar Gaeilge nach bhfeileann d'intinn an tíoránaigh óig seo, ní bhacfaidh aon fhoillsightheoir i mBaile Átha Cliath leis cuma cé 'n uaisleacht nó fírinne bhéas ag baint leis an saothar sin. Gan imprimatur an dreama atá ag iarraidh an tíoránach beag seo a oileamhaint, gan imprimatur Aireacht an Oideachais, ní fheicfear an leabhar sin faoi chló. (6)

B'shin trí bliana sular bunaíodh an Gúm. Ba mheasa ar fad an scéal nuair a bhí an eagraíocht sin i mbun gnó. Cheap Ó Conaire nárbh fhiú bheith ag múineadh na teanga do dhaoine mura mbeadh rud éigin fiúntach le léamh acu i ndiaidh na hiarrachta. Sa bhliain 1922 phléigh sé an pháirt ba chóir don stát a ghlacadh i bhforbairt na nualitríochta:

> Is éard atá uaim go gcabhróidh an Rialtas le soláthar fíor-litríochta nua, agus is deacair é a dhéanamh gan saoirse na n-údar a lot. Dá ndéantaí é sin ba mhiste an teanga an chabhair, mar an té atá faoi smacht, níor cheap sé dealitríocht ariamh. (4)

Bhí moltaí ag Ó Conaire don rialtas ach níor glacadh lena chomhairle agus níorbh fhada tar éis bhunú an Ghúim go raibh scríbhneoirí na Gaeilge faoi dhiansmacht nach raibh riamh roimhe sin orthu. Dúirt Seosamh Mac Grianna sa bhliain 1932:

> Bhí mé trí bliana go leith ag obair don Ghúm. Is é an chuimhne atá agam air go raibh mé mar bheinn i bpríosún, agus lucht mo choimheádta ag déanamh úsáide de rialacha an phríosúin ar gach dóigh a mb'fhéidir le masla agus easonóir agus anró a thabhairt dom. (Meán Fómhair 1932:8)

Bhí moltaí ag Mac Grianna do fhoilsitheoirí na Gaeilge freisin. Agus na moltaí sin á ndéanamh aige luaigh sé smacht an pháiste scoile i dtosach: 'Ná coinnigh an Ghaeilge go brách ar an scoil' (1924:5). Ansin mhol sé gan drochleabhair a ligean i gcló:

> Ná lig broc gan suim a chur i gcló. Toirmisceann an aithne seo orainn cabhair ar bith a thabhairt do leabhair mar 'Phrátaí Mhíchíl Thaidhg' agus 'Ag Séideadh agus Ag Ithe' agus 'Cloch Cheann Fhaola' nach bhfuil brí ná tábhacht, ná sú ná seamhair iontu. Ordaíonn sí dúinn, nuair a chuireas duine ar bith rud i nGaeilge atá a fhios aige nach léifeadh aon duine dá mbeadh sé i mBéarla, iarraidh a thabhairt air agus é a ithe ó chnámha loma, agus gan a chuid béalastánachta a léamh sa dóigh nach ligfeadh an eagla dó níos mó dochair a dhéanamh. (5)

Is léir gur thuig Mac Grianna go raibh an-chuid drochleabhar á bhfoilsiú ag an am, rud a rinne an-dochar do ghluaiseacht na litríochta. In áit eile léirigh sé a dhrochmheas ar an litríocht Ghaeltachta a bhí á saothrú go rábach ag an am: 'Ní maith an focal "Gaeltacht" le bheith ag ceann scríbhinne. Táthar ag scríobh ar an Ghaeltacht le deich mbliana fichead, agus go minic ag scríobh go maol uirthi' (1926:2). Is iad na téamaí seanchaite céanna a fhaighimid sna leabhair ar fad ach 'is iomaí rud a chuirtear i gcrích ó lá go lá inti a b'fhiú a chur ar pháipéar chomh maith le faire agus le tórramh, nó le dáil agus le pósadh' (2).

Chomh maith leis an míshástacht atá léirithe anseo, chuir an t-aistriúchán lagmhisneach ar scríbhneoirí freisin. Bhí leabhair ag teastáil agus rinneadh iad a sholáthar chomh sciobtha agus ab fhéidir. Mar a dúirt Séamus Ó Néill:

> Translations and the publication of original writing of the poorest quality have blunted the effectiveness of the Gúm. One could make

an intimidating list of books that were worse than sheer waste of paper. (1946:138)

Amhail aistriúcháin an Ghúim ba shimplí an rud é dírbheathaisnéisí Gaeltachta a sholáthar. Níor ghá ach díograiseoir nó dhó agus seanduine cainteach a bhí sásta imeachtaí móra a shaoil agus nósanna an chultúir ar de é a insint don phobal. Chuidigh dhá rud a bhí ag titim amach sa tír ag an am céanna le muinín astu féin a chothú sna seandaoine ón nGaeltacht. Ba iad sin gluaiseacht bhailiú an bhéaloidis agus an spéis nua a bhí á cur ag eachtrannaigh i gcultúr na tíre seo, agus go mór mór i gcultúr an iarthair.

Breathnófar ar an dá rud seo sa chéad chaibidil eile mar bhí siad ag tarlú ag an am céanna agus bhí an-tionchar go deo acu ar fhealsúnacht na gluaiseachta Gaeilge agus ar fhorbairt na nua-litríochta.

Caibidil 4

BÉALOIDEASÓIRÍ, CAINTEOIRÍ DÚCHAIS AGUS SCOLÁIRÍ

Ba sa naoú haois déag a tosaíodh ar spéis a léiriú sa bhéaloideas. Sa bhliain 1889 d'fhoilsigh Dubhghlas de hÍde a *Leabhar sgéulaigheachta* agus uaidh sin amach lean sé air ag foilsiú ábhair bhéaloidis de gach cineál i leabhair agus i bpaimfléid. Thart ar an am céanna bhí daoine eile freisin a raibh mórshaothar á dhéanamh acu ag caomhnú an bhéaloidis, daoine mar Fhionán Mac Coluim, Pádraig Ó Siochfhradha, Pádraig Ó Dálaigh, Pádraig Ó Laoghaire agus Seán Mac Giollarnáth. Cuireadh an Cumann le Béaloideas Éireann ar bun sa bhliain 1927 chun bailiú an bhéaloidis a chomhordú ar fud na tíre. Dúirt Séamus Ó Duilearga sa bhliain sin: 'Má scaoiltear an scéal le faillighe ar feadh roinnt bheag eile bhlian ní bheidh fáil ar aon chuid fhónta des na sean-iarsmaí dúchais' (1928:3). Bhí sé sin inmholta mar aidhm ag na béaloideasóirí dá mba rud é gur choinnigh siad a n-aird ar an mbéaloideas amháin. Ní mar sin a tharla, áfach. Bhí an-tionchar go deo acu ar Ghaeilgeoirí i gcoitinne agus bhí tuairimí dá gcuid féin acu faoi fhorbairt na nualitríochta freisin, tuairimí a chuaigh i gcion go mór ar scríbhneoirí Gaeilge ag an am. Ba é Séamus Ó Duilearga,mar shampla, a dúirt gur chóir don nualitríocht a bheith bunaithe ar an mbéaloideas:

> Dar linn-ne pé leitríocht Ghaedhilge a sgríofar feasta i n-Éirinn muna beidh sí Gaedhealach agus muna mbeidh a préamhacha bunuithe greamaithe i leitríocht agus i mbéaloideas na Gaedhilge, ní bheidh innti ach rud leamh neamblasta gan áird. (1928:3)

Bhí go leor daoine páirteach sa Chumann le Béaloideas Éireann a bhí gafa le cúrsaí litríochta ag an am céanna, daoine mar Phádraig Ó Siochfhradha, Fionn Mac Cumhaill agus Shán Ó Cuív, mar shampla. Ní gá ach breathnú ar shaothar na ndaoine seo chun tionchar na dtuairimí thuasluaite a fheiceáil go soiléir.

Bhí Ó Duilearga féin faoi thionchar gluaiseachtaí i dtíortha eile Eorpacha ag an am. Ní in Éirinn amháin a bhí spéis á cur sa bhéaloideas agus i dtraidisiúin na tuaithe. Ba fheiniméan idirnáisiúnta é agus bhain sé le fás an náisiúnachais chultúrtha:

33

Tá tugaithe fé ndeara againn go bhfuiltear ag cur suime i saol agus i
mbéaloideas na tuaithe i dtíorthaibh Roinn na hEorpa, go bhfuil
mórán leabhar á scríobhadh i gcanúintí tuaithe ins na tíorthaibh úd
agus go bhfuil meas ag sgoláirí agus ag daoinibh foghlumtha ar
bhéaloideas agus ar chanúintí tuaithe. (3)

In Éirinn léirigh lucht an Chonartha spéis mhór sa bhéaloideas
agus, mar atá luaite thuas, nuair a bunaíodh an tOireachtas ba
mhinic a bronnadh duaiseanna ar shaothair bhéaloidis. Chuaigh na
rudaí seo i bhfeidhm go mór ar shaothraithe na nualitríochta agus
ar na daoine go léir a bhí ag plé le Gaeilge ag an am. Ba ar chaint
na leabhar níos mó ná ar an ábhar a bhí aird na léitheoirí dírithe
go minic. Mar a dúirt Séamas Ó Grianna agus é ag comhairliú an
fhir óig i dtaobh scríbhneoireacht na Gaeilge, dá mbeadh mór-
shaothar curtha i gcrích ag duine is beag spéis a chuirfí ann mar
litríocht:

> Acht bíodh uchtach agat. Tiocfaidh do lá. Ní leigfear 'un dearmaid
> thú acht ar feadh tamaill. Mur' mbeadh ann uilig acht an méid rudaí
> aistidheacha atá i gcanamhain Pholl a'Mhadaidh is fiú cúpla míle
> iad don mhuinntir a thig i dtír ar 'Bhéaloideas'. (1946:34)

Tá a fhios againn cé chomh mór agus a chuir an 't-olagón
duileargúil' isteach ar Mháirtín Ó Cadhain. Thuig seisean an
dochar a thiocfadh as an tseanaimsearthacht *per se* a adhradh, rud
a bhí ag tarlú i gciorcail liteartha ag an am agus rud atá soiléir ón
moladh a fuair formhór na ndírbheathaisnéisí Gaeilge nuair a
céadfhoilsíodh iad.

Ó thaobh ábhar na litríochta de is spéisiúil an rud é sracfhéachaint
a thabhairt ar an *Láimhleabhar béaloideasa* a chuir Seán Ó
Súilleabháin amach sa bhliain 1937. Tá liosta ann de na rudaí a
bhféadfaí eolas fúthu a bhailiú ó sheandaoine. Is iad na téamaí
céanna iad agus na téamaí seanchaite a fhaighimid arís is arís eile
sna dírbheathaisnéisí Gaeltachta.[9] Bhí na téamaí seo chomh coitianta
sin sa litríocht go ndearna scríbhneoirí áirithe gearáin phoiblí
fúthu. Arsa 'File an Chonnartha' chomh fada siar leis an mbliain
1907: 'Táimid ró-chlaon do sgríobhadh um cheirteachaibh is um
phuill mhóna, agus ní hiongnadh ná bíonn toradh ar ár nglór' (345).
Dar le Torna bhí Gaeilgeoirí ag éirí bréan den léiriú ar an saol
tuathánach a bhí á fháil acu i nualitríocht na Gaeilge. Agus é ag cur
síos ar an tréimhse sin i bhfás na nualitríochta deir Muiris Ó
Droighneáin:

Seadh, níorbh fhuláir nua-litridheacht a sholáthar ar chuma éigin seachas béaloideas agus eachtraí saoghail na tuaithe, mar bhítheas ag éirighe tuirseach díobh san, agus is iad ba mhó a bhí ag teacht— 1903, 'Beirt Fhear ón dTuaith', 'An Buaiceas', 'Cathair Chonroí agus Sgéalta eile'; 1904, 'Séadna', 'Prátaí Mhichíl Thaidhg'; 1905, 'Annála na Tuaithe', 'Muinntir Chiarraighe roimh an Droch-Shaoghal', 'Lá Fiadhaigh is an lá 'na Dhiaidh'. (1936:122)

Rinne Pádraig Mac Piarais gach uile iarracht scríbhneoirí na Gaeilge a spreagadh chun téamaí nua-aoiseacha a láimhseáil agus chun a bhfealsúnacht phearsanta féin ar an saol a nochtadh ina gcuid saothar. Is beag aird a tugadh air, áfach. Is iad creideamh agus fealsúnacht ár sean, mar a fhaighimid sa bhéaloideas é, a fhaighimid sa chuid is mó de nualitríocht na Gaeilge. Moladh do na scríbhneoirí go minic aigne an Ghaeil, mar atá sé le fáil sa bhéaloideas, a léiriú ina gcuid saothar. Mar shampla, in alt a scríobh sé faoin mbéaloideas agus saol an duine dúirt an tAthair Donncha Ó Floinn:

Fé mar ná bíonn an duine i mbárr a mhaitheasa mura mbíonn aigne a shinnsir mar oighreacht aige, mar an gcéadna, ní bhíonn litríocht i mbárr a maitheasa munar fás fada sitheamhail as an mbranar dúthchais í. (1940:125)

Caithfidh an scríbhneoir gach blúire béaloidis atá i gcló a léamh arís is arís eile, dar leis. Caithfidh sé 'dul sa Ghaedhealtacht, mar a bheadh oilithreach, le humhlaidheacht chroidhe mar mhaithe le n'anam' (126), agus caithfidh sé 'gramadach an aigne Ghaedhealaigh d'fhoghluim as na seana-scéalta agus as na seanamhráintí agus as na seana-nathanna atá le fagháil sa bhéaloideas' (126).

Labhair Domhnall Ó Corcora chomh maith faoi na 'nótaí ba dhual do litríocht na Gaeilge' (1940:75). Eascraíonn na 'nótaí' seo ón mbéaloideas, foinse den aigne Ghaelach. Moladh leabhair go minic de bharr iad a bheith dúchasach. Seo mar a labhair Seán Ó Súilleabháin faoi Jimín Mháire Thaidhg, Seáinín agus Móirín le Pádraig Ó Siochfhradha, mar shampla:

leabhair ná fuil aon bhéaloideas fírinneach iontu, cé go bhfuil suíomh agus blas an dúchais ag gabháil leó. Ní móide go bhféadfadh éinne iad san a scríobh ach duine a raibh cur amach binn aige ar charachtair na tùaithe agus tuiscint aige dóibh. (1971:72)

Ba iad na béaloideasóirí a spreag cuid de na dírbheathaisnéisithe chun scéal a mbeatha a scríobh. Deir Bryan Mac Mahon: 'Peig

thought that what she had to say was unimportant until Máire Ní
Chinnéide and Léan Connellan, visitors who came to the Island to
learn Irish, convinced her of the opposite' (1977:83).[10] An rud ba
mheasa faoin nasc seo idir an béaloideas agus an litríocht, dar liom,
ná ní hé gur baineadh an oiread sin úsáide as ábhar an bhéaloidis
ach go ndeachaigh stíl an bhéaloidis i bhfeidhm go mór ar stíl na
nualitríochta Gaeilge.

Bhí an tuairim á scaipeadh ó thús na haoise go raibh a leithéid de
rud ann agus nós inste fíor-Ghaelach. Seo Mícheál Breathnach ag
cur síos air sa *Connachtach*. Tá sé ag tabhairt comhairle don
scríbhneoir óg:

> Tá ort buaidh innste agus ceaptha a bheith agat mar dubhras
> cheana—a bheith i riocht cur síos go háluinn agus aithris go nádúr-
> thach glan-Ghaedhealach!
>   Déan úsáid de 'n chainnt a chualais ag na Gaedhilgeóirí 'ch uile
> lá riamh—bíodh sí simplidhe nó deacair. (1913:41)

Chomh maith leis sin, sa litríocht Ghaelach, in ionad fealsúnacht
phearsanta an duine aonair mar a fhaighimid sa nualitríocht í, ba
chóir go mbeadh fealsúnacht na nGael go soiléir le brath. Arís,
léiríonn Mícheál Breathnach tábhacht na fealsúnachta seo:

> Tá feallsamhnacht d' á chuid fhéin ag an nGaedheal. Tá uaisleacht
> agus gile na hintinne aige. Tá croidhe glan agus glan-choinsias aige
> má 's fíor-Ghaedheal é. Níor chuir na leabhra brocacha úr-ghránda
> smúit agus ceó agus sgamall an dí-chreidimh ar a mheabhair agus ar
> a thuigsint. . . . Níor sguabadh 'un bealaigh é le fuarloch mór an
> Aimhris. . . . Tugadh sgríbhneoirí na Gaedhilge litríocht do'n
> Ghaedhilgeóir a bhéas glan agus glé mar chroidhe agus mar anam na
> h-Éireann agus seachnuighdís feallsamhnacht bhréagach choig-
> chrícheach nach dual do'n Ghaedheal. (1913:47-8)

Le meas thar an gcoitiantacht á léiriú ar chaint na ndaoine
rinneadh saol na Gaeltachta, ina ainnise agus ina bhochtanas, a
adhradh. Níor ghá ach 'caint na ndaoine' a bhreacadh síos ar
pháipéar agus bhí litríocht agat. Thuig Pádraig Ua Maoileoin an
méid seo. Seo é ag caint faoi thionchar an Athar Peadar ar litríocht
na Gaeilge: 'Thug sé rud amháin chun cinn, gur mheas gach
aoinne gur scríbhneoir é féin tar éis tamaill, toisc go raibh caint na
ndaoine aige agus stíl an tseanchaí' (1975:17). Phléigh an tOir-
mhinneach J. M. O'Reilly an cheist seo ina leabhar *The native*

speaker examined home (1925). Má scríobhann tú leabhar i gcaint na ndaoine, deir sé:

> You can never be wrong; for, no matter what rubbish you write, and no matter how ever so much without spelling you write it, you can always shout the 'mouths of the people' for your warrant, and anyone who cannot accept that password is, of course, beneath being argued with. (1925:4-5)

Bhí O'Reilly go mór i gcoinne na béime seo a cuireadh ar an teanga labhartha sa litríocht. Deir sé:

> Make the spoken tongue the sole example for writing Irish and immediately it will be a matter of counting all the points of the compass, of counting all the villages in Irish Ireland, to ascertain how many Irish languages there shall be. Of course every hamlet of these will be clear that there is only one Irish—the Irish of that particular village. (12)

Thuig sé chomh maith gur chothaigh an tábhacht a samhlaíodh leis an gcainteoir dúchais cúngacht i gcúrsaí smaointeoireachta agus gur chuir sé cosc ar ábhair áirithe sa litríocht:

> Will you write on politics, economics, commerce, finance, resources, labour problems, navigation, manufactures, medicine, literature, law, ethnology, history, apologetics, metaphysics, trigonometry, higher criticism? And will you go to the poor illiterate Irish-speaking folk, and to them alone (carefully eschewing all books and scholars) for a language training to fit you for the work. (24-5)

Sa bhliain 1951 bhí daoine fós ag déanamh na ngearán céanna. Ní raibh aon mhúnla liteartha seachas caint na ndaoine agus bhí sí seo fós ag cur laincisí ar scríbhneoirí Gaeilge. Agus é ag caint faoi scríbhneoirí na hAthbheochana dúirt Niall Ó Domhnaill sa bhliain sin:

> Scríobh siad do thuataí fá shaol thuatúil, agus thug a ngaolthuataí breithiúnas ar a saothar liteartha dóibh. Ba é an barrteastas ar leabhar acu go mbeadh an té nach raibh riamh ar scoil ábalta a rá, nuair a léifí dó í, nach raibh aon fhocal ná aon leagan cainte inti ach go díreach mar thiocfadh as a bhéal féin. (13-14)

Níor thuig Gaeilgeoirí na haimsire an difríocht idir an rud a bhí dúchasach agus an rud a bhí seanaimseartha, 'idir an rud a bhí corr agus an rud a bhí Gaelach, idir an rud a tháinig ón bhoichtineacht agus an rud a tháinig ó chultúr na Meánaoise' (Niall Ó Domhnaill, 1951:15). Bhí siad meallta ag an nGaeltacht agus níor thuig ach corrdhuine mar Niall Ó Domhnaill, Myles na gCopaleen agus Máirtín Ó Cadhain an mearbhall a bhí orthu i dtaobh shaol na Gaeltachta.

Chothaigh caint na ndaoine an cúigeachas agus an paróisteachas agus ba í ba chúis, cuid mhaith, leis an gcaighdeán íseal i gcúrsaí litríochta a ghabhann leo siúd. Is beag rian de phearsantacht na scríbhneoirí féin a fhaighimid i nualitríocht na Gaeilge. Dúirt Pádraig Mac Piarais sa bhliain 1906:

> the vast majority of those who write Irish in books and in papers are mere photographers and imitators, without any characteristic outlook or bias or mode of expressing themselves. Almost any passage of Munster Irish that one comes across might have been written by almost any Munsterman; almost any passage of Connacht Irish by any Connachtman; there is no individual stamp on any of it: the personality, the man, the living soul of the writer speaking to you, is to seek. (1).

Breis is daichead bliain ina dhiaidh sin tá an rud céanna fíor. Seo Niall Ó Domhnaill ag cur síos ar 'eirí na Gaeilge':

> Sa mhála saic sin tá ciotachas, briotachas, tuatachas, teallachas, bailteachas, paróisteachas, ceantrachas, cúigeachas, Béarlachas, canúnachas, seanfhoclacht, nathánacht, pisreogacht, seanaimsear-acht, corcainteachas, ilghnéitheachas. . . .
> Táimis comh bródúil as le Bolg na Seod. Is é an béalbochtachas an ball is troime sa mhála. Tá an Ghaeilge i gcónaí ag fáil bháis againn. (1951:64-5)

Molann Ó Domhnaill do scríbhneoirí téarmaí a chumadh agus a bheachtú ionas go mbeidís in ann smaointe nua-aoiseacha a nocht-tadh. Nuair a rinneadh é sin, áfach, glaodh Béarlachas ar an iarracht go minic. Fuarthas cámas ar shaothair scríbhneoirí mar Dhiarmaid Ó Súilleabháin agus Eoghan Ó Tuairisc de bharr mhí-nádúrthacht na foirme agus na teanga iontu. Ba mhinicí, áfach, a rinneadh neamhshuim ar fad do shaothar ar bith a thug cúl do na seanghnásanna stíle.

Is léir ón méid seo an drochthionchar a bhí ag an tábhacht a samhlaíodh leis an mbéaloideas agus le caint na ndaoine ar fhorbairt na nualitríochta Gaeilge. Anois, fad is a bhí na rudaí seo ag titim amach taobh istigh de ghluaiseacht na Gaeilge bhí daoine ón taobh

amuigh freisin ag léiriú spéise i gcultúr an iarthair agus sna daoine
a bhí fós ina gcónaí sna ceantair iargúlta Ghaeltachta. Cuid acu seo,
ba í an spéis a bhí acu sa teanga a mheall chun na hÉireann iad, cuid
eile a tháinig chun taighde a dhéanamh ar an gcultúr meánaoiseach
a raibh a iarsmaí fós le feiceáil ann.

Tá a fhios againn ar fad go raibh an-chuid eachtrannach ag
tarraingt ar an mBlascaod Mór—daoine mar Marstrander ón
Ioruaidh, von Sydow ón tSualainn, Robin Flower, Kenneth
Jackson, E. M. Forster agus George Thomson ó Shasana. Thuig
muintir an Bhlascaoid ó na strainséirí sin go raibh sibhialtacht ársa
acu san oileán, ós rud é gurbh fhiú do na scoláirí sin dul i bhfad ó
bhaile chun staidéar a dhéanamh uirthi. Is cinnte go ndeachaigh
cuairteanna na ndaoine sin i gcion go mór ar na hoileánaigh agus
thug sé misneach dóibh dul i mbun pinn nuair a iarradh orthu ina
dhiaidh sin.

In áiteanna eile ar fud na tíre bhí scoláirí eachtrannacha ag
déanamh taighde ar chultúr na ndaoine. Ba chuid den fhorás a bhí
á dhéanamh i gcúrsaí antraipeolaíochta an spéis nua seo a bhí á cur
i sibhialtachtaí traidisiúnta comhaimseartha. Chuaigh Arensberg
agus Kimball (ón mBreatain Bheag) go Contae an Chláir sna tríoch-
aidí, mar shampla, agus rinne siad taighde ar an bpobal feirmeoir-
eachta ansin. Chuaigh John Messenger (Meiriceánach) go hoileán
Árann agus rinne sé anailís shocheolaíoch ar phobal an oileáin sin,
agus chuaigh Robin Fox go hoileán Toraí. Tá eachtrannaigh fós ag
díriú ar an tír seo. Sa bhliain 1977 foilsíodh leabhar spéisiúil a
scríobh an Meiriceánach Lawrence Millman tar éis dó taighde a
dhéanamh ar fud an iarthair agus cuid de litríocht na gceantar
thiar a léamh. Sa bhliain 1979 d'fhoilsigh Meiriceánach eile,
antraipeolaí ó Chalifornia darb ainm Nancy Scheper-Hughes,
leabhar eile atá bunaithe ar shaol an iarthair. Is ag trácht ar ghalair
intinne i gceantar beag iargúlta i nGaeltacht Chiarraí atá an t-údar
sa leabhar agus níl puinn den rómánsúlacht a shamhlófá le dearcadh
an ghnáth-Mheiriceánaigh ar an tír seo ag baint leis. Tríd is tríd
tá an dá shaothar dheireanacha seo i bhfad níos gruama ná
saothair daoine mar Arensberg agus Kimball. Is mó an bhéim a
leagtar iontu ar fhadhbanna sóisialta agus síceolaíocha na ndaoine i
gceantair atá scoite amach ó na mórionaid eacnamúla. Bíonn
dearcadh na n-eachtrannach seo claonta go minic, ní nach ionadh.
I dtosach ba é an claonadh a bhí le feiceáil ina gcuid saothar ná an
rómánsúlacht agus an míréalachas agus iad ag breathnú ar na

ceantair thiar mar áiteanna idéalacha. Le déanaí déantar a mhalairt
d'áibhéil. Ós rud é gurb eachtrannaigh iad tá sé deacair orthu dul
faoi chraiceann an tsaoil agus meon na ndaoine a thuiscint. Ní
bhíonn muintir na tuaithe sásta cabhrú lena leithéid de scoláire go
minic agus, dá bhrí sin, faigheann siad pictiúr míréalaíoch de shaol
an cheantair. Feictear dóibh nach bhfuil mórán fágtha thiar ach an
ainnise agus an bás agus feicimid an taobh is truamhéilí agus is
diúltaí den saol go minic ina saothair.

Níor fágadh an cineál seo taighde ar fad faoi na heachtrannaigh.
Thosaigh scoláirí ón tír seo freisin ag cur spéise i gcultúr na tuaithe,
daoine mar E. Estyn Evans, an tíreolaí a bhunaigh an 'Institute of
Irish Studies' in Ollscoil na Banríona i mBeál Feirste sna seascaidí.
Bhí an-chur amach ag an bhfear sin ar a raibh ag titim amach i
measc antraipeolaithe agus eitneolaithe ar fud na hEorpa agus ba
eisean an duine ba mhó a tharraing aird ar na gluaiseachtaí sin sa
tír seo. D'fhógair sé tábhacht chultúr na ngnáthdhaoine agus léirigh
sé an gá a bhí le taighde a dhéanamh ar shaol na dtuathánach:

> Anthropologists ... are increasingly busying themselves with
> European communities and with the peasant peoples whose 'little
> tradition' persists alongside the 'great tradition' of the elites which
> has provided the stuff of recorded history. Moreover, the collection
> of popular traditions, oral literature and folk customs which was
> part of the Romantic movement has been transformed and systema-
> tised under the inspiration of the Scandinavian scholars into the
> academic discipline of ethnology or folklife, enriching and illuminat-
> ing the content of recorded history. (1973:3)

Bhí spéis faoi leith aige féin sa saol agus sa gheilleagar traidisiúnta,
rud atá soiléir ó na leabhair ar fad a d'fhoilsigh sé agus bhí an-
chumas ann chun scoláirí eile a chur i mbun taighde.

Le déanaí, cuirtear an bhéim sna saothair scolártha ar na hath-
ruithe atá ag teacht ar an saol traidisiúnta faoin tuath in Éirinn.
Smaoiním ar leabhair mar *Inishkillane: change and decline in the
West of Ireland* le Hugh Brody (1973), nó *Gola: the life and last
days of an island community* (1969) leis an duine céanna i gcomhar
le F. H. Aalen. Is léir ó na teidil fiú gur cuntais ar shaol atá ag
meath atá le fáil iontu.

Níorbh fhada ach an oiread gur thosaigh na béaloideasóirí ag cur
spéise i saol na ndaoine chomh maith leis na scéalta a bhailigh siad
uathu. Smaoiním ar scoláirí béaloidis mar Chaoimhín Ó Danachair

a bhfuil an-chuid taighde déanta aige ar chultúr na gnáthmhuintire sa tír seo agus a spreag scoláirí eile chun dul i mbun taighde freisin. Nuair a bunaíodh Roinn an Bhéaloidis i gColáiste na hOllscoile i mBaile Átha Cliath sa bhliain 1972 tugadh gradam breise do chultúr na gnáthmhuintire. Ba 'litríocht bhéil' a scéalta cois tine; bhí uaisleacht ag baint le saol traidisiúnta na tuaithe. Go dtí le déanaí, áfach, rinneadh neamhshuim de shaol mhuintir na cathrach agus glacadh le saol na tuaithe mar léiriú ar an saol fíor-Ghaelach. Ba chaomhnú iarsmaí a bhí ar siúl go hiondúil, áfach, de réir mar a chonacthas do na scoláirí go raibh na difríochtaí idir na ceantair bheaga thuaithe agus na cathracha ag dul i laghad le leathnú amach na meán cumarsáide. Tá na claochluithe céanna le brath sna leabhair Ghaeltachta a scríobhadh ó na daichidí ar aghaidh. Is ag caint faoi fhadhbanna eacnamúla agus sóisialta na gceantar Gaeltachta atá na scríbhneoirí anois. Ní chiallaíonn sé sin gur fearr mar litríocht iad, áfach. Cé gur leabhar taitneamhach an leabhar *Ó rabharta go mallmhuir* (1975) le Seán Mac Fhionnlaoich ní ghlaofá litríocht chruthaitheach ar bhealach ar bith air agus scríobhadh é mar nár aontaigh an t-údar go hiomlán lena ndúirt Aalen agus Brody (1969) faoi mheath an oileáin.

Tá sé le tuiscint ón méid atá ráite sa chaibidil seo go ndeachaigh gluaiseacht an bhéaloidis agus an spéis a cothaíodh sa chainteoir ó dhúchas agus sa saol traidisiúnta i gcion go mór ar fhorbairt an nuaphróis ó thús na haoise seo. Cad a bhí ar siúl idir an dá linn ag na scríbhneoirí Béarla? An raibh aon tionchar acu siúd ar an ngluaiseacht liteartha i nGaeilge? Déanfar na ceisteanna sin a chíoradh sa chéad chaibidil eile.

Caibidil 5

AN LITRÍOCHT BHÉARLA IN ÉIRINN Ó DHEIREADH AN NAOÚ HAOIS DÉAG AR AGHAIDH

Ó thosaigh an athbheochan liteartha i mBéarla le Yeats, Synge agus Lady Gregory tá muintir na tuaithe go mór chun tosaigh sa litríocht Angla-Éireannach. Ba é *Love-songs of Connacht*,[11] a chuir Dubhghlas de híde in eagar, a spreag Yeats chun dul siar go Connachta ar thóir inspioráide. Ag pointe amháin dá shaol dúirt sé: 'Connacht for me is Ireland' agus ina shaothar agus i saothair na scríbhneoirí Angla-Éireannacha eile feicimid na céadiarrachtaí a rinneadh ar an saol Gaelach a léiriú trí Bhéarla. Is thiar ar fad atá an draíocht, an traidisiún agus fíorchultúr na nGael. B'shin an fhealsúnacht a bhí taobh thiar d'fhormhór a n-iarrachtaí liteartha.

D'eascair an athbheochan liteartha Angla-Éireannach ó na fréamhacha céanna ónar eascair an ghluaiseacht náisiúnta agus gluaiseacht athbheochan na Gaeilge. Shamhlaigh na scríbhneoirí Angla-Éireannacha draíocht faoi leith le caint agus le nósanna na dtuathánach. Dúirt Yeats sa bhliain 1932:

> Lady Gregory, John Synge and I, and James Stephens, who came somewhat later, are the typical figures of the first movement of thought after the death of Parnell. Our discoveries were the heroic legends and the form of English spoken by the peasantry. (Skelton agus Clark, 1965:16)

Bhí an tuairim ag Yeats freisin go raibh fealsúnacht an tseansaoil i seilbh na dtuathánach: 'The speech of the country people could reflect the thought of the Middle Ages, because our modern abstract rhetoric had not changed them' (1965:17). Cé nach ndearna Yeats féin aon iarracht ar chanúint na ndaoine a úsáid ina chuid filíochta rinne sé iarracht meon an fhir thuaithe a aimsiú. Deir John Unterecker faoi:

> what he now saw as more important was to recover the truth of country attitudes. His fisherman would not have to sound like a peasant if he could be emblematic of peasant wisdom. (1977:185)

Mhol Yeats do Synge dul chun cónaithe ar oileán Árann, rud a rinne Synge, agus ba eisean an duine a thug canúint mhuintir na tuaithe isteach i litríocht an Bhéarla sa tír seo. Trí Amharclann na

Mainistreach bhí an-tionchar go deo ag Synge ar an ngluaiseacht liteartha i mBéarla. Deir Seán Ó Tuama faoi:

> it was he, and not Yeats, who shaped the future of the Abbey Theatre. So it was that our national theatre, in the process of being saved from becoming 'Cuchulainnoid', tended to become 'peasantoid' instead. (1972:2)

Rinne sé iarracht dul faoi chraiceann an tsaoil thraidisiúnta a chonaic sé in Árainn agus aigne na ndaoine a casadh ansin air a léiriú. Nuair a chuaigh sé ann i dtosach chonaic sé, mar a deir Weldon Thornton, 'a culture so archaic that, even at the turn of the twentieth century, it has not yet been infiltrated by the "common sense" and rationalism of modern western thought' (1979:44). Mealladh é leis an radharc domhanda a bhí ag na daoine seo, radharc domhanda a bhí scartha amach go hiomlán ó mhórghluaiseachtaí machnaimh an iarthair agus ó mhodheolaíocht eolaíoch an fichiú haois.

Bhí scríbhneoirí na hathbheochana liteartha i mBéarla gafa go hiomlán le tábhacht an traidisiúin. Bhí siad ar thóir an leanúnachais i gcúrsaí litríochta agus bhí an tuathánach agus cultúr na tuaithe go mór chun tosaigh ón tús. Seo mar a thagraíonn Maurice Harmon don chlaonadh sin sa ghluaiseacht: 'the sense of the rural background is particularly strong in modern Irish writing and in twentieth-century thinking about the development of modern Ireland' (1977:129). Tá an dearcadh rómánsúil le brath ar an dá rud ach ba í an aidhm a bhí ag na scríbhneoirí ná iarsmaí an tseanchultúir a bhuanú i bhfoirm scríbhinne.

Cén tionchar a bhí ag ceannairí na gluaiseachta seo? In alt a scríobh sé i 1976 san *Irish Times* deir Anthony Cronin an méid seo faoi thionchar Yeats, Synge agus a gcomhleacaithe:

> they left, as genius always will, hordes of minor writers saddled with the wrong thing. . . . Kitchen comedy and rural pastoral in one form or another were the primary modes. . . . Even those writers who deal with places where life was hard and the soil inhospitable tend to emphasise above more disturbing things the identity with nature and the noble ruggedness of the people; and childhood is in almost all cases seen through a haze of nostalgia for its innocence. (1976:12)

An aon ionadh é más iad seo na tréithe a bhain le litríocht an Bhéarla sa tír gur measa fós a bhí litríocht na Gaeilge srianta ag na téamaí seanchaite céanna? Leanadh ar aghaidh leis an bpictiúr míréalaíoch idéalach d'Éirinn mar b'shin an íomhá a bhí ag teastáil ón bpobal agus ó na polaiteoirí. Deir Cronin:

> If it is asked how the vision of Ireland as an idyllic place full of 'characters' with offshore islands full of noble people who were nearly as passionate as horses and bulls, which suited the foreign market, happened to suit the Free State so well also, the answer is that they both had the same interests. The English and American materialists wanted to believe in a fairy land of one kind or another; and the new Irish audience (the civil-servant-bourgeois audience) certainly did not want to see Ireland as it really was either. (1976:12)

Thuig Cronin gurbh é an náisiúnachas a chothaigh cúigeachas uafásach i litríocht na hÉireann. Tóraíonn muintir na hÉireann scríbhneoirí móra mar a éilíonn tíortha eile dornálaithe nó peileadóirí clúiteacha, dar leis. Déanaimid iarracht sinn féin a chruthú mar Éireannaigh trí mheán na litríochta. Ní smaoinítear ar chor ar bith ar an drochthionchar a bhíonn ag aidhmeanna mar seo ar an litríocht. Labhair Cronin sa bhliain 1954 in The Bell faoi 'the uneasy defensive aggressiveness of the provincial' (8) atá le brath ar litríocht na hÉireann. In alt a scríobh Michael Allen (1975) faoin gcúigeachas agus filíocht Patrick Kavanagh pléann sé na cúiseanna a bhfuil an cúigeachas le brath chomh mór sin ar litríocht na hÉireann i bhfad i ndiaidh dó a bheith imithe ó litríocht na hEorpa. Tugann sé míniú socheolaíoch. Bíonn an tír seo i gcónaí deighilte go hinmheánach. Is strainséar duine ón gcéad pharóiste eile. Bíonn an-dílseacht don cheantar dúchais le brath ar mheon an phobail ó cheantar go ceantar. Go minic breathnaíonn daoine ar a n-áit dhúchais féin mar lár na cruinne agus níl siad sásta spéis ar bith a chur in áiteanna nach mbaineann go díreach lena saol laethúil féin. Tá na nithe seo le brath ar litríocht na hÉireann i gcoitinne agus tá siad le brath go láidir ar an litríocht réigiúnach i nGaeilge.

Is beag saothar liteartha a fhaighimid a théann i ngleic le saol na cathrach in Éirinn. Tríd is tríd, sna leabhair a phléann le gné ar bith de shaol Bhaile Átha Cliath is iad fadhbanna an fhir thuaithe agus é i ngleic le saol na cathrach a fheicimid iontu. Pléann John McGahern leis an gcathair mar áit thruaillithe i gcomparáid le timpeallacht shaonta na tuaithe, mar shampla. Is iad fadhbanna an duine óig a thagann go Baile Átha Cliath ón tuath atá faoi chaibidil i saothair Edna O'Brien freisin. Mar a deir Seán Ó Faoláin faoi mheon mhuintir na hÉireann faoin gcathair: 'We are rooted in the land and in individualism. We have always feared towns. We have felt them as spear-heads of life-ways which are complex, troublesome and challenging' (1947:143-4). Ach oiread le litríocht na Gaeilge, ní fhéadfá mórán taitnimh a bhaint as formhór na saothar liteartha i mBéarla gan tuiscint éigin a bheith agat i dtosach ar an suíomh áitiúil agus ar na fadhbanna áitiúla atá á bplé. Is beag den uilíochas, dá bhrí sin, a fhaighimid i litríocht na tíre seo i mBéarla nó i nGaeilge. Tá an dá ghluaiseacht srianta ag cultúr an tuathánaigh agus is rud í an litríocht a bhí i bhfad ródhúshlánach don chultúr sin riamh.

Bhí rud eile ag tarlú sa tír seo a chothaigh an paróisteachas agus cúngacht smaointeoireachta sa litríocht Bhéarla in Éirinn. Is é sin an chinsireacht a rinneadh ar na saothair sin a chuaigh taobh amuigh de theorainneacha na cuibhiúlachta, dar leis na hoifigigh stáit a bhí i mbun an ghnó. Deir Patrick Rafroidi an méid seo faoi thionchar na cinsireachta ar an litríocht:

> even though the Irish had always the possibility of expressing themselves in literature, they could not till lately advertise their findings in their own country and they tended, in any case, to limit their self-expression to permissible areas or to a sterile fight against parochialism. (1978:107)

I ndiaidh Joyce d'fhág an-chuid scríbhneoirí an tír, daoine mar Aidan Higgins, Brindsley MacNamara, John McGahern, John Montague, Edna O'Brien agus John Broderick. Is in Éirinn atá beagnach gach saothar cruthaitheach a chuir na scríbhneoirí seo díobh suite, áfach, agus is fadhbanna Éireannacha iad na fadhbanna a phléann siad. Rinne Seán Ó Faoláin achoimre mhaith ar chúrsaí litríochta i mBéarla sa tír seo nuair a dúirt sé:

> despite everything that had happened in Ireland since 1916, rebellion, revolution, civil war, even their bitter price in the death of friends and the disillusion of the living, Irish writing after Yeats did not clearly take, or give, the measure of the winds of change. However they might think of themselves, and many thought themselves tough realists, ruthless satirists, or even (Heaven help us!) keen intellectuals, Irish writers remained *au fond* incurably local and romantic (1947:141)

Sa chéad chaibidil eile breathnóimid ar an bpáirt a ghlac na hirisí Gaeilge agus an léirmheastóireacht liteartha i bhforbairt an réigiúnachais i nuaphrós na Gaeilge.

Caibidil 6

NA HIRISÍ AGUS AN LÉIRMHEASTÓIREACHT

Ní beag an obair a rinne irisí na Gaeilge ó dheireadh an naoú haois déag ar aghaidh le spéis a chothú sa chultúr Gaeltachta. Ba iad na hirisí saotharlanna na scríbhneoireachta do go leor scríbhneoirí. D'fhoilsigh siad aistí faoi shaol na Gaeltachta go minic agus i gcuid acu—*An tUltach,* mar shampla—bhí colúin faoi leith do thuairiscí ar shaol na Gaeltachta. Ba san iris sin a chleacht scríbhneoirí mar Sheaghán Mac Meanman a gceird. Ba sna hirisí Gaeilge a chéadfhoilsigh Seán Ó Conghaile ó Chois Fharraige a chuid aistí eolais faoin saol thiar agus scríobh Seán Sheáin Í Chearnaigh ó Chorca Dhuibhne raidhse alt d'irisí mar *Agus* agus *An tUltach,* ag cur síos ar thréigean an oileáin agus ar fhadhbanna na n-oileánach. Fiú amháin an ceannródaí i gcúrsaí dírbheathaisnéise—Tomás Ó Criomhthain—ba do *An Lóchrann* a scríobh seisean a chéadiarrachtaí liteartha. I dtaca le scríbhneoirí mar Mhac Meanman, Ó Conghaile agus Ó Cearnaigh, nuair a d'fhoilsigh siadsan saothair fhada phróis i bhfoirm leabhair ina dhiaidh sin ní raibh sna saothair sin ach bailiúcháin den chineál céanna scríbhneoireachta a bhí foilsithe cheana féin sna hirisí acu. Ba thábhachtach an rud é meon eagarthóirí na n-irisí, dá bhrí sin, i saothair na n-údar sin agus is léir go ndeachaigh siad i dtaithí ar stíl agus ábhar réigiúnach trí bheith ag scríobh alt dóibh.

Ba mhinic béaloideas á fhoilsiú sna hirisí Gaeilge chomh maith. Dúirt Séamús Ó Duilearga faoi na hirisí áitiúla:

> Mention must also be made of a remarkable Munster paper, *An Lóchrann,* which, monthly, for almost twenty years, served as a medium for the publication of a vast amount of rich material from the Gaelic speaking parts of the province. . . . Connacht folklore is represented in a valuable monthly, *An Stoc,* published in Galway, and Ulster by the monthly *An tUltach,* to which a certain amount of Ulster folklore is contributed. (1928:4)

Is beag iris Ghaeilge nár fhoilsigh a bheag nó a mhór den bhéaloideas agus arís chuidigh sé seo chun aghaidh an phobail a tharraingt ar an nGaeltacht. Mar is léir ón méid a deir Ó Duilearga thuas bhí tréimhseacháin áirithe ag freastal ar cheantair ar leith, rud a chothaigh an cúigeachas mar gur thuig na heagarthóirí gurb iad na hábhair logánta na hábhair is spéisiúla do phobal ar bith daoine.

Bhí sé de nós ag Gaeilgeoirí freisin cuntais thaistil a scríobh agus foilsíodh na cuntais seo go minic sna hirisí Gaeilge (Ó Droighneáin, 1936:144). Cur síos ar shaoire sa Ghaeltacht a bhí i gceist go minic. Uaireanta, freisin, d'fheicfeá fógraí sna hirisí ag moladh do na léitheoirí leabhair faoin nGaeltacht a cheannach. Seo fógra do leabhair faoi Ghaeltachtaí Chiarraí agus Chúige Chonnacht a bhí in *Feasta:*

Ard an tSamhraidh agus is mithid duitse agus domsa bheith ag éaló ó mhúch agus ó thoit na beatha sibhialta ag iarraidh neart agus lúth a chur i gcolainneacha traochta. Tabharfaidh ár bhfurmhór aghaidh ar trá nó ar sliabh sa tír seo agus níl ar dhroim an domhain ceantair níos áille (marach an bháisteach) ná mar atá sna háiteacha iargúlta ar an chósta Atlantach. Áiteacha iad ina bhfuil an Ghaeilge ina teanga bheo fós agus ba mhór an trua cuairt a thabhairt gan aithne na háite ná tuiscint meon na ndaoine agat. Cuideoidh na leabhair seo thíos leat. (Meitheamh, 1963:14)

Na leabhair a bhí ar an liosta ná leabhair ar nós *Allagar na hinise* le Tomás Ó Criomhthain, *Timcheall Chinn Sléibhe* le Seán Ó Dálaigh, *Oileáin Árann* leis an Athair M. Ó Domhnaill etc. An mhí ina dhiaidh sin bhí fógra eile sa pháipéar, ag tathant ar na léitheoirí leabhair faoi Ghaeltacht Chontae Chorcaí agus faoi na Rosa a léamh:

Cé acu ag breathnú duit ar luí na gréine ó Rann na Feirste nó ag ligean do scíth i mbád faoi Cheann Heilbhic méadófar ar do shásamh leabhar taitneamhach a bheith agat id' phóca—go háirithe má bhaineann an t-ábhar nó an t-údar leis an gcomharsanacht. (Iúil, 1963:26)

Is minic freisin samplaí den léirmheastóireacht chúigiúil sna hirisí Gaeilge. Mar shampla, pléann Séamas Ó Mórdha in *An tUltach* le 'Beart leabhar adtuaidh'. Deir sé: 'Foillsigheadh a oiread sin leabharthaí i nGaedhilg Uladh i mbliadhna go mbéidh sé iongantach deacair, agus san am chéadna b'fhéidir iongantach furast, do lucht léighte an Tuaiscirt rogha a dhéanamh eatorra' (1940:1). Pléann sé leabhair le Seosamh Mac Grianna, Séamas Ó Grianna agus Seán Ó Maoláin. In áiteanna eile sna hirisí moltar do léitheoirí saothair chruthaitheacha a cheannach chun an léiriú a fhaightear iontu ar stair nó ar shaol ceantair a aimsiú.

Uaireanta d'fheicfeá ailt in irisí ó scríbhneoirí oilte ag spreagadh daoine óga chun dul i mbun pinn. Go minic is ag cothú réigiúnachais

48   AN COMHTHÉACS SOCHEOLAÍOCH

a bhíonn údair na n-alt seo. Seo é Proinsias Mac an Bheatha in *An tUltach,* ag tabhairt comhairle don scríbhneoir óg: 'Os do *An tUltach* atá mé ag scríobh, tá sé le ciall go mbeinn ag glacadh leis gur do Ghaeilge Uladh a thabharfaidh na léitheoirí tús áite' (1970b: 12). Luann sé an bheirt Ghriannach mar eiseamláirí do scríbhneoirí Ultacha agus comhairlíonn sé an scríbhneoir óg ar an gcaoi seo: 'Léigh leat, a deirim, saothar na beirte seo mar thús go dtí go mbíonn sé ar bharr do theanga agat agus gach nath agus casadh agus gach cliché féin dá bhfuil ann' (12). Is deacair a chreidiúint go raibh a leithéid de mholadh fós á thabhairt chomh deireanach le 1970. Glacadh le comhairle den chineál seo go minic. Foghlaimíodh na nathanna agus na *clichés* ach is annamh a chuaigh a leithéid de thraenáil chun tairbhe an scríbhneora. Ní gá ach breathnú ar litríocht réigiúnach chúige Uladh ó na fichidí ar aghaidh agus feicfidh tú cé chomh lán agus atá sí le *clichés* agus cé chomh tearc agus atá na saothair chruthaitheacha nua-aoiseacha.

Nochtadh ar an dúchas a bhí mar aidhm ag iris an Chonartha, *Feasta,* dar le Risteárd Ó Glaisne (1964) agus chuidigh sraith grianghrafanna le Tomás Ó Muircheartaigh leis an saol traidisiúnta a nochtadh, go mór mór saol traidisiúnta na Gaeltachta. D'fhéadfaí na grianghrafanna seo a chur i gcomparáid leis na dírbheathaisnéisí Gaeltachta sa mhéid gur ag léiriú pobail atá siad araon. Deir Seosamh Ó Duibhginn fúthu: 'ní ar thuairiscí nuachta a d'fhreastail ceamara an Mhuircheartaigh ach é ag léiriú saoil a bhí ag imeacht' (1970:xiii). D'eascair pictiúir Uí Mhuircheartaigh ón éileamh céanna ónar eascair na dírbheathaisnéisí Gaeltachta:

Tá faisnéis ann ar shaol a bhí ag imeacht lena linn agus atá geall le a bheith imithe anois, mura bhfuil sé imithe ar fad: tithe den seandéanamh, an tuíodóireacht, naomhóga agus curachaí, modhanna feirmeoireachta gona n-uirlisí traidisiúnta, baint na móna, seanchaithe agus gnéithe seanaimseartha na tuaithe. (1970:xiv)

D'fhéadfaí an méid sin thuas a fháil mar nóta eagair i gceann ar bith de na dírbheathaisnéisí Gaeltachta.

Ós rud é go raibh éileamh ar ábhair réigiúnacha sna hirisí an iontas ar bith é nuair a thug scríbhneoirí faoi mhórshaothair gur tharraing siad as an bhfoinse chéanna ansin. Sa bhliain 1945 chuir Séamas Ó Néill iris nua ar bun. *An Iris* an teideal a bhí air agus bhí sé mar aidhm ag an eagarthóir irisleabhar liteartha a dhéanamh de. Ní ghlacfadh sé le saothar ar bith ach le saothair nua-aoiseacha. Sa cheathrú heagrán den iris, áfach, tá píosa ón eagarthóir ag cur síos ar dhrochbhail na scríbhneoireachta Gaeilge ag an am. Níl go leor scríbhneoirí ann chun iris liteartha dá sórt a choinneáil ina beatha agus cuireann sé an locht, a bheag nó a mhór, ar an mbéim as cuimse a bhí á cur ar chaomhnú iarsmaí ag na daoine a bhí páirteach i ngluaiseacht na Gaeilge:

> B'fhearr liom go scríobhfá fá 'n tsaol atá anois ann. Tá go leor cumann, irisleabhar agus institiúidí san tír ag tabhairt aire don Éire a bhí ann fad ó. . . . Bíodh rud éigin le rádh agat. Béidh tú ag cur stampaí amudha má chuireann tú scéalta béaloidis chugam. Tá irisleabhar do *Bhéaloideas* ann. Cuirfidh mé fáilte roimh aistí ar gach gné de shaol na tíre faoi láthair. (1946a:3)

Bhí díomá ar Ó Néill, áfach. Ní bhfuair sé an sórt saothair a bhí ag teastáil uaidh agus níor foilsíodh ach cúig eagrán den *Iris*.

Ba sna hirisí Gaeilge freisin a rinneadh an chuid is mó den léirmheastóirecht liteartha agus dá bhrí sin bhí an-tionchar acu ar fhorbairt na scríbhneoireachta. Breathnóimid anois ar an gcineál léirmheastóireachta a bhí á dhéanamh thart ar na daichidí nuair a bhí an litríocht réigiúnach á saothrú go tiubh.

Luadh thuas gurbh ar chaint na ndaoine a bhí an bhéim á cur i litríocht na Gaeilge ó thús na haoise seo. Ba ar an gcaint sna saothair liteartha is mó a bhí aird na léirmheastóirí dírithe freisin agus tá sé sin amhlaidh go dtí le fíordheireanaí. Moladh leabhair ar son na dea-Ghaeilge a bhí le fáil iontu nó ar son an léiriú fírinneach a bhí le feiceáil iontu ar aigne na nGael. Seo é Shán Ó Cuív, mar shampla, ag cur síos ar shaothair an Athar Peadar: 'is mar gheall ar an nglan-Ghaedhilg atá ionta a léighfar leabhair an Athar Peadar nuair a bheimíd-ne fé 'n gcré agus ná beidh trácht ar sgríbhneoirí eile na linne seo' (1940:15). Luann sé freisin ábhar na litríochta: 'thug sé dhúinn sgéal a léiríonn go cruinn agus go beacht saoghal agus aigne na ndaoine a bhí 'na gcomhnuí ar an dtuaith agus go raibh togha na haithne aige féin ortha' (15). Le léirmheastóireacht mar seo ní hionadh go bhfuil leabhair a dhéanann cur síos ar shaol na tuaithe in Éirinn chomh flúirseach sin is atá siad. Seo é Ó Cuív ag cur síos ar Mhícheál Breathnach, an duine a luadh thuas i dtaca lena smaointe faoin 'aigne Ghaelach':

> Níor fhág sé Conamara go dtí go raibh sé fiche bliain d'aois: fiche bliain ag fás sa bhfíor-Ghaeltacht agus léigheann na leabhar agus léigheann an bhéaloideasa aige ag neartú na cainte a thug sé leis ó

ghnáth-shaoghal na dúthaí. Tosach maith é sin i gcóir na hoibre a
bhí ruimis ag saothrú na Gaedhilge i gcaint agus i sgríbhinn.
Do thuig sé féin an sgéal go háluinn. Do thuig sé nár mhór don
duine a dhéanfadh saothar foghanta i leitríocht na Gaedhilge bheith
sáidhte i nGaedhealachas agus caint na ndaoine bheith ar a thoil
aige, ach do thuig sé fairis sin go gcaithfeadh an duine sin bheith ag
síor-léigheamh agus ag foghluim i gcomhnuí. (23)

Molann Ó Cuív Séamas Ó Dubhghaill ar an gcúis seo:

Is í aigne fir-tuatha a bhíodh laistiar den chaint i gcomhnuí, cé go
raibh taithí mhaith aige ar saol na gcathrach i nÉirinn agus i Sasana.
D'aon ghnó a dhein sé é sin. An Ghaedhilg a bhí beo i mbéalaibh
daoine, í sin a chur i gcló agus a chur á léigheamh, b'shin a bhí
uaidh. (36)

Léiríonn sé ardmheas i gcónaí ar an litríocht réigiúnach mar tá
tuairisc le fáil inti ar:

saoghal atá imithe uainn go deo agus ná beadh aon bhreith againn
ar thuairisc chruinn d'fháil i nGaedhilg air mar a mbeadh saothar
Shéamuis Uí Dhubhghaill agus sgríbhneoirí eile atá imithe ar slí na
fírinne anois. (1940:37)

Sin samplaí de léirmheastóireacht aon duine amháin. Ach féach
ar na rudaí a dúirt léirmheastóirí éagsúla faoi *Mo dhá Róisín* le
Séamas Ó Grianna nuair a céadfhoilsíodh é. Seo sliocht as léirmheas
san *Irish Rosary* a léiríonn an bhéim a chuirtí go minic ar chúrsaí
canúna sa léirmheastóireacht: 'One of the most charming stories we
have ever read. If Máire can give us half a dozen novels as excellent
as this one Donegal Irish will become a formidable rival of the
Munster and Connaught dialects' (Mac, 1922:160). I *Misneach* bhí
an léirmheastóir gafa arís le cúrsaí teanga: 'Má's maith leat an
chuid is fearr den Ghaedhilic a fhághail, fágh cóip de "Mo dhá
Róisín"' (Seán Mac Maoláin, 1922:3). Moladh an leabhar in *Irisgh-
leabhar Mhaighe-Nuadhad* mar scéal maith suimiúil a bhéarfadh sult
don léitheoir: 'Tá na cora cainnte go flúirseach ar gach uile leathan-
ach de. Thig linn a rádh le Gaedhilgeoir ar bith a chaithfeas leath-
choróin air nach mbéidh a chuid airgid amudha air' (D. Mac E.,
1922:68). Bhí an méid seo leanas le rá ag Tomás Ua Concheanainn
i *Studies:*

Tá togha na Gaedhilge san úr-sgéal, agus ádhbhar áthais agus
gliondair dúinn an leabhar deas seo. Molann muid dóibh seo atá os

cionn oideachas na h-Éireann an leabhar a chur ar chlár na scoile agus molann sinn do gach Gaedhilgeóir an leabhar a cheannach. Má ghníonn gheobhaidh sé luach a chuid airgid do Ghaedhilg mhaith Thír-Chonaill inntí, agus ní fuarasta Gaedhilg Thír-Chonaill a bhualadh nuair a thagann sí ó bhárr chleite an té sin atá cliste ar an gcleite a chasadh mar atá úghdar 'Mo dhá Róisín'. (Tomás Ua Concheanainn, 1922:278)

Ba mhinic na léirmheastóirí ag caitheamh anuas ar iarrachtaí scríbhneoirí ón nGalltacht. Seo mar a chuireann Séamas Ó Searcaigh i gcomórtas iad leis an triúr Ultach—Seaghán Mac Meanman, Séamas Ó Grianna agus Fionn Mac Cumhaill:

Ón bhuaidh atá ag an triúr acu ar an teangaidh tig dath ar a gcanamhaint nach mbíonn ag an ughdar nach bhfuil an t-eolas céadna ar an Ghaedhilg aige is atá acu-san. Tá bríoghmhaireacht i gcaint an triúir nach mbíonn ag na nua-sgríbhneoirí eile ó fuair an tAthair Peadar bás. (g.d.:146)

Tá na hirisí Gaeilge breac ballach le samplaí den chineál seo léirmheastóireachta agus is fíor gur thug roinnt tuairisceoirí faoi deara an dochar a bhí á dhéanamh ag a leithéid. Deir Muiris Ó Droighneáin nár chuardaigh lucht na Gaeilge sa litríocht ach áilleacht teanga:

ba mhó an tsuim a chuireadh cuid aca sa teangain féin ná ins na smaointe a bhí le nochtadh innti. . . . Bliadhanta 'na dhiaidh sin tugadh iarracht fén easba 'smaointe' i nua-litridheacht na Gaedhilge do leigheas. (1936:16)

Ba léir do na scríbhneoirí féin chomh maith go raibh gá le léirmheastóireacht thuisceanach chun aitheantas, agus dá bhrí sin spreagadh, a thabhairt dóibh siúd a bhí ag iarraidh litríocht nuaaoiseach a chruthú. Ba mhinic Roibeard Ó Faracháin ag gearán faoin easpa léirmheastóireachta. In Éire sa bhliain 1940 dúirt sé:

Cuid de na léirmheastóirí agus ní h-eol dóibh a gceárd. Tá duine amháin ann agus is scannal ag an bpobal a leimhe is thráchtann ar leabhra; is léir ná tuigfidh sé go dtéighidh fé chré cad is scríobhnóireacht ann. An mhórchuid agus ní bhíonn aga ná spás acu chun breith thábhachtach a thabhairt uatha, agus ar éigin a b'acfuinn dóibh é ar an gcúiteam a gheibhid—nó ná faghaid. (71)

Luaigh Diarmaid Ó Súilleabháin (1965) dearcadh na léirmheastóirí

agus é ag caint faoin easpa úrscéalaíochta sa Ghaeilge agus phléigh
Breandán Ó Doibhlin an fíorghá a bhí le caighdeán ard agus sinn
ag iarraidh litríocht nua-aoiseach a chur chun cinn:

> Only by applying the most rigorous standards do we pay writing in
> Irish the supreme compliment of taking it seriously. This, I feel
> quite honestly, is something that anyone with a care for our literary
> expression . . . must do today. (1970:9)

I léacht dar teideal 'Tuige nach bhfuil litríocht na Gaeilge ag fás' a
thug Máirtín Ó Cadhain sa bhliain 1949 déanann sé ionsaí ar na
léirmheastóirí. Tá an ghráin aige ar an léirmheastóireacht dhochar-
ach a dhéanann cáineadh 'ar chor nua-aimseartha ar bith a tugtar i
saothrú na Gaeilge' (11). Luann sé an fogha a thug an Dochtúir de
Hindeberg faoin bPiarsach as ucht Sean-Mhaitias a chur 'ina shuí
le hais a dhorais ar an gcéad abairt in Éirinn!' (12), agus deir sé
gurb í an aigne chúng seo is ciontach le 'cló Gaelach' agus 'litriú
stairiúil', le canúnachas agus paróisteachas. Níl aon léirmheastóir-
eacht chomparáideach sa Ghaeilge agus ní phléitear ceisteanna
ceirde, stíle nó deilbhe riamh. Níl aon trácht ar údair iomráiteacha
nó ar litríocht tíortha eile. Ina ionad sin faighimid léirmheastóirí atá
i gcónaí ar thóir an scríbhneora mhóir. Mar a dúirt Tomás Ó Floinn:

> Ní leor, i ngluaiseacht na Gaeilge, duine bheith ina fhile, caithfidh
> sé bheith ina shárfhile.
>   Dá mba údar le aigneolaíocht mé, déarfainn gurb é míniú atá,
> cuid mhaith, ar a olcas d'éirigh le gluaiseacht na teangan go dtí seo
> go bhfuil an Messiah complex ag gabháil di: gach duine ag fanacht
> leis an údar mór, leis an sárdhuine a bhéarfaidh amach sinn as tír
> na daoirse. (1955:12)

Is minic a fhaightear léirmheastóirí ag iarraidh an 'mhórlitríocht' a
shainmhíniú. Déanann Risteárd Ó Glaisne é sin, mar shampla, agus
ansin déanann sé údair a rangú de réir na tuisceana atá aige féin
ar an litríocht. Deir sé faoi Shéamas Ó Grianna, mar shampla;
'Scríbhneoir fíor-mhaith den dara grád é "Máire" ' (1963:23). Is
sampla é seo de shaothar léirmheastóireachta nach ndéanann
mórán iarrachta dul i ngleic leis an litríocht féin agus anailís
chuimsitheach a dhéanamh uirthi.
   Bhí moltaí ag daoine uaireanta a chuideodh le caighdeán na
léirmheastóireachta a ardú. Mhol Ó Faracháin go gcuirfí páipéar
seachtainiúil ar bun; go mbunófaí iris mhíosúil nua agus go dtabhar-

faí níos mó spáis sna nuachtáin agus sna hirisí seanbhunaithe do léirmheastóireacht liteartha. Níor cuireadh na moltaí seo i ngníomh, áfach, agus faighimid iarsmaí de na seanmhodhanna léirmheastóireachta i léirmheas a rinneadh ar *Séadna* i *Studia Hibernica* sa bhliain 1969. Tar éis don scríbhneoir a léiriú nach úrscéal ar chor ar bith é *Séadna* ach go mbaineann sé le *genre* liteartha eile ar fad, cuireann sé an gnáthdheireadh foirmlíoch lena alt: 'Tá téama ann is oiriúnaí agus is dúchasaí b'fhéidir don teanga Ghaeilge ná aon téama eile dár pléadh i nualitríocht chruthaitheach na Gaeilge fós' (Breatnach, 1969:124). Céard atá i gceist aige anseo le 'is oiriúnaí'? An iarsma den seanrud arís é—go bhfuil téamaí 'Gaelacha' ann, nótaí is dual don litríocht Ghaelach? Nuair a labhair Ó Cadhain amach faoi dhrochbhail na léirmheastóireachta ní mé ar cheap sé ansin nach mbeadh mórán feabhais tagtha uirthi fiche bliain ina dhiaidh sin?

Is cinnte, áfach, gur deineadh dul chun cinn áirithe. Chuidigh saothar Bhreandáin Uí Dhoibhlin le bunús eolaíoch a chur faoin léirmheastóireacht agus is fíor go bhfuil feabhas mór tagtha ar chaighdeán na n-alt sna hirisí Gaeilge. Chomh maith leis sin tá irisí speisialta againn anois mar *Léachtaí Cholm Cille* agus *Irisleabhar Mhá Nuad* a bhfuil sé mar aidhm acu an léirmheastóireacht thuisceanach ar shaothair liteartha a chothú. Ní leor dea-Ghaeilge a thuilleadh, ná léiriú maith ar shaol na Gaeltachta, chun leabhar a bhuanú mar shaothar fiúntach liteartha.

Caibidil 7

CONCLÚIDÍ

Sa chuid seo den leabhar chonaiceamar cé chomh mór agus a bhí forbairt an nuaphróis sa Ghaeilge ceangailte le gluaiseachtaí eile in Éirinn ó thús na haoise seo.

Ba iad na náisiúntóirí cultúrtha a chruthaigh an tsamhail den fhíor-Ghael mar thuathánach geanmnaí uasal. Ghlac Conradh na Gaeilge, na scríbhneoirí Angla-Éireannacha agus lucht athbheochan na Gaeilge i gcoitinne leis an tsamhail seo agus chuidigh na béaloideasóirí le spéis thar cuimse a chothú i saol na tuaithe. Ceanglaíodh an nualitríocht leis an mbéaloideas agus leis an gcultúr tuatúil agus bhí an réigiúnachas á shaothrú go tiubh i leabhair Ghaeilge.

Níor cuireadh mórán suntais ó thús i gcaighdeán na leabhar mar shaothair liteartha. Nuair a bunaíodh an Gúm rinneadh leabhair a sholáthar go sciobtha agus is iomaí saothar a foilsíodh nach raibh fiúntas dá laghad ann ó thaobh na litríochta de. Ba mhinic a fuair saothar ardmholadh ó na léirmheastóirí ar son fheabhas na Gaeilge ann ach ba bheag an cúnamh a fuair an scríbhneoir a bhí ag iarraidh go ndéanfaí anailís chriticúil ar a leabhar.

Bhí na hirisí Gaeilge lomlán le hailt ar ábhair réigiúnacha agus ós rud é gurbh iontu a chéadchleacht roinnt mhaith scríbhneoirí a gceird chuaigh polasaí na n-irisí i bhfeidhm go mór ar a stíl agus ar na hábhair a phléigh siad i mórshaothair ina dhiaidh sin.

Sílim gur mór is fiú a leithéid seo d'anailís ar na cúinsí socheolaíochta as ar eascair an ghluaiseacht. Bhí na scríbhneoirí Gaeilge ar fad gafa a bheag nó a mhór le himeachtaí a linne agus bhí antionchar acu sin ar a saothair scríbhneoireachta. Nílim ag déanamh aon leithscéal, áfach, do shaothair atá ar chaighdeán íseal liteartha. I dtaca leo siúd sílim gur fiú go mór iad a shuíomh ina gcomhthéacs stairiúil agus na fáthanna ar scríobhadh ar an gcéad dul síos iad a aimsiú. Sa chaoi sin caithfear solas éigin ar shochaí na haimsire inar scríobhadh iad agus ar aidhmeanna na n-údar féin, rudaí atá antábhachtach d'fhorbairt na litríochta atá le teacht fós. Sílim féin nach féidir dea-litríocht a cheapadh gan fealsúnacht dá chuid féin a bheith ag an scríbhneoir. Ag breathnú siar ar nuaphrós na Gaeilge is í an easpa machnaimh an rud is suntasaí ann, dar liom. Má thuigtear na fáthanna gurbh amhlaidh a bhí b'fhéidir go rachaidh sé sin chun sochar na litríochta go fóill.

54

Chomh maith leis sin, go minic nuair a thuigeann duine an cúlra ónar eascair gluaiseacht liteartha, is féidir leis taitneamh agus tairbhe a bhaint as leabhair nach mbeadh spéis dá laghad aige iontu gan an tuiscint sin a bheith aige. Déanfar iarracht fírinne an ráitis sin a chruthú sa chuid eile den saothar seo.

CUID A DÓ

LITRÍOCHT RÉIGIÚNACH CHORCA DHUIBHNE

Caibidil 8

AN LITRÍOCHT RÉIGIÚNACH AGUS AN TÍREOLAÍOCHT

I ndiaidh an mhéid atá ráite sa chéad chuid den saothar seo b'fhéidir go gceapfadh an léitheoir nach bhfuil fiúntas dá laghad ag baint leis na dírbheathaisnéisí agus na leabhair eile faoi shaol na Gaeltachta a foilsíodh i nGaeilge ó thús na haoise seo. Nílimse ar an tuairim sin ar chor ar bith, áfach, agus ní bheidh mé ag iarraidh a leithéid a chur in iúl anseo. Is é mo bharúil gur gné thábhachtach de nualitríocht na Gaeilge an cineál seo litríochta agus tá buanna ag na leabhair seo, bíodh nach buanna liteartha i gcónaí iad, a thugann ionad faoi leith dóibh i stair an nuaphróis.

Léirigh scríbhneoirí agus léirmheastóirí eile an tábhacht a bhaineann le cuid de na saothair réigiúnacha don stairí sóisialta, don socheolaí nó don antraipeolaí (mar shampla, Diarmuid Ó Doibhlinn, 1966; Tomás Ó Fiaich, 1974; Pádraig Ó hEalaí, 1966; Tadhg Ó Dúshláine, 1974). Gan dabht ar bith foinsí an-tábhachtacha is ea iad do na heolaithe seo agus baineadh úsáid as na leabhair is cáiliúla díobh—*An tOileánach, Peig,* agus *Fiche blian ag fás*—nuair a bhí na scoláirí Aalen agus Brody (1969), Brody (1173), E. Estyn Evans (1973), Robin Fox (1978), John Messenger (1969) agus Nancy Scheper-Hughes (1979) ag déanamh cur síos eolaíoch ar an saol san iarthar in Éirinn. Sa chaibidil seo pléifidh mé an príomhbhua atá acu, dar liom, mar chuid de ghluaiseacht liteartha.

Tá an litríocht réigiúnach atá le fáil sa Nua-Ghaeilge thar a bheith úsáideach don tíreolaí a úsáideann modhanna feiniméaneolaíocha chun tuiscint a fháil ar eispéireas an duine taobh istigh de réigiún áirithe.[12] Agus is faoi réir na modhanna seo a dhéanfar anailís ar an litríocht seo. Míneofar i dtosach an fhealsúnacht a ghabhann leis an modh oibre seo chun an stáitse a réiteach don mhionanailís ar théacsanna a leanfaidh é.

Taobh istigh den tíreolaíocht d'fhás gluaiseacht smaointeoireachta sna seascaidí agus sna seachtóidí a bhí bunaithe ar an bhfeiniméaneolaíocht. Bhí tíreolaithe áirithe ag iarraidh bunús daonna a thabhairt don ábhar trí bhéim nua a chur ar eispéireas laethúil an duine taobh istigh den spás ina maireann sé. Ba chúlú iomlán an ghluaiseacht seo ó na modhanna eolaíocha a bhí in úsáid roimhe sin san ábhar, modhanna a chaith leis an duine go minic mar staitistic bhreise a bhí de dhíth chun teoiric nó hipitéis éigin a thástáil. Bhí na feiniméaneolaithe ag iarraidh an duine a chur i lár baill. Thug siad tús áite don dearcadh a bhíonn ag an ngnáthdhuine ar a áit chónaithe; don chaoi a mbreathnaíonn sé ar an áit thart timpeall air agus don chaoi a bhfeidhmíonn sé de bharr an dearcaidh phearsanta atá aige ar an áit sin agus ar an domhan ina iomláine.

Lean roinnt mhaith tíreolaithe lorg na bhfeiniméaneolaithe agus d'fhás modhanna nua taighde taobh istigh den scoil thíreolaíochta seo. Modh amháin a tháinig chun tosaigh agus a chleacht roinnt tíreolaithe ó shin ná anailís, le bonn feiniméaneolaíoch, a dhéanamh ar shaothair liteartha. Trí mheán na litríochta déanann an duine iarracht an t-eispéireas daonna a scrúdú. Léirítear inti na mothúcháin a eascraíonn i gcroí an duine ina chaidreamh laethúil le daoine atá lonnaithe in áit faoi leith; an tábhacht a bhaineann le fréamhacha tíreolaíocha i saol an duine; radharc domhanda an duine atá ina chónaí in áit bheag i gcomhluadar daoine a thuigeann sé agus a thuigeann é; agus an coimhthíos atá le brath ar shaol an duine sin nach bhfuil in ann déileáil leis an easpa muintearais a bhaineann le saoirse na cathrach. Tá samplaí den chineál seo taighde le fáil i saothair H. C. Darby (1941) ar scríbhneoireacht Thomas Hardy; J. H. Paterson (1971) ar úrscéalta Walter Scott; L. Spolton (1973) ar D. H. Lawrence agus P. Duffy (1968) ar Patrick Kavanagh.

Bhain tíreolaithe eile úsáid as saothair liteartha chun na hathruithe a thagann ar mheon daoine i leith áiteanna le himeacht aimsire a rianadh. Sa chineál seo taighde faightear léargas an-spéisiúil ar na braistintí tíreolaíocha a bhíonn ag daoine. Tá samplaí den chineál seo modha le fáil i saothair Yi-Fu Tuan (1971, 1974, 1975) ar 'topophilia',[13] agus saothair Edward Relph (1976), J. H. Paterson (1971), J. F. Zaring (1972) agus D. Lowenthal (1975 etc.).

Leis an mbéim nua seo sa tíreolaíocht ar an taobh daonna den ábhar tá tíreolaithe ag tarraingt níos mó ar fhoinsí liteartha. Nuair atá cuntas mion ar shaol laethúil an duine ag teastáil is chuig an scríbhneoir tuisceanach a léiríonn eispéireas pearsanta an duine a théann an tíreolaí. Deir Yi-Fu Tuan:

> Literature rather than social science surveys provides us with the detailed and finely shaded information on how human individuals perceive their worlds. The realistic novel does not so much portray a culture accurately (which social science also attempts to do) as to highlight the particularity of persons within it. The unique voice escapes the matrix of sociological explanation. (1974a:49)

Tá sé soiléir ón méid atá ráite gur foinse thábhachtach í an litríocht don tíreolaí ar spéis leis an saol mar a fheiceann an gnáth-dhuine é. Seachas bheith ag iarraidh dreach na tíre a léamh ar bhealach oibiachtúil ón taobh amuigh, is féidir linn é a fheiceáil ón taobh istigh trí shúile an duine atá lonnaithe i gceantar áirithe. Déanaimid é sin trí anailís a dhéanamh ar an litríocht réigiúnach. Tuigimid anois go bhfuil an cineál seo litríochta an-fhlúirseach sa Ghaeilge agus is í an aidhm anseo ná tábhacht na litríochta seo don tíreolaí a léiriú trí mhionscrúdú a dhéanamh ar chuid di. Deir E. Estyn Evans faoin gcineál seo taighde:

> The scientist, in trying to explore the roots and measure the strength of regional personality, should welcome the support that comes from the intuitive understanding and interpretation of the creative writer, the poet, the music-maker and the artist, even if they cannot be quantified. Their inspiration characteristically springs from intimate association with particular landscapes, local, regional or national. (1973:84)

Thuig Patrick Sheeran chomh maith an úsáid seo is féidir a bhaint as saothair liteartha. I gcaibidil a naoi dá leabhar faoi úrscéalta Liam Uí Fhlaithearta, nuair a thráchtann sé ar úrscéalta réigiúnacha an scríbhneora sin, deir sé: 'The works, when related to the time and place of their subject matter, gather an added resonance and interest which is lost by a purely aesthetic approach' (1976:125).

Céard iad na buanna eile atá ag na saothair seo don fheiniméan-eolaí? Maidir leis na saothair dhírbheathaisnéisiúla ba ghnáth-dhaoine de chuid an phobail formhór na n-údar. Ba dhaoine iad nach raibh aon rud suaithinseach ag baint leo ach go raibh éirim aigne thar an gcoitiantacht ag cuid acu. Eispéireas an ghnáthdhuine a léirítear ina gcuid saothar más ea. Bua eile atá ag na leabhair seo ná go gclúdaíonn siad tréimhse fhada ama. Dá bhrí sin feicimid na claochluithe a tháinig ar áiteanna iargúlta de bharr dul chun cinn an fichiú haois agus feicimid an t-athrú a tháinig ar mheon na ndaoine i leith an cheantair dhúchais agus i leith an tsaoil mhóir de bharr na gclaochluithe sin.

Is i nGaeilge atá na saothair ar fad a bheidh faoi chaibidil agam agus is faoi cheantair Ghaeltachta a scríobhadh iad. Faighimid léargas ó na saothair seo ar nithe a bhí ceilte ar na scríbhneoirí sin a scríobh as Béarla faoi na ceantair Ghaeltachta. Gan an teanga a bheith go líofa acu níl bealach ar bith go bhféadfaidís dul faoi chraiceann an tsaoil mar a rinne na húdair neamhléannta seo. Labhraíonn Relph faoin 'existential insideness' agus é ag cur síos ar an eispéireas pearsanta a bhíonn ag duine ina cheantar dúchais:

> Existential insideness is part of knowing implicitly that this place is where you belong—in all other places we are existential outsiders no matter how open we are to their symbols and significances.
> The person who has no place with which he identifies is in effect homeless without roots. But someone who does experience a place from the attitude of existential insideness is part of that place and it is part of him. (1971:55)

Daoine atá fréamhaithe go daingean i suíomh áirithe tuaithe agus a bhfuil nasc meitifisiciúil acu lena réigiúin féin a bheidh faoi chaibidil anseo. Sna ceantair iartharacha ónar eascair an litríocht seo tá ceangal an-docht idir an tírdhreach féin agus na daoine a mhaireann air: 'The land and the people are one' (Leon Uris, 1977: 75). Caithfear cuimhneamh gur 'existential insiders' iad údair na leabhar ar fad a bheidh faoi scrúdú sa chuid eile den taighde seo.

Trí na saothair réigiúnacha i nGaeilge a léamh bristear an tsamhail den iarthair mar áit aislingeach rómánsúil a cumadh le linn na hathbheochana liteartha ag deireadh an naoú haois déag. Chomh maith leis sin, scaiptear, cuid mhaith, an seanmhiotas faoin iarthar mar cheantar fíor-Ghaelach, ceantar a d'fhan dílis nuair a thréig an chuid eile den tír seanluachanna na nGael. Dearcadh claonta amach is amach a bhí anseo, ar ndóigh, agus in ionad an náisiúnachais a shamhlaítear leis an iarthar feicimid neart samplaí sa litríocht réigiúnach den neamhspleáchas polaitiúil agus eacnamúil a bhain leis na ceantair seo.

An pictiúr a thagann as léamh na leabhar seo is pictiúr é de shaol atá imithe agus a bhí ar tí a shéalaithe nuair a scríobhadh iad. Sna saothair liteartha seo tá próiséas mheath an tseansaoil agus an tseanchultúir le feiceáil os ár gcomhair amach. Léirítear é seo ar bhealach níos gléiní ná mar a d'fhéadfadh antraipeolaí nó 'eolaí' ar bith a thiocfadh isteach sa cheantar é a léiriú. Chomh maith leis sin tá an-chuid le foghlaim againn uathu faoi staid na ndaoine atá fós ina gcónaí sna ceantair thiar.

Caibidil 9

PRÓSLITRÍOCHT CHORCA DHUIBHNE

Nuair a smaoinítear ar cé chomh beag agus atá Corca Dhuibhne mar cheantar Gaeltachta, is iontach an méid litríochta a tháinig ón gceantar sin ó thús na hathbheochana. Is dócha nach raibh áit eile in Éirinn a raibh scríbhneoirí chomh flúirseach le fáil ann le trí fichid bliain anuas. I measc na leabhar ar fad a tháinig ó scríbhneoirí Chorca Dhuibhne tá saothair léinn, leabhair sheanchais, leabhair do pháistí, cnuasaigh aistí, leabhair staire agus saothair liteartha.[14] Is iad na saothair liteartha amháin a bheidh faoi chaibidil anseo, go mór mór na dírbheathaisnéisí agus na húrscéalta réigiúnacha.

Is í an dírbheathaisnéis an cineál litríochta is raidhsiúla a tháinig chugainn ón gceantar. Leabhrán beag le Bríghid Stac, *Mí dem' shaol* (1918), an chéad saothar den chineál seo a foilsíodh. Cuntas ar shaol laethúil cailín óig atá anseo agus é scríofa i bhfoirm chín lae. Ba é Tomás Ó Criomhthain an ceannródaí i ndáiríre, áfach, agus lean Muiris Ó Súilleabháin agus Peig Sayers a shampla. Foilsíodh *Allagar na hinise,* cuntas ar shaol an Bhlascaoid i bhfoirm chín lae, sa bhliain 1928 agus foilsíodh a dhírbheathaisnéis, *An t-oileánach,* an bhliain ina dhiaidh sin. Bhí dhá aidhm aige sna saothair seo— léargas a thabhairt ar mheon an phobail dar díobh é agus cuntas a thabhairt ar an gcineál saoil a chleacht siad.

Spreag foilsiú *An t-oileánach* daoine eile chun dul i mbun pinn agus níorbh fhada ina dhiaidh sin gur fhoilsigh Muiris Ó Súilleabháin, fear óg de bhunadh an oileáin, a dhírbheathaisnéis féin *Fiche blian ag fás* (1933). Tháinig *Peig* amach sa bhliain 1936 agus trí bliana ina dhiaidh sin foilsíodh leabhar eile faoi shaol Pheig—*Machtnamh seana-mhná* (1939). Ba é mac Pheig, Mícheál Ó Gaoithín, a scríobh an leabhar seo síos ó bhéal a mháthar. Tá fealsúnacht Pheig le feiceáil go soiléir sa leabhar agus í ag breathnú siar ar thréimhsí áirithe dá saol.

Sa chéad chuid den saothar seo pléadh an pháirt a ghlac scoláirí eachtrannacha agus béaloideasóirí i bhforbairt na litríochta réigiúnaí. Is samplá an-mhaith í litríocht Chorca Dhuibhne de ghluaiseacht liteartha nach mbeadh ann ar chor ar bith, b'fhéidir, gan an spreagadh a fuair na scríbhneoirí ó na daoine sin. Bhíodh scoláirí eachtrannacha ag tarraingt ar an oileán go rialta ag tús na haoise seo. Ba mhinic a thugaidís cuairt ar an gCriomhthanach agus

63

d'éirigh sé an-chairdiúil le cuid acu, an Sasanach Robin Flower mar shampla. Bhíodh Éireannaigh ag teacht chuig an oileán freisin, iad ag iarraidh an Ghaeilge a fhoghlaim ó na hoileánaigh. Is chuige sin a tháinig Brian Ó Ceallaigh ó Chill Airne chuig an oileán an chéad lá agus ba eisean an duine a spreag Tomás Ó Criomhthain chun scéal a bheatha a scríobh. Trí shaothair daoine mar Maxim Gorky a chur ar shúile Thomáis léirigh sé dó go bhféadfadh iascaire freisin leabhar a scríobh. Ba é toradh iarrachtaí Bhriain Uí Cheallaigh an dá leabhar *Allagar na hinise* agus *An t-oileánach,* cé gurbh é Pádraig Ó Siochfhradha a rinne an eagarthóireacht ar na leabhair agus a d'fhoilsigh ina dhiaidh sin don Chriomhthanach iad. Anois, níor tháinig stíl nó ábhar na leabhar úd slán ó thionchar na beirte seo. Is léir gur iarr Ó Ceallaigh ar Thomás téamaí áirithe a phlé agus é ag cur síos ar shaol an oileáin. Ní scríobhfadh sé rud ar bith faoi na tithe ar an oileán, mar shampla, murach gur iarradh air. Is cinnte go ndearna Pádraig Ó Siochfhradha an-chuid leasuithe ar an mbuntéacs sular lig sé i gcló é. D'athraigh sé an chaint ann fiú agus d'fhág sé codanna áirithe nach raibh oiriúnach le foilsiú, dar leis, ar lár. Caithfear smaoineamh ar an bpáirt a ghlac na daoine seo i dtáirgeadh na leabhar agus sinn á scrúdú ar ball.

Ba ag aithris os ard do Mháire Ní Chinnéide ón gCumann le Béaloideas Éireann a bhí Peig agus í ag insint scéal a beatha. Caithfidh go raibh Máire ag cur ceisteanna áirithe uirthi agus á treorú fad is a bhí sí ag cur síos ar imeachtaí a saoil. Tá leanúnachas ag baint leis an leabhar *Peig* nach bhfuil le brath an oiread sin ar a leabhar *Machtnamh seana-mhná* a scríobh a mac Mícheál síos uaithi, rud a léireodh tionchar na scríobhaithe ar bhunscéal Pheig.

Eachtrannach a thug spreagadh do Mhuiris Ó Súilleabháin chun scéal a bheatha a scríobh. Tháinig Seoirse Mac Tomáis chuig an mBlascaod go minic agus mealladh go mór leis an áit é. Chuir sé aithne ar Mhuiris ann agus chuidigh sé leis chun a dhírbheathaisnéis a scríobh. Tá stíl shainiúil ag Muiris agus ní léir ón leabhar go raibh mórán tionchair ag Mac Tomáis air. Tá corrthagairt liteartha ann, áfach, agus ní dócha go mbeidís ar eolas ag Muiris féin. Is dóigh gurb ón eachtrannach a fuair sé iad.

Scríobh Brian Ó Ceallaigh agus Pádraig Ó Siochfhradha réamh-ráite do na leabhair *Allagar na hinise* agus *An t-oileánach.* Chuir Máire Ní Chinnéide réamhrá leis an leabhar *Peig* agus scríobh Seoirse Mac Tomáis réamhrá eagarthóra do *Fiche blian ag fás.* Ag tabhairt eolais faoi na scríbhneoirí féin agus ag míniú conas a thug siad faoi scéal a mbeatha a scríobh atá na heagarthóirí sna réamhráite sin. Is é an tábhacht a bhaineann lena leithéid dúinne mar léitheoirí ná go gcuireann sé i gcuimhne dúinn go raibh daoine ón taobh amuigh ag teacht idir scríbhneoirí seo an oileáin agus a bpobal léitheoireachta. Is cinnte go raibh tionchar ag na daoine sin ar ábhar na leabhar agus nuair a bhí na leabhair scríofa bhí cead acu blúirí a fhágáil ar lár nó codanna den bhuntéacs a athrú mar ba mhaith leo. Caithfimid cuimhneamh, áfach, go mb'fhéidir nach mbeadh na leabhair thuasluaite againn ar chor ar bith murach an chabhair ghníomhach agus an tacaíocht leanúnach a thug na scoláirí sin do na húdair. Nuair a chonaic muintir an oileáin leabhair an triúir seo i gcló ba leor é sin mar spreagadh do chuid acu chun leabhair dá gcuid féin a sholáthar.

Sa bhliain 1940 d'fhoilsigh Nóra Ní Shéaghdha a leabhar *Thar bealach isteach*. An tAthair Nioclás de Brún a ghríosaigh í agus chuidigh beirt shagart eile léi freisin agus í i mbun scríbhneoireachta. Múinteoir scoile ba ea Nóra agus chaith sí seacht mbliana i gcomhluadar na mBlascaodach. Sa leabhar seo tugann sí cuntas dúinn ar an tréimhse sin dá saol. Pléann sí na fadhbanna a bhí ag duine ón míntír ag maireachtáil ar oileán mara agus na deacrachtaí a bhain le saol an oileáin mar a chonacthas di siúd iad. Scríobh an bhean seo úrscéal chomh maith—*Peats na baintreabhaighe* (1945). Téama a bhí coitianta i mbéaloideas na háite atá faoi chaibidil anseo—cailín saibhir i ngrá le fear oibre—agus pléann an t-údar leis an ábhar ar bhealach maoithneach, rómánsúil. Tá an plota mídhóichiúil amach is amach in áiteanna. Roimhe sin níor tháinig ach an t-aon úrscéal amháin ón gceantar—*An fánaí* (1928) le Seán Óg Ó Caomhánaigh. Leabhar é seo atá difriúil ar fad leis na saothair eile a tháinig chugainn ó Chorca Dhuibhne sa mhéid nach suíomh áitiúil atá léirithe ann ar chor ar bith. Cuntas ar shaol fánaí a bhí ag taisteal mar spailpín trí mhachairí Mheiriceá atá ann, an scéal fite fuaite le cúrsaí rómánsúla grá.[15]

Sa ghlúin óg a tháinig i ndiaidh na n-údar seo bhí scríbhneoirí eile a scríobh leabhair dhírbheathaisnéisiúla. Scríobh Mícheál Ó Gaoithín, mac Pheig, an leabhar *Is truagh ná fanann an óige* (1953). Cumha i ndiaidh mheath shaol an oileáin is mó atá le brath ar an leabhar seo, agus is cinnte go ndeachaigh stíl a mháthar i gcion go mór air agus é á scríobh. Scríobh sé *Beatha Pheig Sayers* (1970) ó bhéal a mháthar chomh maith, de bharr a ghrá don Ghaeilge agus a mheasa ar a mháthair.

Scríobh Seán Ó Criomhthain, mac Thomáis, an leabhar *Lá dár saol* (1969), leabhar ina bpléann sé an t-athrú ón oileán go dtí an mhíntír. Na fadhbanna a bhain le bás an oileáin atá faoi chaibidil ag an údar sa leabhar seo agus chomh maith leis sin pléitear na hathruithe a tháinig ar mheon na n-oileánach agus iad ag iarraidh iad féin a chur in oiriúint do shaol na míntíre.

Rinne Pádraig Ua Maoileoin iarracht teacht saor ó laincisí na dírbheathaisnéise. Ina alt faoi scríbhneoirí Chorca Dhuibhne (1975) glaonn sé 'galar' ar an luí seo a bhí ag scríbhneoirí an cheantair saothair réigiúnacha a sholáthar. Ach féach nár tháinig sé féin saor ón 'ngalar' ach an oiread. Saothar dírbheathaisnéise tríd síos atá le fáil ina leabhar *Na haird ó thuaidh* (1960). Tá cur síos déanta aige ann ar a óige ar an gCom in iarthar Chorca Dhuibhne. Feicimid a dhearcadh ar an saol ann agus é ag breathnú siar air trí shúile an duine a d'fhág an ceantar ina óige. Saothar beathaisnéise atá ina leabhar *De réir uimhreacha* (1969) chomh maith—cuntas ar thraenáil Garda. Sa bhliain 1968 foilsíodh úrscéal dá chuid—*Bríde bhán*. Pléann an leabhar seo fadhbanna a bhain le saol na tuaithe sa tír seo: easpa spéise na bhfear sa ghnéas agus míshástacht na gcailíní leis an saol i gceantar beag iargúlta.[16] Sa bhliain 1969, chomh maith, foilsíodh *An bóna óir,* leabhar do pháistí a bhaineann le tréimhse na Lochlannach in Éirinn. Is leabhar an-spéisiúil é an t-úrscéal is deireanaí de chuid Uí Mhaoileoin—*Fonn a níos fiach* (1978), leabhar a léiríonn cruatan an tsaoil in áit a bhfuil daoine in iomar na haimiléise an t-am ar fad.

Níl deireadh tagtha fós le sruth na litríochta réigiúnaí ón gceantar seo. Níl sé ach cúpla bliain ó shin ó foilsíodh dírbheathaisnéis eile faoin mBlascaod. Cé gur tréigeadh é sa bhliain 1953 d'fhoilsigh Seán Sheáin I Chearnaigh *An t-oileán a tréigeadh* sa bhliain 1974, agus an leabhar *Iarbhlascaodach ina dheoraí* sa bhliain 1978. I 1978 freisin d'fhoilsigh Máire Ní Ghaoithín *An t-oileán a bhí,* cuntas oibiachtúil ar shaol an oileáin, gan mórán dá pearsantacht féin le feiceáil ann. An iontas ar bith é nuair a bhreathnaíonn tú ar a bhfuil scríofa faoin mBlascaod Mór go bhfuil roinnt daoine ar an tuairim nár thréig na hoileánaigh riamh é?

Chomh maith leis na leabhair atá luaite anseo scríobh Tomás Ó Criomhthain *Dinnsheanchas na mBlascaodaí* (1928) agus *Seanchas ón Oileán Tiar* (1956), leabhair sheanchais a scríobh sé le spreagadh ó na béaloideasóirí. Scríobh Seán Ó Dálaigh ó Bhaile Bhiocáire dhá leabhar—*Clocha sgáil* (1930), bailiúchán breá seanchais, agus

Timcheall Chinn Sléibhe (1933), cnuasach d'aistí eolais faoin saol sa cheantar lena linn. Pléann sé an t-iascach, móin, prátaí, nósanna a bhain leis na féilte bliantúla etc. Chomh maith lena dhá shaothar próis scríobh Mícheál Ó Gaoithín cnuasach filíochta—*Coinnle corra* (1968). Thug Peig leabhar eile dúinn freisin, cnuasach de scéalta béaloidis ón oileán—*Scéalta ón mBlascaod* (1938).

Cad faoi na daoine eile ó Chorca Dhuibhne a chuir saothair liteartha ar fáil don phobal? Mar a deir Pádraig Ua Maoileoin fúthu: 'Mionscríbhneoirí a d'oibrigh go slachtmhar ar a n-iomairí féin is ea na scríbhneoirí eile ó Chorca Dhuibhne ar dheineamar tagairt dóibh' (1975:5). Ina measc siúd tá daoine mar Phádraig Ó Siochfhradha a scríobh leabhair bheaga thaitneamhacha—eachtraíocht ar shaol na tuaithe. Chomh maith leis sin tá corrscríbhneoir nár scríobh ach an t-aon leabhar amháin. Mar shampla, scríobh Eibhlín Ní Mhurchú ó Bhaile Loisce cnuasach aistí faoina cuid taistil, ag tosú le turas a rinne sí go hAlbain ar mhí na meala— *Siúlach scéalach* (1968).

Is léir ón gcuntas seo gur cuimsitheach an cnuasach litríochta atá tagtha chugainn ón gceantar Duibhneach. An bhfuair an litríocht seo an t-aitheantas a thuilleann sí ó léitheoirí nó ó léirmheastóirí na litríochta Gaeilge? Ní dócha go bhfuair. Scríobhadh roinnt léirmheasanna ar leabhair áirithe nuair a céadfhoilsíodh iad, go mór mór leabhair Thomáis Uí Chriomhthain, Mhuiris Uí Shúilleabháin agus Pheig Sayers. Fuair an triúr seo an-aitheantas ar fad ó phobal na Gaeilge agus thuill siad clú domhanda do phobal an Bhlascaoid. Cuireadh i gcomparáid lena chéile go minic iad (mar shampla Binchy (1934), agus Barrington (1937), agus nuair a aistríodh go teangacha eile iad tharraing siad aird an domhain mhóir ar mhuintir an oileáin thiar. Ar ndóigh rinne na heagarthóirí a bhí acu gach aon iarracht poiblíocht a thabhairt do na leabhair agus dá n-údair.

Níor ghnóthaigh duine ar bith de scríbhneoirí Chorca Dhuibhne an oiread cáile agus a lean Tomás Ó Criomhthain. Rinneadh anailís liteartha ar *An t-oileánach* (Pádraig Ó hÉalaí, 1970). Pléadh mar cháipéis shóisialta é agus mar leabhar a thug léargas maith ar aigne na n-oileánach (Pádraig Ó hÉalaí, 1966). Cuireadh i gcomparáid le litríocht na sean-Ghréige é, ó thaobh stíle agus ó thaobh carachtrachta de (Mac Tomáis, 1973; Ó Dúshláine, 1974). Nuair a foilsíodh i dtosach é fuair sé ardmholadh sna léirmheasanna a scríobhadh air, rud a luann Breandán Ó Conaire ina alt faoi '*An t-oileánach* agus na léirmheastóirí' (1977). Níor tháinig aon laghdú ar an moladh seo le himeacht aimsire. Scríobhadh an-chuid alt faoi Thomás Ó Criomhthain féin, faoina stíl, ábhar a chuid leabhar, agus a dhearcadh ar an saol. Daichead bliain i ndiaidh a bháis, sa bhliain 1977, tugadh ómós speisialta dó sna hirisí Gaeilge agus d'admhaigh na tuairisceoirí go léir go raibh páirt an-tábhactach aige i bhforbairt an nuaphróis sa Ghaeilge.

Cé gur tharraing an Criomhthanach, Ó Súilleabháin agus Peig súile an phobail ar Ghaeltacht Chorca Dhuibhne, níor deineadh mórán iarrachta, áfach, ar litríocht an cheantair a phlé ina hiomláine, mar *corpus* de phróslitríocht Ghaeilge a d'eascair as cúinsí sainiúla, áitiúla. Rinneadh neamhshuim de shaothar na glúine a tháinig i ndiaidh na dtosaitheoirí agus níor deineadh aon iarracht an leanúnachas idir na leabhair a scríobh an dá ghlúin a ríomh. Rinneadh cúpla suirbhé ginearálta ar litríocht an cheantair (mar shampla Pádraig Ó hÉalaí, 1973; Pádraig Ó Coileáin, 1973; Pádraig Ua Maoileoin, 1975). Cur síos ar a bhfuil ar fáil ó scríbhneoirí an cheantair atá sna hailt seo. Uaireanta, chomh maith, rinneadh cuid de na leabhair ón áit a phlé i dtaca leis an léiriú a thug siad ar shaol an Bhlascaoid (mar shampla Fraser Drew, 1968).

Níor bhreathnaigh éinne ar phróslitríocht Chorca Dhuibhne, áfach, mar ghluaiseacht liteartha a d'eascair ó cheantar beag amháin thar tréimhse fhada ama. Is mar seo a bhreathnófar anseo uirthi agus déanfar iarracht teacht ar na tréithe réigiúnacha sin a scarann amach ón gcuid eile de phróslitríocht na Gaeilge í. I dtosach, scrúdófar leabhair na chéad ghlúine—leabhair an Chriomhthanaigh, Mhuiris Uí Shúilleabháin, Nóra Ní Shéaghdha agus Pheig. Breathnófar ar an radharc ón mBlascaod mar a léirítear ina saothair siúd í: a mbraistintí faoin oileán féin; na téamaí réigiúnacha atá le fáil sna saothair ar fad; agus an radharc domhanda[17] a bhí acu mar áit-ritheoirí ar oileán beag a bhí scoite amach go hiomlán ó mhór-ghluaiseachtaí an domhain lena linn.

Ina dhiaidh sin breathnófar ar an radharc ón míntír atá le feiceáil sna leabhair a scríobh an chéad ghlúin eile scríbhneoirí—Seán Ó Criomhthain, Seán Sheáin Í Chearnaigh, Mícheál Ó Gaoithín agus Pádraig Ua Maoileoin. D'eascair leabhair an chéad triúir anseo as na hathruithe agus na coimhlintí a ghabh le meath shaol an oileáin agus leis an aistriú go dtí an mhíntír.

Ba é Pádraig Ua Maoileoin an chéad scríbhneoir den ghlúin óg a thug faoin úrscéal. Breathnófar arís ar na téamaí réigiúnacha agus an luí a bhí aige le foirm na dírbheathaisnéise, in ainneoin a iarrachta chun an fhoirm sin a sheachaint. San anailís ar shaothair na n-údar seo léireofar cé chomh mór agus a bhí siad i gcleithiúnas na scríbhneoirí sin a chuaigh rompu. Luafar saothair daoine eile, mar shampla leabhar Mhíchíl Uí Shúilleabháin, *An fear aduaidh* (1978), chun léiriú níos iomláine a thabhairt ar an gcaoi ar eascair saothair liteartha ó fhadhbanna sóisialta agus eacnamúla ár linne féin, go mór mór ó na fadhbanna a bhain leis an athrú ollmhór a tháinig ar gheilleagar na tíre aimsir an Dara Cogadh Domhanda.

Chun an *corpus* liteartha seo a shuíomh i gceart i gcomhthéacs stair na nua-litróochta ní féidir neamhshuim a dhéanamh den leabhar clúiteach a foilsíodh sa bhliain 1941, *An béal bocht* le Myles na gCopaleen. Breathnófar ar an bpictiúr de shaol Chorca Dhuibhne atá le feiceáil sa leabhar seo. An ndeachaigh an scigmhagadh seo i gcion ar scríbhneoirí Chorca Dhuibhne ina dhiaidh sin, nó an amhlaidh a bhí an stíl agus na téamaí réigiúnacha imithe go smior chomh mór sin i scríbhneoirí an cheantair nach raibh siad in ann éalú uathu, in ainneoin dhéine na haoire i leabhar Myles?

Caibidil 10

RADHARC ÓN MBLASCAOD

'Is fada óna chéile an saol ar oileán agus saol na míntíreach' (Pádraig Ua Maoileoin, 1960:157).

Is iad na leabhair a bheidh faoi chaibidil anseo ná *Allagar na hinise* (=AI), *An t-oileánach* (=O), *Fiche blian ag fás* (=FBF), *Machtnamh seana-mhná* (=MS), *Beatha Pheig Sayers* (=BPS), agus *Thar bealach isteach* (=TBI).[18] Clúdaíonn na leabhair seo an tréimhse ama 1880–1940 agus is léiriú iltaobhach ar shaol an Bhlascaoid le linn na tréimhse sin atá le fáil iontu.

I leabhair Uí Chriomhthain feicimid an t-oileán trí shúile seanfhir a chaith a shaol ar fad ann. Duine tuisceanach éirimiúil ba ea Tomás a thuig meon an oileáin agus a bhí inniúil ar an meon sin a léiriú go soiléir i scríbhinn. I leabhar Uí Shúilleabháin tá an t-oileán le feiceáil trí shúile an fhir óig. Tá an saothar tríd síos lomlán le gliondar agus amaidí na hóige go dtí sa deireadh nuair nár oir saol an oileáin a thuilleadh do mhianta na hóige sin go raibh ar an údar é a fhágáil. I saothar Pheig Sayers feicimid dearcadh duine ón mórthír ar shaol an oileáin. Phós Peig duine de mhuintir an oileáin agus chaith sí formhór a saoil ann go dtí gur dhuine de na hoileánaigh sa deireadh í nach mór. Ní hamhlaidh a bhí i gcás Nóra Ní Shéaghdha, áfach. Níor chaith sise ach cúpla bliain ar an oileán—bhí sí mar mhúinteoir scoile ann—agus is cuntas ar an tréimhse sin, maille lena tuairimí féin faoi mhuintir an oileáin atá le fáil ina leabhar siúd.

Nuair a dhéantar staidéar orthu le chéile tá na leabhair seo spéisiúil ar chúpla cúis. Tháinig siad ar fad ón áit chéanna, oileán beag ar an gcósta thiar, áit nach raibh mórán eolais ag daoine faoi. Tá siad scríofa i bhfoirm na dírbheathaisnéise agus an aidhm chéanna acu ar fad—saol na n-údar a léiriú go beacht. I gcás an Chriomhthanaigh agus Pheig ba i gcomhluadar neamhliteartha a rugadh agus a tógadh iad agus dá bhrí sin bhí siad beag beann ar shaothair eile liteartha agus iad ag dul i mbun pinn. Pléann siad cineál saoil atá imithe agus is pictiúr den saol sin ón taobh istigh a fhaighimid uathu,[19] pictiúr nach mbeadh againn ar chor ar bith murach saothair na n-údar seo.

70

San anailís seo cuirfear béim ar an gcaoi ar bhreathnaigh na daoine seo ar an saol i gcoitinne agus ar an gcaoi ar mhothaigh siad faoina saol pearsanta féin. Rugadh agus tógadh Tomás Ó Criomhthain ar an oileán agus níor fhág sé riamh é ach amháin don chorrsciuird a thug sé chuig an mórthír. Tugadh Ó Súilleabháin chuig an oileán agus é ceithre bliana d'aois agus d'fhág sé arís é chun dul go Baile Átha Cliath nuair a bhí sé fiche bliain d'aois. Tháinig Peig chun cónaithe ann agus í naoi mbliana déag d'aois agus d'fhan sí ann go dtí gur theip ar a sláinte agus í na seanbhean chróilí. Chaith Nóra Ní Shéaghdha seacht mbliana ag múineadh ar an oileán go dtí go bhfuair sí post arís ar an mórthír.

(a) *Braistintí na n-oileánach*
Léiríonn na scríbhneoirí seo ar fad gurbh áit chomhghreamaithe agus gur phobal aontaithe a bhí sa Bhlascaod. Bhí an nasc idir na háitritheoirí agus an áit féin chomh dlúth sin nach ndéantar aon idirdhealú uaireanta idir an chuid dhaonna agus an chuid fhisiciúil de. Is ionann 'an t-oileán' agus muintir an oileáin, 'an baile' agus na daoine atá ina gcónaí ar an mbaile sin.[20] Deir Tomás Ó Criomhthain: 'Ag baint mhóna atá an baile' (AI:70), nó 'Bhí dealramh báistí air. Bhí an baile sa chnoc cé gurbh é an Domhnach é' (AI:225).

Pobal beag dlúth a bhí i bpobal an oileáin agus mar thoradh air seo bhí ceangal domhain acu leis an oileán mar áit dhúchais. Tá sé seo le feiceáil go soiléir i leabhar Uí Shúilleabháin. Agus é ina leaid óg is leasc leis smaoineamh fiú go mbeadh air an áit a fhágáil riamh: 'Ó, conas a dh'fhágfainn bánta an Bhlascaoid go deo?' (FBF:190). An uair sin cheap sé go mbeadh an scarúint i bhfad ródhian air. Nuair a imíonn sé go Baile Átha Cliath sa deireadh feicimid an cumha i ndiaidh an bhaile ag teacht air roimh i bhfad: 'Och, nár bhreá bheith thiar ins an Bhlascaod anois! Cad do phrioc mé chun é dh'fhágaint in aon chor?' (FBF:205).

Leagtar béim go minic sna leabhair ar éagsúlacht an oileáin agus na húdair á chur i gcomparáid le háiteanna eile. Uaireanta luaitear cé chomh difriúil agus a bhí sé le mórthír: 'Th'anam 'on diucs, arsa Tomás, nach mór an deifríocht atá idir an áit seo agus an tOileán. B'é an chéad lá aige é ar an míntír, agus dá bhrí sin bhí ardiontas aige á dhéanamh di' (FBF:69). Molann Nóra Ní Shéaghdha do dhuine a bheadh ag iarraidh dul go dtí an t-oileán: 'A uaisle tá ar intinn dul 'on Bhlascaod Mór, téir ag lorg cómhairle i dtaobh na háite ar an té atá ceangailte le duine ón Oileán' (TBI:87).

Léiríonn Peig nach ionann na scileanna a bheadh ag teastáil ar an oileán agus na cinn a d'fhoghlaim sí féin agus í ar an míntir:

> Do chonac daoine a bhí gafa tríd an saol. Do chuireas aithne orthu, agus do thugadar eolas ar a lán domsa. Ach dob eolas neamhthairbheach dom a lán den eolas san a fuaireas ós na seandaoine, mar nár oir sé dom san áit gur seoladh mé ina dhiaidh sin. (BPS:84)

Luann sí go minic na difríochtaí idir an dá chineál saoil a chonaic sí. Bhí faitíos uirthi nuair a shroich sí an t-oileán i dtosach. An mbeadh sí in ann cur suas leis an saol a bhí roimpi ann?

> Bhíos ag cuimhneamh conas a chuirfinn suas lena leithéid de bhaile, gan gaol gan cairde in aice liom. . . . 'N'fheadar', a deirim liom féin, 'an dtiocfaidh an lá go deo go ligfead mo chroí leo, nó an ndéanfaidh mé chomh dána ina measc is dhéanfainn i measc muintir Bhaile Bhiocáire? Ó, ní bheidh siad go deo, dar liom, chomh deas le muintir Bhaile Bhiocáire! (P:127)

Go minic feicimid go raibh muintir an oileáin in éad le pobal na míntíre. Deir Peig anseo:

> Mo shlán beo chugat, a Cháit Jim! Nach leat a bhí an t-ádh! Beidh lán do chos den talamh míntíreach agat, pé scéal é. Ní mar sin domsa! Is uaigneach atáim anseo ar oileán mara, gan le cloisint feasta agam ach glór na dtonnta á radadh féin ar ghaineamh na trá! (P:127)

Ní rógheallmhar ar an áit a bhí Muiris Ó Súilleabháin ach an oiread, nuair a chonaic sé i dtosach é:

> Do chonac tithe beaga geala dlúite ina chéile i lár an Oileáin, cnoc mór fiáin siar díreach gan aon tigh eile le feiscint ach amháin túr a bhí i mullach an chnoic agus an cnoc san bán le caoire thall is abhus. Níor thaithnigh an fhéachaint sin liom. Is dóigh liom, arsa mise i m'aigne féin, nach áit ar fónamh é. (FBF:24)

Samhlaítear d'aos óg an oileáin go bhfuil saol iontach ag na míntírigh. Agus Muiris i nDún Chaoin lena chara, Tomás, deir Tomás leis:

> Th'anam 'on diucs, arsa Tomás, nach aoibhinn do sna garsúin atá anso — nach acu atá an saol breá seachas sinne atá teanntaithe istigh san Oileán. — Mhuise, nach fíor duit é, arsa mise, is féidir leo aon

uair is maith leo dul síos go dtí an Daingean. — Dhera a dhuine, arsa Tomás, nach féidir leo dul síos isteach go dtí an áit go mbíonn na laidhnéirí ag fágaint chun dul go Meirice? Cad tá chun iad a stop? Níl aon fharraige rompu. (FBF:71)

Nuair a tháinig Nóra Ní Shéaghdha chuig an oileán ar dtús ghoill an easpa saoirse seo go mór uirthi: 'Cheapas go mbíodh truagh ag gach neach corpardha dom, ní chuirfeadh faic as mo cheann ná go rabhas i bpríosún' (TBI:63). Nuair a bhí Peig ag súil lena céad pháiste moladh di filleadh ar a muintir ar an míntír: ' "dá mba rud é", ar sise, "go mbeadh gá le sagart nó le dochtúir, bheadh an bóthar tirim ann chun dul á n-iarraidh" ' (P:141).

Is é Tomás Ó Criomhthain an t-aon duine den triúr nach leagann béim rómhór ar mhíbhuntáistí an oileánachais. Ar ndóigh, níor chleacht sé a mhalairt saoil riamh agus ní raibh fonn air a mhalairt saoil a bhlaiseadh. Ní leasc leis, áfach, contúirt na farraige, an chonstaic ba mhó a chuir isteach ar shaol na n-oileánach a lua. I ndiaidh dó cur síos a dhéanamh ar stoirm ar an bhfarraige lá a raibh na hoileánaigh amuigh sna báid, deir sé: 'Is é seo an chéad scanradh a rug orm riamh ar an bhfarraige ach níorbh é an ceann deiridh fós é' (O:229). Lá amháin bhí siad i mbaol a mbáis nuair a tháinig piast éigin orthu agus iad ag iascach: 'Is iomdha rud a bhíonn ag faire ar lucht na farraige' (O:241).

Tá an faitíos seo faoin bhfarraige an-soiléir i leabhair Pheig agus ar ndóigh go minic bhí sé níos deacra do na mná a raibh orthu fanacht sa bhaile fad is a bhí a gcuid fear amuigh sa chontúirt:

> Ach an oíche bhíodh sé amuigh ag iascach maicréal ní théadh néall ar mo shúil. Bhínn scanraithe, a léitheoir! Bhíodh mo chluas le héisteacht go mbraithinn ag teacht é. Is mó oíche mhaith chaitheas cois na tine go maidin, agus gan mo chroí féin ná croí aon duine eile agam. (P:153)

Bhí imní uirthi chomh maith i dtaobh na bpáistí: 'Bhíodh eagla an domhain orm go mbáfaí ar an trá iad, mar bhíodar an-tugtha di agus iad beag. Bhí mianach na farraige iontu' (P:155).

Ós rud é gur bhraith an t-oileán ar an iascach bhí an faitíos seo ar mhuintir an oileáin i gcónaí. Insíonn Tomás Ó Criomhthain dúinn gur bádh ceathrar dá chlann agus chaill Peig beirt pháiste ar an gcaoi chéanna. Mhol athair críonna Mhuiris Uí Shúilleabháin dó gan a shaol a chaitheamh ar an bhfarraige:

Mhuise mo chroí thú, arsa m'athair críonna, ní raibh saol maith
riamh ag fear farraige agus ní bheidh go deo, mar is agamsa atá a
fhios a chaith mo shaol uirthi, agus tá a oiread contúrthaí fachta
agam uirthi agus tá ribí liatha im cheann, agus mise á rá leatsa, pé
áit go seolfaidh Dia thú, fan ón bhfarraige. (FBF:47)

Is dóigh go raibh mianach na farraige i Muiris féin ag an am mar
níl sé sásta glacadh leis an gcomhairle, go fóill ar chaoi ar bith:
'Mhuise, arsa mise, tuigtear dom ná fuil fear ar domhan comh
suáilceach le fear na farraige' (FBF:47).

    Ba é an t-oileánachas an rud a chuir isteach ar Mhuiris. Thuig sé
cé chomh scoite amach agus a bhí an t-oileán. Nuair atá sé i nDún
Chaoin le Mairéad Ní Bhuachaila, cailín ón oileán, léiríonn sé an
dúil a bhí aige, fiú amháin ag an am sin, i saoirse na míntíre: 'is
iontach go léir mar atáimíd scriosta amach ón míntir; agus is dóigh
liom, dá dtabharfainn trí lá anso amuigh, ná raghainn isteach go
deo arís' (FBF:166).

    Ó thaobh na heacnamaíochta de, bhí caidreamh an oileáin leis
an mórthír an-tábhachtach ar fad. Cé gur gheilleagar féinchothaith-
each go leor a bhí ag an oileán bhí siad ceangailte leis an míntír ar
chúpla bealach. Dhíol siad a gcuid éisc ansin agus cheannaigh siad
na riachtanais bhunúsacha sa Daingean. Bhí an sagart agus an
dochtúir ann agus is ann a chuaigh siad nuair a bhí siad le pósadh.
Is ann a bhí an tiarna talún ina chónaí. Chomh maith leis sin bhí
go leor de mhuintir an oileáin gaolmhar le daoine ón míntír. In
ainneoin na gceangal seo go léir, áfach, is follas nár briseadh síos
riamh an t-aitheantas comhchoiteann a bhí ag na hoileánaigh orthu
féin mar threabh iontu féin, le tréithe is le dearcadh a bhí difriúil
le fear tíre. Bhí an tuiscint seo bunaithe go minic ar easpa eolais
faoin saol taobh amuigh den oileán mar ba theoranta an cur amach
a bhí ag cuid de na hoileánaigh ar an saol sin. '. . . nach fada fairsing
í Éire!' a dúirt Tomás, cara le Muiris Ó Súilleabháin, nuair a shroich
sé paróiste Fionntrá den chéad uair. Nuair a mhínigh Muiris dó
go raibh Éire i bhfad níos mó ná sin, dúirt sé: 'Ó a thiarcais, arsa
Tomás, cheapas riamh ná raibh in Éirinn ach an Blascaod, Dún
Chaoin agus Uíbh Ráthach' (FBF:70). Bhí iontas ar Mhuiris féin
nuair a chonaic sé an méid daoine a bhí bailithe le chéile do rásaí
Fionntrá: 'ach an méid daoine a bhí ann—déarfá ná raibh a oiread
sa domhan' (FBF:87). Arsa a sheanathair leis ansin: 'Ó, mo thrua
thú, ar seisean, ná fuil a dhá oiread daoine i gcathair Lundain agus
tá in Éirinn ar fad?' (FBF:87).

Tá samplaí maithe againn anseo den chaoi a múnlaítear dearcadh duine óig ag an timpeallacht ina dtógtar é. Is beag a dtuiscint ar spás nó ar scála an domhain.²¹ Tá siad chomh dealaithe amach ó lárionaid an domhain go samhlaítear dóibh gurb é an t-oileán ceartlár an domhain.²² Feictear gach uile rud i dtéarmaí tagartha an oileáin féin. Insíonn Nóra Ní Shéaghdha scéal greannmhar a léiríonn dearcadh claonta seo na bpáistí. Tháinig sagart chun na scoile lá agus thosaigh sé ag ceistiú na bpáistí faoin teagasc Críostaí. D'fhiafraigh sé den rang cathain a dhéanfaí baiste urláir ar leanbh:

B'shiúd na lámha anáirde. 'Seadh, a gharsúin', arsan sagart le Pádraig Ó Guithín. 'Dá mbadh dhóigh liom ná déanfadh sé an t-action ó thuaidh', arsa Paidí go faghartha.
Thuit an sagart fuar marbh ag gáiridhe fé. Níor fhéad sé é shárughadh. Bhuaidh an freagra san ar a gcualaidh sé riamh. Cheap Paddie, fé mar tugtar sa bhaile air, gur ó thuaidh a théigheadh gach naoidhneán chun baistidhe pé áird den ndomhan go saoghluightí iad.
(TBI:44)

Tá sampla den rud céanna le fáil i leabhar an Chriomhthanaigh. Bhí na fir ag caint faoi dhrochbhail an mhargaidh éisc i ndiaidh an chogaidh. Bhí praghas an éisc chomh híseal sin nárbh fhiú do na hoileánaigh dul ag iascaireacht ar chor ar bith an bhliain sin: ' "Dar Muire!" arsa Seán, "is iomdha bun a bhí leis an gcogadh mór a bhualadh, a bhí ráite, agus ní raibh aon bhun riamh le hé a bhualadh ach chun an t-oileán seo a chur chun báis" ' (AI:121). Chomh maith leis an easpa tuisceana a bhí ag na hoileánaigh ar shaol na míntíre, is léir ó na leabhair seo freisin gur bheag an cur amach a bhí ag muintir na míntíre ar shaol an oileáin agus go raibh a ndrochmheas ar na hoileánaigh bunaithe go minic ar aineolas. Mar shampla, cé gur tógadh Nóra Ní Shéaghdha i bparóiste Mórdhach, thart ar dheich míle ó Dhún Chaoin, deir sí linn:

Ní raibh aon tuairim ná aon eolas agam ar an mBlascaod ach oiread is bhí agam ar an Afraic. Bhí fhios agam go raibh a leithéid d'oileán ann; go raibh sé gairid do Dhún Chaoin, agus go bhfeicfeá é ar chasadh Chinn Sléibhe duit. Chloisinn trácht is mé im' ghearrchaile scoile ar na daoine aite a bhí san oileán san; b'shin uile. (TBI:58)

Bhí faitíos uirthi roimh mhuintir an oileáin: ' "Dia linn!" a deirim, "cad a dhéanfad má bhuailim amach aon tráthnóna, is má castar na hógánaigh fiadhne atá istigh ann liom ...." ' (TBI:60). Mhol deirfiúr Pheig di gan dul chun cónaithe ar an oileán: ' "... Dá mbeinnse id bhróga, a ghearrchaile, b'fhearr liom Éire mhór do shiúl ná dul chun mo shaol do chaitheamh ann" ' (BPS:137). Bhí an dearcadh céanna ag Nóra Ní Shéaghdha faoi bheith ag dul chuig an oileán: 'Níor mheasa liom bheith ag imeacht go hAmeirice, bhí an oiread san dubhach orm' (TBI:60).

Luann Peig freisin an drochmheas a chaith na míntírigh ar mhuintir an oileáin. Insíonn sí scéal faoi fhear ón oileán a chuaigh chuig Muileann an Tuairgín in aice le Lios Póil. Bhí scata ban ann an lá céanna: 'Ara, a dhuine na n-árann, nuair chualadar gurbh ón Oileán Mór é ba dhóigh leat go n-íosfaidís lena súile é, bhíodar ag gliúcaíocht chomh géar sin air.' (P:132). Cheap siad gur dhaoine fiáine a bhí i muintir an oileáin agus gur chóir go mbeadh adharca orthu. Ar ndóigh, murach go raibh aithne phearsanta ag athair Pheig ar chuid de mhuintir an oileáin, b'fhéidir go mbeadh Peig féin ar an tuairim chéanna. Luann na hoileánaigh féin, Ó Criomhthain agus Ó Súilleabháin, ócáidí nuair a chuir muintir na míntíre a n-aineolas faoi mhuintir an oileáin in iúl. Mar shampla, deir Ó Criomhthain: 'Bhíodh sé ráite tamall roimhe seo go maireadh muintir an Oileáin gan aon bhia agus gurbh in é an fáth a mbíodh an cíos trom á éileamh gach uile lá orthu' (AI:210).

Ní iontas ar bith é leis an easpa tuisceana a bhí idir an dá dhream gur éirigh imreasáin eatarthu uaireanta. Déanann Tomás Ó Criomhthain cur síos ar choimhlint ar an bhfarraige idir an dá dhream (O:18). Is rud é seo a bhaineann le paróisteachas mhuintir na tuaithe i gcoitinne agus níos faide ar aghaidh sa leabhar insíonn sé dúinn faoi ócáid eile nuair a lig muintir Dhún Chaoin do mhuintir Bhaile an Fhirtéaraigh bás a fháil ar an bhfarraige (O:57). In áit eile deir sé linn go mbíodh na Blascaodaigh agus muintir Dhún Chaoin i ngleic lena chéile go minic faoi chúrsaí éisc:

> San am seo bhí seacht mbád saighne i nDún Chaoin agus dhá bhád bhreátha nua sa Bhlascaed, agus cé go raibh an treibh amuigh agus an dream istigh lánghairid dá chéile i ngaol agus i gcleamhnas bhídís in earraid le chéile de shíor timpeall an éisc. (0:160)

Bhraith na hoileánaigh féin gur dhream ar leith iad freisin agus ar roinnt bealaí ba ea. Léiríonn dearcadh na n-oileánach ar chúrsaí polaitíochta cé chomh neamhspleách agus a bhí siad ar an gcuid eile den tír. Bhí Rí[23] agus dlíthe áitiúla dá gcuid féin acu, nithe a chuir leis na difríochtaí a bhí idir iad agus muintir na míntíre. Ba é

fear an phoist, Seán Ó Catháin, an Rí nuair a bhí Tomás Ó
Criomhthain ag scríobh scéal a bheatha agus ba eisean an duine a
thug nuacht ón taobh amuigh isteach san oileán. Ba iad teach-
taireachtaí an Rí an t-aon cheangal a bhí ag cuid de na hoileánaigh
le cúrsaí an domhain mhóir. Is iad a bhí oilte, áfach, ar chúrsaí an
domhain sin a phlé, rud atá léirithe go beacht ag Tomás Ó
Criomhthain:

> Is é tigh Dhiarmaid an tigh dlí atá anois acu agus ón uair ná bíonn
> aon ócáid gnótha le déanamh acu bíonn siad cruinn baileach i
> dteannta a chéile de ló agus d'oíche istigh ann. Níl aon cheist dá
> chruacht ná go mbeidh fear éigin a dhéanfaidh í a réiteach gan mhoill
> agus cé ná fuil scoláireacht ná mórléann ag baint leo ní bheidh aon
> rud ar bóiléagar lasmuigh den dlí gan fhios dóibh. (AI:324)

Bhí na hoileánaigh beag beann ar dhlíthe na tíre. Mar shampla, tar
éis dóibh dul i ngleic le fórsaí an tiarna talún sa Daingean, lá, níor
íoc siad cíos ar bith ina dhiaidh sin (O:179). Chomh maith leis sin
ba bheag a spéis in iarrachtaí mhuintir na hÉireann Rialtas Baile a
bhaint amach. Ar ndóigh, bhí siad féin chomh scoite amach ó shaol
na tíre go raibh Rialtas Baile dá gcuid féin acu:

> Is minic a dúrt féin leis na hiascairí i rith na haimsire seo go raibh
> Home Rule tagtha gan fhios do mhuintir na hÉireann agus gur sa
> Bhlascaed Mór a thosnaigh an dlí. Rud a b'fhíor dom, agus gur
> minic ó shin a dúirt na hoileánaigh liom gur agam a bhí an fhírinne
> chomh fada agus a bhí ór buí Shasana agus na Fraince ag teacht ag
> ceannach ár gcuid éisc sliogánach go bun an tí chugainn. (O:166)

Cé go raibh caidreamh acu le báid eachtrannacha bhí iontas orthu i
gcónaí nuair a tháinig strainséirí i dtír ó na báid sin. Chonaiceamar
cheana féin gur bhraith siad difriúil le muintir na míntíre. Ní iontas
ar bith é, más ea, go raibh a gcuid eolais faoi eachtrannaigh an-
teoranta ar fad. Nuair a tháinig cúigear mairnéalach i dtír ar an
oileán lá 'Bhí ionadh an domhain ar mhuintir an bhaile cad as gur
thánadar agus gan aon tuiscint acu orthu' (FBF:32). Níor rud ar
bith é sin, áfach, i gcomparáid leis an alltacht a bhí orthu nuair a
chonaic siad fir ghorma den chéad uair:

> Seo leo anuas arís fé dhéin an chaladh agus a ngibris féin ag gach
> éinne acu, agus seo leis an mbaile ina ndiaidh, idir óg agus sean, mar
> . dob uafásach leo an chaint a bhí acu agus go mórmhór na daoine
> dubha—A Rí mhór na bhfeart, a deireadh seanbhean ná géillfeadh

in aon chor a leithéidí a bheith ar an saol, canathaobh ná glanfaidís
iad féin?—Dhera a Mháire, a deireadh bean eile, ní salach atá siad
san ach iad a bheith dubh ó rugadh iad.—Ó mhuise, mo thrua thú ar
fad, a deireadh Máire, nach ortsa atá an cloigeann circe á rá go
bhfuil a leithéidí sin do dhaoine ar an saol. (FBF:139)

Ba mhó an meas a bhí ag strainséirí ar mhuintir an oileáin i
gcónaí ná mar a bhí ag lucht na míntíre. Insíonn Muiris Ó
Súilleabháin faoin lá ar tháinig foireann loinge i dtír ar an mBlascaod
tar éis dá mbád dul faoi uisce. I dtosach cheap lucht an bháid nach
raibh éinne ina chónaí ar an oileán:

> Dheineamair amach ansan gur thalamh éigin iargúlta é ná raibh
> éinne beo ina chónaí ann. Ach ambriathar, ar seisean ag féachaint
> ina thimpeall, go bhfuileann sibh ann—daoine breátha dea-ghnúis-
> tineach go maith, tuisceanach múinte béasach fáilteach flaithiúil.
> (FBF:147)

Bhí an moladh seo tuillte go maith ag na hoileánaigh mar chaith
siad go fial i gcónaí leis na cuairteoirí a tháinig chucu i rith an
tsamhraidh.

Chun críoch a chur leis an gcuid seo den chaibidil féachaimis ar
an dearcadh a bhí ag na hoileánaigh i leith na mbailte móra a bhí
cóngarach dóibh, an Daingean go háirithe. Bhí ionadh ar Pheig
nuair a chonaic sí an Daingean i dtosach agus cheap sí nach mbeadh
sí in ann maireachtáil ar chor ar bith ann:

> Ach mo mhíle mairg! sin é an áit ar tháinig an t-ionadh ormsa. Tithe
> móra arda ar gach taobh díom! Daoine ag imeacht thar a chéile sall's
> anall, is gan aon tuiscint agamsa ar a gcaint. Bhí an dá shúil ag dul
> amach as mo cheann le scanradh. 'A Dhia na bhFeart', arsa mise, i
> m'aigne féin, 'ní mhairfeadsa aon lá amháin anseo!' (P:52)

Léiríonn Ó Criomhthain drochmheas ar an Daingean in áiteanna.
Bhí sé ag smaoineamh, is dóigh, ar bhabhtaí ólacháin a bhíodh ag
muintir an oileáin nuair a théidís chuig an Daingean. Cuireann sé
an méid seo i mbéal Sheáin, duine dá chomharsana agus é ag caint
ar chuairt a thug sé ar an Daingean tamall gairid roimhe sin:

> 'Tá sí sa diabhal', ar seisean. 'Níor fhág an paca diabhal fód ar an
> láthair an dá lá úd a bhíos sa Daingean. Ní mór ná gur maith an
> scéal mé, mar nach mór den rath a bhí ar aon duine riamh a bhí
> róthugtha don ndiabhal Daingin chéanna', ar seisean. (AI:26)

Ar ndóigh, níor leasc le muintir an Daingin féin a dtarcaisne do na hoileánaigh a léiriú ' "Is iomdha áit siúlta le seachtain agam", arsa fear an Daingin, "agus ní fhaca bhur leithéidí gan gnó ná cúram ó Luan go Satharn. Nó conas a mhaireann aoinne atá istigh ann ar a leithéid de shlí" ' (AI:172). Samhlaíodh do na hoileánaigh gurbh áiteanna an-mhóra iad na bailte ar chósta Chiarraí a raibh teagmháil acu leo. Glaonn Tomás Ó Criomhthain 'cathair' ar Chathair Saidhbhín agus ba áit í sin chomh maith inar chaith muintir an Bhlascaoid a gcuid airgid agus inar dhíol siad a gcuid éisc. Is léir ó na cuntais sna leabhair go ndeachaigh na hoileánaigh beagáinín fiáin i gcónaí nuair a bhí siad sna bailte móra. Mar shampla:

> Bhí gach duine ag ceannach rudaí suaitheantasacha ar fuaid na cathrach sa tslí is nár thug aon duine de chriú an bháid leathchoróin go dtí an Blascaed leis d'fhiacha na maicréal beag. Ní raibh puinn sna spagaí againn ar shroichint chaladh an Bhlascaeid dúinn, ach bhí a luach againn d'earraí ná raibh mórán luacha iontu ach bréagáin bheaga. (O:169)

Chuaigh siad ar an ól go minic agus iad sa Daingean agus ní go hannamh a d'fhill cuid acu abhaile gan faic na fríde acu mar thoradh ar na laethanta fada iascaireachta a bhí déanta acu. An dearcadh a bhí acu ar ócáidí den sórt sin ná gur 'lá dár saol é'. Ba chineál éalú sealadach ó shaol crua an oileáin an turas go dtí an Daingean nó go Cathair Saidhbhín agus go minic níor chleacht na hoileánaigh measarthacht ar bith nuair a bhraith siad talamh na míntíre fúthu.

Ní raibh aon cheangal idir muintir an oileáin agus Trá Lí. Ina n-aigne siúd ba áit i bhfad ó bhaile é. Bhí ionadh agus alltacht ar Mhuiris Ó Súilleabháin nuair a bhí sé i dTrá Lí ag fanacht ar an traein go Baile Átha Cliath. Bhí faitíos an domhain air go rachadh sé amú sa 'chathair':

> Chuireas in airde mo lámh agus thochaisíos mo cheann go dóite, mar do bhí crosbhóthar soir agus crosbhóthar siar, ceann eile síos agus ceann eile suas—gach áit go luíodh mo shúil, do bhíodh cros-bhóthar. M'anam ón ndiabhal, arsa mise, má théim a thuilleadh, go mbead im dhallacán ar fuaid na cathrach, mar níl aon dul go bhfaighinn an bóthar ceart thar n-ais arís. (FBF:200)

Cé go raibh sé stiúgtha leis an ocras bhí air fanacht mar a raibh sé mar 'pé rud a dhéanfad gan bhia, níl aon ghnó agam dallamullóg a chur orm féin ins an chathair seo' (FBF:200). Is léiriú iontach é seo, dar liom, ar an mearbhall a thiocfadh ar dhuine i dtimpeallacht choimhthíoch. Níl sé in ann comharthaí sóirt an bhaile mhóir a léamh. Is áit dheoranta ar fad ina shúile é, agus scanraíonn sé é. Méadaítear ar a iontas nuair a fheiceann sé Baile Átha Cliath, ach níl aon scanradh air an uair seo mar tá sé in éineacht le cara a bhfuil eolas na cathrach aige. Tá gliondar an domhain ar Mhuiris agus é ag dul tríd an gcathair i ngluaisteán: [

> Nach ar mo chroí a tháinig an gliondar nuair a bhog an gluaisteán amach tríd an sráid, nár mhór an t-athrú radhairce é, nár mhór an scóp é in am mhairbh na hoíche! D'fhéachas amach ar an sráid, agus dar fia, ní raibh ag baint na radhairce dhíom ach na céadta mílte soilse—soilse ar gach taobh díom, soilse os mo chomhair, soilse os mo chionn ar bharr bata. Is gearr go bhfeaca solaisín chugham faoi mar bheadh réalt tríd an gceo, agus i gceann leathnóimint do bhí sé gafa tharm—cad a bheadh ann ach gluaisteán, dar ndóigh, ceann eile ina dhiaidh sin agus ceann eile, bolgaboghaisín á dhéanamh ag ár ngluaisteán féin timpeall na gcúinní agus an adharc á shéideadh gan aon stad. Ní fheadar 'on domhan an i dtromluí atáim, nó murab ea, is í Tír na nÓg atá ann gan aon bhréag. (FBF:214)

Músclaíonn an chathair a shamhlaíocht agus taitníonn sí leis, ar an gcéad amharc ar aon nós. Cuireann sé Baile Átha Cliath i gcomparáid leis an oileán. Léiríonn sé trua do phobal an oileáin atá scoite amach ó iontais an tsaoil atá á mblaiseadh aige féin anois den chéad uair:

> Nach mór go léir an trua na buachaillí bochta atá thiar san Oileán, gan faic le feiscint ná le cloisint acu ach na hamhlaithe móra ag imeacht tríd an mBealach agus glór garbh na gaoithe ag séideadh aniar 'duaidh do dhroim na gcnoc, agus iad go minic ar feadh ceithre seachtaine gan cuntas le fáil acu ón míntír. Mhuise, is mairg ná siúlann, fé mar a dúirt an tseanbhean fadó nuair a thug sí a céad turas amach go Dún Chaoin. (FBF:216)

Tá neart samplaí sna leabhair de mheon mhuintir an oileáin i leith daoine a thaistil i rith a saoil. Tá meas i gcónaí ar an duine a théann ar shiúl. Mar shampla, deir Ó Criomhthain faoina dheartháir Paidí: 'Sea, dheineas talamh slán dena raibh aige á rá liom ina dtaobh, mar ba mhór an cur amach a bhí ar an saol aige de bhreis ormsa nár fhág cúinne na luaithe riamh' (O:193-4). Bhí ardmheas ag athair Mhuiris Uí Shúilleabháin ar strainséir a tháinig chuig an oileán uair. Duine é a bhí tar éis an-chuid taistil a dhéanamh i rith a shaoil, rud a thuill meas na n-oileánach: 'Ó, níl aon teora leis an bhfear a shiúlaíonn, arsa m'athair' (FBF:123).

Ón bhfianaise seo ar fad is léir go raibh tionchar mór ag timpeallacht an oileáin ar mhúnlú mheon na ndaoine seo. An aon ionadh é gur bhreathnaigh daoine orthu mar dhream faoi leith nuair a chuir siad féin béim ar a sainiúlacht go minic. Nuair a chuaigh siad sall go Dún Chaoin nó go dtí an Daingean choinnigh siad le chéile i gcónaí agus ba bheag iarracht a rinne siad meascadh le gnáthphobal na gceantar sin ach amháin nuair ba ghaolta iad. Bhí an neamhspleáchas agus an bród go smior iontu, rud a léiríonn Muiris Ó Súilleabháin go beacht sa sliocht meidhreach seo ina gcuireann sé síos ar a chuairt ar Mhártain Ó Catháin, duine muinteartha leis sa Daingean:

> D'éirigh Mártain don gcathaoir agus cuma iontaiseach air.—Cad as gur tháinís? ar seisean, nó cé hé tú féin? Tháinig iontas orm nuair a chonac nár aithin sé mé, cé go raibh tamall maith ann ó bhíos ins an Daingean roimis sin.—Dar fia, arsa mise, nach aon Éireannach mé ach go háirithe, cé go bhfuil fuil Éireannach ionam.—Cathain a tháinis go hÉirinn mar sin, agus cad é an riabhach cuma gur phriocais suas an Ghaelainn bhlasta atá agat?—Dhera, a dhuine na n-árann, arsa mise, ná fuil togha na Gaelainne againne?—Agus murab Éireannach thú, ar seisean, cad é thú?—Blascaodach, a bhuachaill, arsa mise. (FBF:195-6)

Tá greann Mhuiris le feiceáil sa sliocht seo agus áibhéil á dhéanamh aige ar bhród an oileánaigh.

Sílim go soilsíonn anailís mar seo an chaoi ar bhreathnaigh na hoileánaigh orthu féin, ar dhomhan beag an Bhlascaoid, agus ar an domhan taobh amuigh den oileán. Tá tuiscint ar na braistintí seo a bhí acu faoina saol riachtanach mar chúlra don chéad chuid eile den anailís a thráchtann ar an gcaoi a láimhseálann na húdair téamaí réigiúnacha ina gcuid saothar.

(b) Téamaí réigiúnacha

Díreofar anseo ar na téamaí sin a bhfuil béim faoi leith curtha orthu sna leabhair, téamaí a raibh tábhacht mhór ag baint leo i saol na n-oileánach. Tá an imirce ar an gceist is práinní a phléitear i leabhair an Bhlascaoid, ach chomh maith leis sin, tá cuntas an-chríochnúil ar an ngeilleagar féinchothaitheach a bhí acu agus ar na hathruithe a tháinig air sin le himeacht aimsire. Trí scrúdú a dhéan-

amh ar na téamaí seo gheobhaimid tuiscint níos iomláine ar eis-
péireas na n-oileánach go mór mór nuair a thosaigh fórsaí ón taobh
amuigh ag brú isteach orthu.

Nuair a foilsíodh na leabhair seo bhí sibhialtacht an oileáin ag
dul i léig—na daoine óga ag imeacht agus gan ag fanacht ar an
oileán ach seandaoine nach raibh aon rogha acu ach a laethanta
deireanacha a chaitheamh ar an oileán mara inar chaith siad a
saol ar fad roimhe sin.

Cén fáth a raibh an imirce chomh coitianta sin? Tá dhá rud i
gceist—claochluithe eacnamúla a d'athraigh feidhm an oileáin agus
dearcadh na n-oileánach féin ar an saol thar lear. Breathnófar ar
an dara ceann acu seo ar dtús. Chonaiceamar cheana féin gur chuir
na daoine an t-oileán i gcomparáid leis an míntír go minic. Chuir
siad i gcomparáid le háiteanna eile freisin é, go mór mór leis an
Oileán Úr, áit a raibh go leor imirceoirí ón gceantar imithe roimhe
sin. Bhí eolas acu faoin saol i Meiriceá mar fuair siad nuacht ón tír
sin ó chairde agus ó ghaolta a bhí ina gcónaí ann. Léirítear braistintí
na n-oileánach faoin saol ar an Oileán Úr go minic sna leabhair.
Uaireanta is é meon na seandaoine nach n-imeodh riamh a fhaigh-
imid—meon an-diúltach faoi chruatan thír an allais. Uaireanta eile
feicimid na smaointe a bhí ag na daoine óga faoi Mheiriceá agus
iad á chur i gcomparáid le saol an oileáin.

Is beag an meas a léiríonn Tomás Ó Criomhthain do shaol
Mheiriceá. Féach cad a deir sé faoin saol sin nuair a fhilleann an
Yainc, a dheartháir Paidí, abhaile tar éis bliain dá shaol a chaitheamh
thall:

> Ní raibh a fhios faic againn nó gur bhuail Paidí an doras isteach
> chugainn anall ón dTalamh Úr, agus gan é ann ach bliain; gan air
> ach an t-éadach—agus gan sin féin go rómhaith air—is dócha gur
> duine eile a shín a lámh leis sin féin chuige. (O:75)

Deir sé linn go ndeachaigh Paidí go Meiriceá arís an t-earrach ina
dhiaidh sin agus gur fhan sé ann ar feadh deich mbliana sular fhill
sé ar an mbaile arís: 'Agus tar éis an méid sin blian a thabhairt gan
taom chinn de ló agus gan teip lae oibre air, ní raibh aon phunt
amháin féin spártha aige' (O:75). Nuair a d'fhill Paidí abhaile an
dara huair: 'Ní raibh éadach air. Ní raibh cló ar a phearsa féin. Ní
raibh pingin rua ina phóca. Agus is beirt dearthár dó a bhí thall a
chuir anall é ar a gcostas féin' (O:184). Bhí athruithe tagtha ar
mheon Phaidí de bharr na himirce. Théadh sé amach ag iascach le

Tomás agus cíocras air chun an airgid, rud nár thuill sé go ró-éasca i Meiriceá, is léir:

San am a raibh deireadh na bpotaí tarraingthe againn bhí dosaen de ghliomaigh bhreátha iontu. 'A Mhuire! nach iomdha scilling sa bhfarraige', ar seisean, 'go bog seachas áiteanna eile a bhfuil allas fola d'iarraidh scilling a shroichint. Mo chorp agus m'anam go bhfuil daoine i Meiriceá a gheobhadh airgead chomh bog seo ná déanfadh codladh ná suan, ach ag siortharraingt agus is bia fada fánach a dhéanfadh an gnó, leis, dóibh.'
Cé go mbíodh a lán scaothaireachta ag baint leis agus gur mall a chreidinn go minic é chreideas go feillmhaith an méid seo uaidh mar ní rabhas féin chomh glas sin ná go raibh a fhios agam cad a bhain le tíortha teo thar lear, obair throm agus saoiste ag faire, nó beirt go minic. (O:189-90)

Bhí cuid de thréithe na n-oileánach caite i leataobh ag Paidí:

An méid scáinteachta agus náire a bhí ag baint leis i dtúis a shaoil, d'fhág sé ina dhiaidh sna tíortha iasachta iad, agus dúirt sé liomsa, leis, dá mbeadh tamall agam féin as baile gur chuma liom cá mbuailfeadh bia liom chun é a chaitheamh. (O:191)

In áit eile insíonn Tomás dúinn faoi bhean ó Inis Mhic Fhaoláin a tháinig abhaile ó Mheiriceá:

Thug sí beagán blianta thall ach theip an tsláinte uirthi, ar nós chéad duine nach í. Ní i bhfeabhas a chuaigh sí tar éis teacht anall ach ag dul chun deiridh, ar shon í a theacht go dtí an t-oileán ba shláintiúla a bhí in Éirinn. (O:199)

Léirítear in BPS go bhfuair clann Pheig tairiscint teacht chuig na stáit uair, ach ' "Ní raghaidh do mháthair as an láthair go bhfuil sí nó go gcuirfear ó dheas thar cnoc í sa reilig bheannaithe ina luí i bhFionntrá" ' (BPS:87-8). Chuaigh meon na máthar i gcion ar Pheig féin. Bhí an-ghrá aici dá baile dúchais agus ba leasc léi é a thréigean: ' "An mbeadh aon fhonn ortsa, a ghearrchaile?" ar seisean liom féin. "Níl, a Dhaid", arsa mise, "B'fhearr agus ba ghrástúla liom stóilín beag cois tine i mbothán bocht in Éirinn" ' (BPS:89).
Cé go bhfuil na seandaoine tríd síos an-diúltach faoi shaol Mheiriceá, ní hamhlaidh a bhí sé i gcás na ndaoine óga. Fiú amháin Peig, uaireanta mealltar í le saol Mheiriceá mar a shamhlaítear di é. Nuair a imíonn a cara, Cáit Jim, beartaíonn sí féin go n-imeoidh sí

ina diaidh chomh luath agus a chuirtear an costas chuici. Chon-
aiceamar cheana go raibh sí in éad le Cáit Jim a raibh lán a cos
den talamh míntíreach aici i Meiriceá fad is a bhí sí féin ag smaoin-
eamh ar dhul isteach san oileán. Ar ball, insíonn sí dúinn faoina
páistí a d'imigh uaithi agus luann sí na fáthanna a bhí leis an imirce
sin:

> Ansin bhí Mícheál ag faire ar bheith ag imeacht. Ní raibh fonn air
> an tigh a fhágaint, ach mar sin féin bhí an saol crua is ní raibh faic
> le déanamh anseo aige. Cheap sé ina aigne dá bhfágadh Dia a
> shláinte aige go mbaileodh sé roinnt mhaith airgid is go dtiocfadh
> sé chugam abhaile thar n-ais. (P:168)

Bhí tarraingt ar na daoine óga ón taobh amuigh mar, i gcom-
paráid lena dtuismitheoirí, fuair siad cuntas faoin saol sin ó dhaoine
a d'imigh rompu. Déanann siad comparáid idir an saol ar an oileán
agus an saol in áiteanna eile: 'Chíonn cailíní an Bhlascaoid Mhóir
obair tighe déanta rómpa. Leanann siad lorg na máthar nó go léimid
chun a slighe mhaireachtaint a bhaint amach i dtaobh éigin eile den
ndúthaigh' (TBI:167).
    I ndiaidh an Chéad Chogaidh Dhomhanda tháinig méadú ar líon
na n-imirceoirí agus tá an t-athrú a tháinig ar mheon na ndaoine
ag an am sin le haireachtáil i gcín lae Thomáis Uí Chriomhthain.
Ar an gceathrú lá déag de mhí na Samhna, 1920, deir sé: 'Seanmhná
ag dul ar a nglúine ag guíochtaint iad a bhreith saor in áit éigin eile
ón áit seo, pé áit eile a seolfaí iad, ach go mbeadh lúthartáil bídh agus
oibre acu ann ach ná beadh cogadh ná achrann acu' (AI:243). Is léir
go raibh muintir an Bhlascaoid in ísle brí ag an am:

> Le linn stop do na daoine óga bhí meirg agus míchéata orthu, agus
> ní mór ná gur thug fiche duine acu an leabhar pé áit a mbuailfeadh
> Dia slí bheatha leo ná tabharfaidís faoina saol a chaitheamh ann. Cé
> go bhfuil fiche duine de mhaithe na háite imithe le bliain as, ní
> bheid chomh greamaithe ann go deo arís, mo thuairim. (A1:247-8)

Chomh luath agus a thosaíonn an próiséas, ar ndóigh, níl aon
tarraingt siar. Cloisfidh na daoine sa bhaile na dea-scéalta ar fad
agus meallfar tuilleadh de na daoine óga bliain i ndiaidh bliana.
Ba bheartas brónach i gcónaí é, áfach, an beartas a thug ar an
imirceoir slán a ghabháil lena bhaile dúchais. Insíonn Muiris Ó
Súilleabháin dúinn faoin lá ar bheartaigh a dheirfiúr, Máire, ar
imeacht go dtí an tOileán Úr:

Cad do chuir id cheann é sin? arsa m'athair, ag iontú uirthi agus
lasadh ina ghnúis.—Tá, arsa Máire ag cromadh ar ghol, mar tá
Cáit Pheig ag dul ann, agus níl aon ghnó agamsa anso nuair atá na
cailíní go léir ag imeacht.—Dein do rogha rud, arsa m'athair, níl
éinne ad stop.—Ní raghaidh sí ann, arsa Eibhlín ag pusaíl ghoil,
mar má théann, raghadsa leis ann.—Dhera, léimíg láithreach, arsa
m'athair agus a dhá láimh aige á chroitheadh san aer, seo libh sall
agus beidh an t-ór le fáil ar na sráideanna agaibh. (FBF:174)

Tháinig an lá nuair a bhí ar Mhuiris féin an rogha chéanna a
dhéanamh. Mhol Seoirse Mac Tomáis dó teacht go Baile Átha
Cliath, in ionad dul go Meiriceá. Ba dheacair dó an rogha a dhéan-
amh: 'Cad é an freagra a thabharfainn air? An ndéarfainn leis gurbh
fhearr liom dul i measc mo chomrádaithe thall ná tabhairt fé
phríomhchathair na hÉireann lena chois?' (FBF:188).[24] Smaoinigh
sé ar a dheirfiúr i Meiriceá:

> D'fhéachas amach ar an bhfarraige arís. Tuigeadh dom anois go
> raibh Máire ag tomhas a doirn liom agus í ag rá amach: Ná bac leis
> sin ach tar anso amach mar a bhfuil do dhaoine féin, nó má théann
> tú go Baile Átha Cliath, ní fheicfir éinne dod mhuintir go deo arís.
> (FBF:188)

Sa deireadh, áfach, beartaíonn sé ar dhul go Baile Átha Cliath. Ina
dhiaidh sin agus é san ospidéal cuimhníonn sé ar a dhaoine muin-
teartha thar sáile: 'agus maidir lem mhuintir féin, is ar an dtaobh
eile den ndomhan a bhíodar go léir, agus is mé a bhí cráite nár
chuaigh ina ndiaidh' (FBF:227).
    Do na daoine a d'fhan sa bhaile ba chúis bhróin i gcónaí an
imirce. Luann Peig ócáid na himirce go minic. Mar shampla, nuair
atá Muiris Ó Scannláin agus Cáit Jim, a gcomharsana béal dorais,
ag dul go Meiriceá, deir sí: 'Is cosúil le bás é, mar is duine as an
míle a fhilleann ar an tír seo go deo' (P:98-9). Samhlaítear an imirce
leis an mbás go minic: 'Ba bhrónach an radharc é scaradh na gcairde
le chéile. Bhíodar chomh scartha le chéile feasta is dá mba in uaigh
a bheidís curtha, mar níor tharla aon duine acu ar a chéile riamh
ina dhiadh sin?' (P:99).
    Dhéanfadh an pobal ar fad na himirceoirí a thionlacan cuid den
bhealach, ar a laghad, chuig an mbád: 'Leanas síos go dtí an caladh
é. Ba gheall le sochraid mhór a raibh de dhaoine ag dul go dtí an
caladh an lá sin' (P:167). Agus, ar ndóigh, lean an brón agus an
briseadh croí ar aghaidh i bhfad i ndiaidh do na himirceoirí a bheith
bailithe leo sall:

Bhíodh an chailleach bhéal dorais ina suí an-mhoch gach maidin ó d'fhág an iníon í, agus go minic í á caoineadh, agus níorbh ionadh sin agus gan aici ach í, agus gan súil go bhfeicfeadh sí go deo arís í. Gach uair a chloisinn ag caoineadh í bhíodh an-thrua agam di. (O:59)

Tugann Muiris Ó Súilleabháin cuntas dúinn ar an tórramh Meiriceánach a bhíodh acu don duine a bhí ag imeacht:

Ní raibh do phort ar fuaid an bhaile anois ach mar gheall ar Mháire agus ar Cháit Pheig do bheith ag imeacht anonn. An oíche dhéanach, do bhí tórramh Meiriceánach againn, gach éinne bailithe isteach, idir óg agus aosta, agus cé go raibh ceol agus amhráin, rince agus rí-rá, ag dul san aer, do bhí cuma dhubhach ar a raibh istigh. (FBF:175)

Bhí an-tábhacht ag baint le gaolta i gcónaí i bpróiséas na himirce. Fuair an chéad duine sa chlann an costas ó dhuine muinteartha i Meiriceá agus ina dhiaidh sin chuireadh sé an costas abhaile chuig an gcuid eile den chlann, nó chuig a chairde. Bhí Peig ag brath ar Cháit Jim chun an costas a sheoladh chuici siúd: 'D'imigh sí go hAmerice. Do gheall sí nuair a bheadh aon stór beag bailithe aici go dtabharfadh sí léi sall mise' (BPS:18).

Samhlaíodh do na hoileánaigh óga nach raibh rud ar bith i ndán dóibh dá bhfanfaidís ar an oileán. An raibh an dearcadh seo fíor? Ón bhfianaise atá le fáil sna leabhair seo is léir go raibh claochluithe ag teacht ar gheilleagar an oileáin, claochluithe a d'athraigh an córas maireachtála san oileán ó bhun. Nuair a dhéanaimid iniúchadh ar na hathruithe seo feicimid gurb iadsan ba chúis leis an imirce i dtosach sular thosaigh fórsaí eile ón taobh amuigh ag obair ar shamhlaíocht na n-oileánach. Seo mar a thagraíonn Tomás Ó Criomhthain do mheath an mhargaidh éisc sa bhliain 1919:

'Tá breis is mí ó thugamar aon phunt isteach linn, agus is gairid, a chroí, a bheidh aon phunt istigh dá dheasca sin. An té a bheadh amuigh ar an bhfarraige i gcónaí bíonn rud éigin ag bualadh leis, punt agus réal, agus ailp éigin le n-ithe, breac éisc le cur ar an bpláta, agus níl faic le fáil ar dhroim an oileáin seo agat. Ó, tá a fhios agat féin é, a dhalta, mura mbeir ar an bhfarraige', ar seisean.
'B'fhearr duit a bheith díomhaoin ná drochghnóthach', arsa Seán. 'Ní haon chabhair don chistin na fir a théann ansiúd le gliomaigh, go mórmhór sa tsaol seo, faid atá scilling ar phiont leanna duibhe, dhá scilling ar ghloine uisce beatha, toistiún ar ubh circe, ocht scillinge ar phunt tae, agus naoi bpingine ar unsa tobac', ar seisean.

'Dar Muire, ní raibh sé ina dhrochshaol riamh go dtí é', arsa Mícheál.
(A1:81)

Sa bhliain 1920 chuir fíordhrochaimsir isteach go mór ar an iascaireacht:

Thit an tón as an saol le báisteach agus is ar éigean a bhaineadar Dún Chaoin amach. Níl trí lá tirim as a chéile tagtha le bliain—anois an uair atá an geimhreadh ann is é an cló céanna é.
Tá na hoileánaigh gan aon chúram ó stad an t-iascach. Níl prátaí féin le baint acu mar ná fuil siad acu le baint. An té a fhéadann é tá sé ag glanadh leis go dtí an Talamh Úr. (A1:241)

Sa bhliain 1922 bhí an scéal chomh dona céanna agus bhí na hoileánaigh fós díomhaoin:

Ní cuimhin liom a leithéid d'aimsir faid atáim beo agus ní lú ná is cuimhin leis an té a bhí fiche bliain romham a leithéid ach a oiread. Tá na hOileánaigh ar a laethanta saoire ar feadh na bliana, nach mór. Níl a ndul ar farraige. Níl gnó ar an dtalamh le déanamh acu. (A1:337)

Chonaic Muiris Ó Súilleabháin na hathruithe céanna:

Ná feiceann tú féin, arsa mise, an slí beatha ba thábhachtaí, sé sin an t-iascach, ag dul fé chois, agus nuair a chuaigh san fé chois, tá an Blascaod fé chois, mar imeoidh na buachaillí óga agus na cailíní óga go mbeidh aon taithneasc iontu thar lear, agus bain barra na cluaise dhíomsa, a Mháiréad, muran gearr uainn féin an lá san. (FBF:166)

Tá neart tagairtí sna leabhair go léir do mheath an oileáin, na seannósanna ag dul i léig, na daoine díomhaoin agus an imirce faoi lán seoil (AI:28, 35, 47, 49, 81, 100, 124, 175; TBI:27, 29; FBF: 185, 192, 234).
Roimhe sin ba phobal féinchothaitheach pobal an oileáin agus faighimid cur síos iomlán ar an saol sin, in ainneoin na n-athruithe a bhí ag bagairt go trom air. Nuair a bhí an t-oileán i mbarr a réime bhí na hoileánaigh beag beann nach mór ar áiteanna eile. Agus Peig ag cur síos ar an oileán mar a chonaic sí i dtosach é, deir sí:

San am sin bhí flúirse de gach ní san Oileán. Bhíodh a ndóthain dá gcuid bia féin acu, agus seilg chnoic agus fharraige. Ní raibh aon tigh gan bó, agus dhá bhó ag a lán acu. Bhí na daoine óga ag pósadh

agus ag socrú síos dóibh féin. San am sin bhí cheithre cliabháin déag
ag luascadh leanbh san Oileán, cé nach bhfeadair na haosóga atá fé
láthair ann cad a bhaineas le cliabhán in aon chor. (P:151)

Ba gheilleagar é a bhraith go hiomlán ar shócmhainní aiceanta na
háite: 'Ní raibh plúr le ceannach, ní raibh tae ná siúicre, bhí ár mbia
féin agus ár n-éadach féin againn—cnuasach na trá, seilg na gcnoc,
iasc na farraige agus olann na gcaorach' (FBF:31). D'ith siad
prátaí, éisc, coiníní agus éin. Bhí a gcuid ola féin acu, rinne siad a
gcuid éadaigh agus a dtrealamh iascaireachta, bhí a n-ábhar tine
féin acu agus thóg siad a gcuid tithe féin. An fharraige agus an
talamh le chéile a chothaigh iad (AI:21, 50, 53, 67, 79, 96, 105, 140,
221, 277, 319, 335; P:36, 155; FBF:51, 108, 152 agus Caibidil a
ceathair, a cúig, agus a hocht). Bhí a gcuid scileanna oiriúnach chun
tairbhe iomlán a bhaint as na hacmhainní áitiúla a bhí ar fáil dóibh.
Bhí siad in ann an aimsir a léamh, mar shampla, rud a bhí riach-
tanach do phobal dá leithéid.

Le linn an chogaidh bhí an-tábhacht ag baint leis an raic a
bhailigh na hoileánaigh ón bhfarraige nuair a chuaigh long faoi
uisce. Chothaigh an raic meon nua sna hoileánaigh. Bhí béim á cur
ó shin i leith ar sholáthar earraí nua-aimseartha agus chuidigh an
raic le hathruithe bunúsacha a thabhairt i gcrích i gcóras eacnam-
aíoch an oileáin:

> Ba mhór an t-athrú a chuir an cogadh ar dhaoine. Chonac iad,
> liairní díomhaoine a chodlaíodh amach go headartha, bhíodar san
> anois amuigh le giolc an ghealbhain ag bailiú agus ag síorbhailiú.
> Deirim leat, a léitheoir, go raibh saol ins an Bhlascaod ins an am úd—
> carnáil airgid. Cá raibh an caitheamh? Ní raibh faic le ceannach, ní
> raibh aon chall leis, bhí sé le fáil ar bharra na farraige—an plúr, feoil,
> blonag, geas, geir, margarine, fíon go leor . . . Ní raibh tigh ins an
> Oileán ná go raibh seomra stóir déanta acu le haghaidh a bheith ag
> bailiú isteach, agus gan aon áiféis, nuair a raghfá isteach i gceann
> acu san, ba dhóigh leat gur istigh i mbaile mór a bheifeá, baraillí
> móra plúir os cionn a chéile agus soithí móra geas agus gach uile
> ollmhaitheas . . . (FBF:133)

Tá iliomad tagairtí i leabhar an Chriomhthanaigh agus leabhar Uí
Shúilleabháin don raic agus do na hathruithe a tháinig ar na daoine
dá barr (AI:18, 27, 102, 326, 327; O:15, 16, 26, 89, 195, 249; FBF:
32, 147, 149).

De réir a chéile mhéadaigh tábhacht na margaíochta agus tháinig
an córas airgeadais i dtreis i leaba an chórais fhéinchothaithigh a bhí

ann roimhe sin. Luann Ó Criomhthain an chéad lá ar tháinig na lampaí ola isteach san oileán agus tá go leor tagairtí don arán bán, tae, siúicre agus subh a bhí á gceannach sa Daingean. Tháinig athrú mór ar mheon na ndaoine chomh maith de réir mar a chuaigh cúrsaí airgid i bhfeidhm orthu. Deir Ó Criomhthain: 'Is gnáth-bhéas acu roinnt—ach gur iomdha athrú ar an saol anois ná raibh le fada' (AI:352). Luann Nóra Ní Shéaghdha na sean-nósanna atá ar lár: 'Ní bhacann na hOileánaigh le Rí níos mó. Tá an tonn chun neamh-spleádhachais á mbualadh dálta na dtíortha eile ar dhruim an domhain' (TBI:29). Níl Peig sásta leis na hathruithe a fheiceann sí ag teacht ar mheon na ndaoine: 'Féach mé féin annso, suidhte ar an gclaidhe ag breithniú im thimcheall agus ag machtnamh ar na céadta ní atá imighthe. Chím an t-atharrú atá tagtha ar an saol lem chuimhne féin, an mór-chúis is an t-éirghe anáirde' (MS:104). Tá an t-oileán i mbaol báis, dar léi: 'Tá eagla orm ná beidh aoinne ann sar i bhfad chun a shlí bheatha do dhéanamh ann. Tá an saol ag athrú leis agus tá so ag cur isteach ar mheon na ndaoine' (BPS:149). Tá na leabhair breac le miontagairtí eile do na hathruithe a bhí ag teacht ar shaol an oileáin (AI:47, 48, 81, 86, 91, 245, 352; O:33, 37, 38, 200, 243, 244, 245; MS:253; P:25; FBF:31).

Chonaic na scríbhneoirí seo na nithe a bhí ag bagairt ar shaol traidisiúnta an oileáin agus thuig siad nach seasfadh an t-oileán an fód ina gcoinne. Ba chóir dúinn cuimhneamh ar na nithe seo agus sinn ag breathnú ar na leabhair sin a tháinig ón gcéad ghlúin eile scríbhneoirí ó Chorca Dhuibhne, an ghlúin a thréig an Blascaod Mór le dul chun cónaithe ar an míntír.

(c) *Radharc domhanda*

Tá a fhios againn anois an chaoi ar bhreathnaigh na hoileánaigh ar an oileán mar áit chónaithe agus chonaiceamar an cineál saoil a chothaigh a meon i leith an oileáin agus i leith áiteanna eile. Scrúdaímis anois radharc domhanda na n-oileánach, an fhealsúnacht a bhí acu a chuidigh leo dul i ngleic leis an saol in ainneoin na ndeacrachtaí laethúla a bhí le sárú acu.

Bhí dearcadh an-duairc ar fad acu ar an saol. Tá sé seo le feiceáil go minic i leabhair Pheig: 'An té a dtosnaíonn an t-anró leis leanann sé é' (P:115). Leag sí béim i gcónaí ar cé chomh crua agus a bhí an saol:

> Bíonn na daoine bochta sáruighthe tar éis an Gheimhridh, mar is
> cruaidh an saoghal a bhíonn againn ar an oileán mara so an tráth
> san den mbliadhain—teanntuighthe mar a bheadh tréad caorach i
> bpóna, ár suathadh ag stoirm is ag gála, is gan foithin ná foscadh
> againn, ach mar bheadh long mhór i lár na fairrge móire geárrtha
> amach ón dtír, gan scéala ag teacht chughainn ná ag dul uainn.
> (MS:103-104)

Tá an t-éadóchas le brath go minic i leabhair an Chriomhthanaigh.
Is léir gur cheap an pobal uaireanta go raibh mallacht de chineál
éigin orthu: 'ní bhíonn aon ghalar san Eoraip ná tugann an ghaoth
anoir chugainn!' (AI:250). Chuir an drochaimsir in ísle brí go minic
iad: ' "A Mhuire", arsa Mícheál, "an mbeidh an geimhreadh go
deo ann. Nach olc an clipe atá anois chugainn aduaidh air" ' (AI:
280).

Nuair a bhí cúrsaí iascaireachta go dona mhéadaigh ar an duair-
ceas agus ar an éadóchas. Chonaiceamar cheana gur dhrochbhliain
do na hoileánaigh ba ea an bhliain 1922. I Márta na bliana sin deir
Tomás Ó Criomhthain:

> Is iomdha lá san oileán seo agam. Is ann a tháinig na fiacla agam
> agus is ann atáid siad fágtha agam ach beagán atá i mo sheilbh féin
> fós acu. Ar feadh an méid seo achair atáim ann níor cheapas go
> bhfaca na hOileánaigh riamh chomh seirgthe, chomh tuathalach
> chun maireachtaint agus mar a chonac san am seo iad. (A1:332)

Tá go leor tagairtí don dearcadh dubh seo ar a gcinniúint le fáil sna
leabhair (AI:28, 81, 110, 183, 184, 189, 246, 252, 265, 306; O:210,
255; TBI:147; MS:141, 243, 244; B:160). I leabhar Uí Shúilleabháin
léirítear saol atá chomh crua sin gur léir go minic go raibh Muiris
ag déanamh áibhéile ar bhail na ndaoine. Níl aon leisce air an béal
bocht a chleachtadh, go mór mór agus é ag cur síos ar a óige ar an
oileán agus ar an gcruatan ar ghabh sé tríd. Seo é ag cur síos ar
léasadh a fuair sé ar scoil, mar shampla:

> —Tagaíg anso aníos chugham, ar seisean, go mallaithe. Seo linn
> amach agus gan ionainn an anál do tharrac. An chéad stiall trasna
> na gcos, an tarna stiall trasna an droma, an triú stiall trasna na gcos.
> Níor chorraíomar, ligeamar orainn gurbh é an scéal ab fhearr ar
> domhan é, ach mo thrua, do bhí an pian ag dul go dtí an croí an
> uair sin. (FBF:34)

In ainneoin chruatan an tsaoil, áfach, tá na hoileánaigh sásta
glacadh leis an anró le foighne atá dochreidte ar uairibh:

Sea, tar éis an anróidh domsa, buaileadh i m'aigne ná raibh aon leigheas ar na bearta seo ach an méid foighne a caithfí leo agus bhíos d'iarraidh tamall eile den saol a bhaint amach—bliain mhaith ag teacht agus dhá bhliain ná bíodh ar fónamh. (O:207)

Seinneann Peig an port céanna go mion minic: 'Tá tarraingthe agam liom tríd an saol seo ag fulaingt buartha agus bróin, agus ní bhfuaireas ach beagán sóláis i rith mo bheatha saoil. Ach is fíor nach bhfuil leigheas ar an gcathú ach é mharú le foighne!' (P:196). Chuir siad a dtoil le toil Dé i gcónaí agus bhí an-mhuinín acu as: 'Bhíodh an mhuir mhór ag gabháil sa mhullach orainn, agus tréanneart na gaoithe le cuidiú léi. Ní bhíodh le déanamh againn ach ár nguidhe do chur go dúthrachtach chun Dé gan aoinne do leagadh tinn ná breoidhte' (MS:268). Chreid siad i gcónaí go raibh Dia ag breathnú ina ndiaidh. Is éard a dúirt fear an phoist le Nóra Ní Shéaghdha lá gaofar agus í ag dul chuig an míntír i mbád: ' "... ná fuil fhios agat nár bháidh Dia aoinne riamh ar an gcosán san fós?" ' (TBI:23). Nuair a bhí Peig i nduibheagán bróin fuair sí sólás go minic ón timpeallacht mar bhreathnaigh sí ar an dúlra mar thabhartas ó Dhia agus chonaic sí a ghlóir in aoibhneas na tíre. Nuair a bhí muintir an oileáin i mbaol bhí muinín acu as Dia i gcónaí: 'Seanfhocal is ea é "gur giorra cabhair Dé ná an doras", agus ní bréag sin, leis' (O:217). Feictear an meon seo go minic sna leabhair (AI: 129, 171, 249; O:226, 227, 228, 246, 252; MS:264, 265, 268; P:155; BPS:38).

Tréith eile atá le haireachtáil sna leabhair faoi mhuintir an oileáin ná cé chomh bródúil agus a bhí na daoine. Bhí siad bródúil as saol an oileáin agus go mór mór as dea-thréithe na n-oileánach. Deir Ó Criomhthain linn:

nár mhaith liom ceann a dhéanamh díom féin in áit dá shórt a raibh an fear anoir agus an bhean aniar ann, agus más in oileán i lár na mara móire féin a cuireadh don chliabhán mé níor chas aoinne riamh mo bhreallaí ná mo dhrochmhúinteacht liom. (O:224)

Mhol Peig muintir an oileáin go hard freisin:

Níor luíos trom ar aon duine de mo chomharsana. Thugadar dom gach cabhair a bhí ar a gcumas. Má bhí lochtanna orthu sin, bhí mo lochtanna féin ormsa. Chaitheamar ár saol i dteannta a chéile go sítheach grách. Ar chnoc is i ngarraí thugaimis cúnamh dá chéile. Má bheireadh greim crua orm, ní bhíodh le déanamh agam ach rith go dtí duine de na comharsana. Bheireadh sin go dtí cabhair Dé mé. Chuireamar ár saol isteach ar scáth a chéile. (P:197)

Ba chomhluadar sona gealgháireach a bhí ar an oileán agus é in ard a réime, rud a léiríonn Muiris Ó Súilleabháin agus é ag cur síos ar Oíche Shamhna ann:

> Ba ghleoite leat feachaint ar an dtigh an uair sin, gach éinne go gealgháiritheach, Seán Ó Criomhthain suite in aice na tine ag seimint ar mhelódion, ceathrar amuigh ar an urlár ag déanamh na ríleach, cuid eile ag cócaireacht, cuid eile ag ithe, agus fé mar bhíodh ceathrar ullamh don mbia, do shuíodh ceathrar eile chun boird nó go raibh gach éinne sásta. (FBF:58)

Cé gur cheap Nóra Ní Shéaghdha i dtosach gur dhaoine fiáine a bhí ina gcónaí sa Bhlascaod thuig sise freisin sular fhág sí an t-oileán gur dhaoine 'grádhmhara fáilteacha' a bhí iontu (TBI:223). Is liosta le lua na tagairtí do dhea-thréithe na n-oileánach atá le fáil sna leabhair atá faoi chaibidil anseo (AI:36, 68, 219, 277, 281, 285; O:18, 39, 97, 140, 250, 252, 253, 256; TBI:14, 79, 144; MS:195, 266, 267; P:130, 131, 132, 142; BPS:149; FBF:208).

Nasc an tragóid muintir an oileáin le chéile go minic. Insíonn Peig dúinn faoi bhás a mic, Tomás, buachaill óg a fuair bás tragóideach nuair a thit sé le haill. Luann Tomás Ó Criomhthain an bás cinniúnach seo: 'Ní raibh aon chaint sa tigh mar bhí an iomarca dobróin ann toisc an tslí ar imigh sé' (AI:196). Go minic luaitear go raibh muintir an oileáin cosúil le haon chlann amháin.[25] Nuair a bhí Máire, deirfiúr Mhuiris Uí Shúilleabháin, agus a cara ag imeacht go Meiriceá bhí an t-oileán bailithe le chéile an oíche roimh ré agus cé go raibh ceol agus rince ar siúl bhí cuma bhrónach orthu go léir: 'Níorbh aon ionadh é sin, mar ba chosúil leis an t-aon chlann iad, aos óg an Oileáin' (FBF:175). Agus Tomás Ó Criomhthain ag cur síos ar scata ban óg a casadh air lá agus é amuigh ag tochailt sa gharraí, deir sé: 'Níl aon duine gan aithne a chífeadh iad san am seo ná go dtabharfadh an leabhar gurb é aon bholg amháin a d'fhágadar, agus, dar ndóigh, níor mhór ná gurbh ea, mar d'aon chine amháin ab ea iad' (AI:36).

Leagtar béim ar cé chomh dlúth agus a bhí pobal an oileáin. Rinne siad gach uile rud le chéile agus nuair a chuaigh siad chuig an míntír choinnigh siad le chéile. Deir Peig, agus í ag cur síos ar thuras mhuintir an oileáin go Tobar na Molt: 'Ba mhaith le muintir an oileáin a bheith ar aon charáiste amháin, mar an áit gur mhaith le duine aca bheith, 'seadh ba mhaith leis an gcuid eile a bheith' (MS:156). Bhí nósanna na ndaoine bunaithe ar bheartais chomhchoitianta go minic. Deir Ó Criomhthain linn, mar shampla: 'Is nós sa Bhlascaed riamh, agus fós, pé rud a chuireann cuid acu ar bun go mbíonn an chuid eile go léir d'iarraidh an rud céanna a dhéanamh. Bliain, phósfadh a raibh ann agus seacht mbliana ina dhiaidh sin ná pósfadh aoinne ann' (O:156). Ní raibh aon réabhlóidí ina measc. Ba leor béadán na gcomharsan chun smacht a choinneáil orthu. Ag tagairt do Thomás Ó Criomhthain aimsir an ghanntanais, deir Peig:

'Féach anois, a Sheáin, cad dúrtsa leat ach ná ligfeadh Tomás aoinne ón dtigh. Sin é an nós atá riamh ar an Oileán so, a mhuirnín. Nuair is gann an déirc, sea is féile í roinnt. Ní dhéanfadh Tomás acht is ní bhrisfeadh sé acht ach an oiread le haoinne . . .'. (BPS:147)

Tá an meon seo tipiciúil i bpobal mar phobal an Bhlascaoid, áit inarbh ionann luachanna an duine agus luachanna an phobail i gcoitinne. Choinnigh siad le chéile chun fál cosanta a chur suas idir iad féin agus an saol mór taobh amuigh, go dtí gur thit saol an oileáin as a chéile de bharr athruithe nach raibh neart acu orthu.

Bhí na hoileánaigh aontaithe, neamhspleách agus saor ó thruailliú an tsaoil mhóir agus chomh fada agus nach raibh aon chur amach acu ar an saol sin, bhí siad sona sásta.[26] Éiríonn Peig liriciúil agus í ag cur síos ar an oileán mar a chonacthas di é:

Is mó seanabhean in Éirinn go bhfuil áit níos deise is níos taitneamhaighe chun stuidéir 'ná é seo, ach is deise liomsa an ball uaigneach so 'ná aon bhall eile in Éirinn. Tá an fharraige á stealladh féin in aghaidh na gcarraigeach, agus ag rith suas i gcumaracha dubha is i gcuasaibh mar a ndeineann na róinte cómhnaidhe. Níl cur isteach á dhéanamh orainn ag geóin ná ag tormán na cathrach. Tá fál breágh in ár dtimcheall agus sinn istigh i ngrianán na Síothchána. (MS: 195)[27]

Chonaiceamar cheana féin go raibh an fál sin i mbaol a scriosta cheana féin, go raibh cúrsaí forimeallacha ag brú isteach ar shaol an oileáin fad is a bhí na leabhair seo á scríobh. Sa chéad chaibidil eile breathnófar ar ar tharla do na hoileánaigh nuair a briseadh an fál; nuair a bhí orthu an t-oileán a thréigean agus aghaidh a thabhairt ar a mhalairt saoil taobh amuigh.

Caibidil 11

RADHARC ÓN MÍNTÍR

Sa chaibidil seo beimid ag breathnú ar na leabhair sin—idir dhírbheathaisnéisí agus úrscéalta réigiúnacha—a scríobh daoine ón nglúin sin a tháinig i ndiaidh na dtosaitheoirí. Na príomhleabhair a bheidh i gceist ná *Is truagh ná fanann an óige* (=TFO) le *Mícheál Ó Gaoithín*, *An t-oileán a tréigeadh* (=OT) agus *Iarbhlascaodach ina dheoraí* (=ID) le Seán Sheáin Í Chearnaigh, *Lá dár saol* (=LS) le Seán Ó Criomhthain, *Na haird ó thuaidh* (=AT) agus *Bríde bhán* (=B) le Pádraig Ua Maoileoin agus *An fear aduaidh* (=FA) le Mícheál Ó Súilleabháin. I dtosach ba chóir cúpla rud a rá faoi na húdair féin agus ansin faoi chrut agus bunábhar na leabhar, chun an cúlra a shoiléiriú arís don léitheoir.

Mar a luaitear thuas, tá cuid de na scríbhneoirí seo gaolmhar le daoine ón tseanghlúin. Is mac le Tomás Ó Criomhthain Seán. Agus é ina leaid óg chas Seán Ó Criomhthain ar na daoine sin a spreag a athair chun dul i mbun pinn agus ní iontas ar bith é go ndeachaigh an mac faoina n-anál freisin. Scríobh sé roinnt mhaith alt d'irisí agus do pháipéir Ghaeilge, rud atá fíor chomh maith faoi Ua Maoileoin, mac le hiníon Thomáis Uí Chriomhthain. Is ar an gcaoi seo freisin a ndeachaigh Seán Sheáin Í Chearnaigh i gcleachtadh ar an scríbhneoireacht i dtosach. Bhí sé ag scríobh alt ar théamaí réigiúnacha, go mór mór ailt faoi shaol an oileáin, i bhfad sular fhoilsigh sé rud ar bith i bhfoirm leabhair. Mac le Peig Sayers is ea Mícheál Ó Gaoithín. Scríobh seisean síos BPS agus MS ó bhéal a mháthar. Ar an gcaoi sin chuaigh sé i dtaithí ar stíl Pheig, rud a chuaigh i gcion go mór air agus é ag scríobh TFO.

Tá cúig cinn de na leabhair a bheidh á bplé anseo scríofa i bhfoirm na dírbheathaisnéise. TFO (1953) an chéad cheann a scríobhadh. Bhí sé réidh don fhoilsitheoir sa bhliain 1942 ach níor éirigh leis an nGúm é a chur amach go ceann deich mbliana ina dhiaidh sin. An saol ar an oileán atá fós faoi chaibidil sa leabhar seo, más ea, agus is geall le cuntas ó Pheig an cuntas a thugann sé dúinn faoin seansaol mar a bhí sé á chleachtadh agus é ag fás suas ar an oileán. Luann sé na hathruithe a bhí ag dul i gcion ar an saol sin ach ní bhraithfeá go dtí go dtagann tú chuig deireadh an leabhair go raibh sibhialtacht an oileáin beagnach séalaithe agus é á scríobh.

Baineann OT (1974) leis an seansaol chomh maith—cuntas ar

94

óige Í Chearnaigh ar an oileán agus samplaí de na seantéamaí le
fáil ar fud na háite ann. Pléann an t-údar seo an t-athrú saoil a
bhlais sé nuair a d'imigh sé ón oileán sa leabhar eile dá chuid—ID
(1978). An seal a chaith sé i mBaile Átha Cliath agus a shaol i
gCorca Dhuibhne ina dhiaidh sin atá faoi chaibidil aige anseo agus
é ag breathnú ar an saol mar 'oileánach' fós.

Is é leabhar Sheáin Uí Chriomhthain, LS (1969), an chéad
saothar dírbheathaisnéisiúil a bhaineann go dlúth leis an saol nua-
aimseartha. Tá an leabhar roinnte i dtrí chuid—Maidin, Meán Lae
agus Tráthnóna. Sa chéad chuid pléann sé leis an seansaol san
oileán agus le tréigean an oileáin. Sa dara cuid léiríonn sé saol na
n-iarbhlascaodach ar an míntír—na deacrachtaí a bhí acu dul i
dtaithí ar an saol sin agus na hathruithe a chuaigh i gcion ar an saol
traidisiúnta lena linn féin. Tá iliomad tagairtí aige do nósanna na
ndaoine a bheith ag athrú. Chomh maith leis sin bhí na sean-
luachanna ag dul i léig agus luachanna nua-aimseartha ag teacht
isteach ina n-áit. Bhí an domhan mór ag oscailt do mhuintir Chorca
Dhuibhne; bhí caidreamh an cheantair le háiteanna eile ag cur
deireadh leis an ngeilleagar féinchothaitheach agus an meon a ghabh
leis. Bhí an córas airgeadais dulta i gcion go hiomlán ar na daoine
agus tháinig athruithe bunúsacha ar shaol an cheantair agus ar
mheon an phobail dá bharr. Tá an chuid seo den leabhar scríofa
i bhfoirm chín lae in áiteanna agus cuireann sé carachtair áirithe
de chuid an cheantair in aithne dúinn. Sa tríú cuid den leabhar
déanann sé a mhachnamh faoi shaol na míntíre i gcomparáid le
saol an oileáin. Léirítear tríd síos gurb oileánaigh iad muintir an
Bhlascaoid fiú amháin agus iad lonnaithe sa mhíntír.

Is leabhar an-spéisiúil ar fad an leabhar dírbheathaisnéise le
Pádraig Ua Maoileoin—AT (1960). Is geall le hanailís shíceolaíoch
agus shocheolaíoch ar mhuintir Chorca Dhuibhne é, an t-údar ag
déanamh turais siar go dtí an Com, an áit inar tógadh é. Tosaíonn
sé leis an gceantar breac-Ghaeltachta taobh thoir den Daingean
agus tugann sé siar sinn ar bhóithre Chorca Dhuibhne. De réir mar
a théann an t-údar 'siar' sa leabhar, téann sé siar chomh maith ar
chosáin a óige féin. Sna codanna sin den leabhar a bhaineann leis
an gCom agus leis na Blascaodaí is ag cur síos ar a óige sna háiteanna
sin atá sé. Tugann sé an-léargas dúinn ar na hathruithe eacnamaíocha
agus sóisialta atá imithe i gcion ar an gceantar ó d'fhág sé é agus, sa
deireadh, léiríonn sé frustrachas an fhir Ghaeltachta atá deighilte
amach óna áit dhúchais agus é ag obair i mBaile Átha Cliath. Is

leabhar an-taitneamhach an leabhar seo, go mór mór do dhuine a bhfuil aon chur amach aige cheana féin ar an gceantar. Éiríonn leis spiorad na háite a aimsiú agus a léiriú i mbeagán focal agus b'fhéidir gur cabhair dó sa mhéid sin é a bheith ar shiúl ón áit formhór an ama. Mar a deir Yi-Fu Tuan: 'Long residence enables us to know a place intimately, yet its image may lack sharpness unless we can also see it from the outside and reflect upon our experience' (1977: 18). Éiríonn le Ua Maoileoin dea-thréithe agus drochthréithe na ndaoine i gCorca Dhuibhne a bheachtú anseo ar bhealach i bhfad níos criticiúla ná mar a dhéanann na scríbhneoirí eile ón gceantar.

Is ar na daoine a dhíríonn Pádraig Ua Maoileoin a aire agus é ag scríobh. Baineann an dara leabhar dírbheathaisnéisiúil dá chuid, *De réir uimhreacha* (1969) leis an traenáil a fuair sé mar Gharda i mBaile Átha Cliath. Ní bhaineann sé le hábhar anseo, dáiríre, ach tá léiriú an-mhaith ann ar dhearcadh an fhir thuaithe ar shaol na cathrach agus é ag dul i dtaithí ar an saol sin den chéad uair. Scríobh Ua Maoileoin dhá úrscéal réigiúnacha chomh maith. Thuill a chéad úrscéal, B (1968), an-chlú do Ua Maoileoin. Sa leabhar seo pléann sé ceann de na fadhbanna a luann Seán Ó Criomhthain agus Seán Sheáin Í Chearnaigh chomh maith ina leabhair siúd, is é sin easpa spéise na bhfear sa phósadh. Feicimid na coimhlintí idir an seansaol agus an saol nua freisin sa leabhar seo agus arís is i gCorca Dhuibhne atá an scéal suite.[28] D'fhoilsigh sé úrscéal eile sa bhliain 1978—*Fonn a níos fiach*. Eachtra a tharla i gceantar tuaithe aimsir an Ghorta atá mar ábhar aige ann, an scéal bunaithe ar scéal béaloidis ó Dhúiche Sheoigheach. Tá léiriú iontach ar fad sa leabhar ar mheon duine a bhfuil saol ainnis aige. Ní bheidh sé á phlé anseo mar ní saothar réigiúnach é mar a míníodh a leithéid ag tús an leabhair seo. Leabhar do pháistí an tríú húrscéal a scríobh Ua Maoileoin agus ní bheidh sé sin faoi chaibidil anseo ach an oiread.

Tá úrscéal réigiúnach eile tagtha chugainn ón gceantar Duibhneach le deireanaí—FA (1978) le Mícheál Ó Súilleabháin. Is as paróiste Mhárthain, lámh le Baile an Fhirtéaraigh don údar seo. Tá an scéal suite ar imeall na Gaeltachta i gCorca Dhuibhne agus baineann sé leis na heachtraí a tharla d'fhear óg a tháinig aduaidh ó Bhéal Feirste le cuspóir rúnda aige. Tá tábhacht ar leith ag baint leis an suíomh mar feicimid na coimhlintí a bhí ann idir an dá chultúr, cultúr an Bhéarla agus cultúr na Gaeilge. Feicimid an saol traidisiúnta agus nuashaol na teicneolaíochta ag dul in iomaíocht lena chéile taobh istigh de chomhthionól daoine atá fós idir eatarthu.

Is léir ón méid atá ráite anseo nár tháinig deireadh leis an litríocht réigiúnach i gCorca Dhuibhne nuair a tréigeadh an t-oileán, ach gur eascair tuilleadh litríochta as na fadhbanna a ghabh leis an saol nua-aimseartha a bhí ag dul i gcion ar na daoine. Is é tuairim an scríbhneora seo nach féidir na leabhair seo a léamh ar bhealach tairbheach gan an cúlra sóisialta agus eacnamúil seo a bheith os ár gcomhair.

(a) *An t-oileán a tréigeadh*

Tá an dá leabhar TFO agus OT an-chosúil go deo le saothair na seanghlúine. Tosaíonn na húdair le cuntais fhadálacha ar laethanta a n-óige agus na téamaí seanchaite fós faoi chaibidil acu—an scoil, lá an easpaig etc. Faighimid na braistintí céanna faoin oileán a bhí le feiceáil sna saothair a chonaiceamar go dtí seo. Mar shampla, deirtear na rudaí ceannann céanna linn arís is arís eile:

Bhíomar ag maireachtaint linn féin gan aon bhaint le haon ní ach ár gcuid féin. Má thagadh píléir ag lorg airgead madraí orainn d'imíodh sé á cheal mar níorbh fhada an mhoill ar na seanmhná na madraí a chur ceangailte astu. Ní rabhamar ag díol aon phingin leis an Rialtas. Bhíomar neodrach ar chuma na n-éan (OT 51-2)

Tá Ó Gaoithín agus Ó Cearnaigh níos cosantaí ar fad faoin oileán ná mar a bhí an seandream. Is beag tagairt a fhaightear do chruatan an tsaoil agus níl tagairt dá laghad do bhuntáistí na míntíre mar a bhí ag Ó Súilleabháin agus ag Peig mar shampla. Ní luann siad contúirt na farraige fiú nó faitíos na ndaoine roimpi. Is deacair leis na hoileánaigh an saol taobh amuigh den oileán a shamhlú cé gur thuig siad go raibh an t-am buailte leo nuair a bheadh orthu imeacht. Seo mar a léiríonn bean chomharsanach le Mícheál Ó Gaoithín an imní a bhí uirthi roimh an saol ar an míntír:

'. . . So is súd orm, a bhean an chroidhe istig, ná beidh saoghal mí agam-sa san áit go bhfuilimíd ag dul. Deir Paidí liom ná beidh aon radharc ar an bhfarraige agam agus go mbeidh an tráig ró-fhada uaim. Ara, a Pheig, níl aon dul ar mhaireachtaint ann . . .' (TFO:86)

Tá siad ceangailte go hiomlán leis an áit dhúchais agus is áit 'iasachta' Dún Chaoin. Cén chaoi a bhféadfaí maireachtáil ar an míntír nuair a bhí ar na daoine éalú ón áit sin sa tseansaol nuair a bhí an t-ocras ag goilliúint orthu: 'Sa tseanshaol fadó, isteach fén

Oileán is mó a thugadh daoine a n-aghaidh chun maireachtaint, mar
ná bíodh lasmuigh ach an t-ocras dubh, go mórmhór ag an té ná
raibh ag dul ar an bhfarraige' (OT:89). Ar ndóigh bhí an-chuid
athruithe tagtha ar an saol ó shin, rud nár léir go fóill do na hoileán-
aigh. Tá sé soiléir go raibh an ghlúin seo chomh scoite amach ón
gcuid eile den tír agus a bhí a dtuismitheoirí rompu. Ar ndóigh,
chomh fada agus a d'fhanfaidís ar an oileán, chaithfeadh sé sin a
bheith amhlaidh, is dócha. Insíonn Ó Cearnaigh dúinn faoi thuras
a thug sé chuig a dheirfiúr a bhí pósta i nGaillimh, agus chuirfeadh
sé turas Mhuiris Uí Shúilleabháin go Baile Átha Cliath i gcuimhne
duit. Agus é ar a bhealach go Dún Chaoin i mbád an phoist: 'Bhíos
chomh holc le fear a bheadh ag dul go dtí New Orleans, nuair
chonac an naomhóg ag gabháil isteach abhaile uaim agus an
fharraige ina báintéir' (OT:152). Nuair a bhí sé sa Daingean: 'Ní
fheadar cá rabhas ag gabháil ach oiread le bheith istigh i gcathair
Londan' (OT:153). Ní raibh tuiscint dá laghad aige ar spás nó ar
limistéir thíre. Nuair a stop traein Thrá Lí ag Áth Dara agus í ar
a bealach go Luimneach, deir sé: 'Thug sí tamall maith ann. Dúrt
liom féin gur dócha gurb é seo Luimneach agus go n-éireoinn amach
sara dtabharfadh sí go Béal Feirste mé' (OT:155). Bhí sé caillte go
hiomlán, chomh caillte agus a bheadh duine a bheadh ina aonar i
dtír iasachta is gan an teanga ar eolas aige. Cé gur chaith sé bliain i
nGaillimh agus go raibh uaigneas air ag imeacht arís uaithi 'd'imigh
san nuair a luíos isteach leis an áit ar rugadh mé, ar chuma aon
ainmhí a thagann go dtína áit dhúchais' (OT:160).

Chomh maith leis an dlúthcheangal seo leis an oileán mar áit
dhúchais, is meon diúltach i leith na himirce a fheicimid sna leabhair
seo tríd síos. Chuaigh Mícheál Ó Gaoithín é féin go Meiriceá ar
feadh tamaill ach ní raibh luí ar bith aige leis an áit:

> Níorbh fhada a bhíos i nAmerica nuair a tháinig seanabhlas agam
> orm féin de bharr dul ann riamh. Ní raibh aon obair le fagháil agam.
> Is amhlaidh a bhí ceann fé agus náire orm a bheith ag teacht go tig
> m'Aintín gach tráthnóna. Mo mhíle mairg! sin é an uair a bhí an
> t-aithreachas orm-sa. Ach níor léigeas orm go raibh aon ní ag
> déanamh mearbhaill dom nó go bhfuaireas an caoi ar theacht
> abhaile. (TFO:72)

Bhí a chlann i Meiriceá ar buile leis nuair a chuala siad go raibh sé
chun filleadh abhaile. Ach ba chuma leis. An meon ceannann céanna
a léiríonn Ó Cearnaigh: 'Níor ghrás féin riamh dul go Meiricea.
B'fhearr liom a bheith ar na báirnigh sa tír seo' (OT:167).

I gcomparáid le saothair na seanghlúine tá iliomad tagairtí sna leabhair seo do mheath an oileáin. Éiríonn Ó Gaoithín thar a bheith maoithneach agus é ag breathnú ar na daoine ag imeacht thart timpeall air:

Is brónach iad mo smaointe nuair a bhreithnighim siar ar an saoghal aoibhinn atá caithte agam. Tá na bliadhanta fada imthighthe leó agus níl le feicsint agam-sa indiu ach na seanfhothracha go mbídís ina gcomhnuidhe. Ba chuimhin liom-sa fir agus mná láidir misneamhail do bheith ag áitreabh sna tighthe sin atá indiu foiríor ina bhfothracha. Tá dhá thig déag imthighte chun raice lem'chuimhne, a bhí fá réim mhaith le linn m'óige. Tá féar faille agus neanntóg ag fás timcheall ortha indiu. An b'aon iongnadh dom-sa, a léightheoir, do chonnaic spórt agus cuideachta ins na tighthe sin, a bheith brónach! (TFO:76)

In áit eile deir sé: 'Tá deire leis an sean-nós agus is baoghalach go bhfuil deireadh le saoghal na ndaoine ar an Oileán leis' (TFO:78). Luaitear an seansaol iontach nuair a bhí an t-oileán beag beann ar áiteanna eile. Ach tá deireadh leis sin anois:

D'imigh na mná agus níor fhan ina ndiaidh ach na seascacháin. D'imigh mo dhrifiúr Máire go Meiriceá, agus phós mo dhrifiúr Cáit Pádraig Ó Braonáin agus bhí scaipeadh na mionéan ag teacht ar an Oileán as san amach. Nuair a screadann gé screadann siad go léir. (OT:150)

Bhí athruithe ag teacht i bhfeidhm ar shaol na tuaithe i gcoitinne. Sa bhliain 1933 cuireadh an 'dole' ar fáil (OT:142). Tógadh halla rince i mBaile an Fhirtéaraigh (OT:145) agus bhí tarraingt mhuintir an oileáin air. Bhí an córas airgeadais dulta i gcion orthu:

Ní cheithre scillinge dole a choimeádfadh tobac d'aoinne, cé go raibh pluga tobac ar scilling agus réal an uair sin. Ach is mó rud nach é an tobac a bhí ag faire ar an scilling is réal an uair sin. D'imigh san agus tháinig so. (OT:147)

In ainneoin na n-athruithe, áfach, níl na hoileánaigh seo sásta géilleadh go fóill do na nósanna nua. Tá siad níos bródúla as saol an oileáin ná mar a bhí an seandream fiú, agus is leasc leo smaoineamh go mbeidh orthu é a thréigean. Déantar idéalú ar an oileán go minic sa dá leabhar seo. Breathnaítear air mar áit fhoirfe agus na hoileánaigh á gcosaint féin ar na fórsaí ón taobh amuigh agus ón taobh istigh a bhí ag bagairt orthu: ' "Cé gurb é seo an baile is iargcúlta i nÉirinn", arsa Páidín, "is ann is fearr liom-sa a bheith anocht, mar níl geóin ná fothram ná dul trí chéile ann, ach ciúineas is grásta. Níl loscadh ná díoghadh ann mar atá i Sasana" ' (TFO:93). In áit eile glaonn Ó Gaoithín 'mo ghrianbhaile álainn' ar an oileán ach éiríonn sé an-duairc nuair a smaoiníonn sé ar bhealach réalaíoch ar chúinsí an oileáin:

> Ach táim-se mar Oisín i ndiaidh na Féinne fós ag breithniú amach tríd an bhfuinneoig agus ag machtnamh go duairc ar na neithe seo go léir. Sé an rud go bhfuilim ag machtnamh air agus mé am' shuidhe annso go bhfuil deire le réim na ndaoine ar an Oileán mar a dtiocfaidh aon athrughadh ar an saoghal go luath. (TFO:84)

Tharla an-chuid athruithe nuair a bhí Mícheál sna Stáit agus is ar éigean a chreid sé nuair a tháinig sé abhaile go raibh daoine ag bogadh amach go dtí an mhíntír agus go raibh ré an oileáin thart: 'Bhí ráfla ar siubhal go raibh cuid aca ag imtheacht. Ní chreidfí focal de. Scéal mór iongantach ab eadh é. Cá raghadh na daoine bochta nuair fhágfaidís an áit a bhí aca? B'in í an cheist' (TFO:85). Bhí daoine fós ina gcónaí ar an oileán nuair a scríobh Mícheál an leabhar seo ach tuigeann sé gur gearr go mbeidh an áit ídithe ar fad, rud nach bhfuil sé in ann glacadh leis go fóill. Is mór an díol trua é ag deireadh an leabhair. Tá meon na seanghlúine go smior ann agus áibhéil déanta aige ar a cheangal leis an oileán: 'Is cneasta mín a bhí mo shaoghal 'á chaitheamh agam go dtí so. Ní chuireadh an Geimhreadh féin aon scannradh orm ná tréan-neart na gaoithe, ná an mhuir mhór bhraonach féin a bhí ina fál mhór timcheall orainn' (TFO:110). Ní thuigeann sé go bhfuil na daoine óga ag imeacht chun saol níos míne a bheith acu; go bhfuil siad ag éalú ón spleáchas a bhí acu ar an bhfarraige; ón bhfál a dhealaigh amach iad ón saol nua-aimseartha a bhí ag teastáil uathu.

Tá Ó Cearnaigh i bhfad níos réalaíche faoi thréigean an oileáin. Léiríonn sé dúinn na coimhlintí a bhí ar na háitritheoirí deireanacha a shárú sular bheartaigh siad ar an áit a fhágáil sa deireadh sa bhliain 1952 agus dul chun cónaithe i nDún Chaoin, le cabhair ón Rialtas. Tháinig beirt strainséirí chuig an oileán 'agus labhradar leis na hOileánaigh agus dúradar leo gurbh ainnis an áit a bhíodar ag maireachtaint agus an domhan chomh fairsing' (OT:172). Ach bhí na hoileánaigh dall ar an domhan mór tráth: ' "Bhí cheithre chéad duine tamall den saol ann agus dheineadar amach ná raibh aoinne eile ar an saol ach iad féin" ' (OT:172). Ach níor mhair an saol

sin. Theip ar an iascach, thosaigh an imirce agus fuair na seandaoine
bás. Na cailíní ba thúisce a d'imigh agus bhí ar na fir a lorg a
leanúint: ' "Caithfear teitheadh as an Oileán mar tá na mná go léir
imithe agus tá deireadh le pósadh" ' (OT:173). Tá na daoine óga
ag iarraidh imeacht ach is leasc leis na seandaoine an áit dhúchais
a thréigean: ' "... Deir siad gurb iad fhéin a choimeád ina mbeath-
aidh muintir Dhún Chaoin sa tseanshaol agus gur tairne ina mbosca
fhéin dul go Dún Chaoin—nár ghrádar riamh é agus an áit ná
gráfair, tabhair droim láimhe leis ..." ' (OT:173). Cheap na sean-
daoine go gcaillfí leis an ocras i nDún Chaoin iad, meon a bhí
coitianta mar bhí siad ag smaoineamh ar ré agus ar shaol a bhí
difriúil ar fad. Léirigh na daoine óga réalachas an scéil dóibh:
' "... caithfir dul go Dún Chuinn mar ná fanfaidh aoinne i do
theannta anso" ' (OT:174).

Léiríonn an dá leabhar seo an chaoi ar leagadh sa deireadh an
'fál' a bhí thart ar an oileán. Bhí saoirse á fáil ag an aos óg sa
deireadh chun an domhan taobh amuigh den fhál sin a bhlaiseadh.
Ba gheall le bás don seandream é. Dar leo, bhí deireadh anois leis
an sciath chosanta a scar amach ó ocras agus ó thruailliú an tsaoil
mhóir iad.

(b) Iarbhlascaodaigh ina ndeoraithe

Trí LS le Seán Ó Criomhthain agus ID le Seán Sheáin Í Chearnaigh
a iniúchadh is féidir linn léargas a fháil ar shaol na n-oileánach nuair
a bhí siad ag iarraidh dul i dtaithí ar an saol nua a bhí rompu i
ndiaidh dóibh an t-oileán a thréigean. Feicimid na hathruithe ar
fad a bhí ag teacht isteach i saol na tuaithe i gCorca Dhuibhne, na
hathruithe a chuidigh leis an imirce agus le tréigean an oileáin is a
bhí fós ag luí go trom ar shaol traidisiúnta an cheantair. Feicimid
an fhianaise atá le fáil sna leabhair seo go raibh na nósanna a
chleacht na daoine ag athrú agus gur athraigh a luachanna dá réir;
go raibh níos mó caidrimh acu le háiteanna taobh amuigh den
cheantar dúchais agus dá bhrí sin go raibh a gcuid eolais ar an saol
leathnaithe amach go mór; agus in ainneoin na gclaochluithe seo
gurbh oileánaigh fós iad agus gur bhraith siad go raibh difríochtaí
idir an dá threabh fiú amháin agus iad ag maireachtáil taobh le
pobal na míntíre. 'Inniu tá an páipéar ag teacht ar an mbaile agus
cúraimí an tsaoil mhóir ag déanamh tinnis dóibh. Tá an raidió acu,

agus deorantacht na dtíortha iasachta agus an Bhéarla mar anlann lena gcuid bídh acu' (Pádraig Ua Maoileoin, 1960:60).

Tá neart samplaí sna leabhair den athrú saoil seo a thug Ua Maoileoin faoi deara. Deir Ó Criomhthain linn: 'Fé mar a deir siad féin nach aon mhaith a bheith ag caint anois ar aimsir an tsean-shaoil; gur aimsir í a bhí, agus ná beidh a leithéid choíche arís ann' (LS:15). Agus é ag caint faoi mheath an oileáin, leagann sé béim ar na míbhúntáistí a bhain leis an saol ann agus ar an gcaoi ar thosaigh an imirce (6). Chomh luath agus a bhí tús curtha léi sin, d'éirigh na daoine éadóchasach: 'Bhí duine ar dhuine á rá anois go raibh an t-árthach ag suncáil, agus gurbh é an té ba thúisce a léimfeadh aisti ab fhearr as' (7). Agus, ar ndóigh, níorbh fhada go raibh siad ar fad tar éis an léim sin a dhéanamh.[29] Ní athrú suímh amháin a bhí i gceist leis an athrú sin, áfach. Bhí athruithe i bhfad níos bunúsaí ag tarlú chomh maith. Níor thóg sé rófhada orthu droch-mheas a chaitheamh ar na sean-nósanna agus ar an gcreideamh ónar eascair siad. Seo mar a labhraíonn Seán Ó Criomhthain, mar shampla, faoi lánúin a bhí an-tugtha do na seanleighis: 'Níl fual asail ná cac madra ná maothachán stálaithe ná go bhfuil bailithe i mbuidéil agus i seanchorcáin acu. . . . Ach ní fhágfaidh siad luibh ná leigheas in úth an ghabhair ná in eireaball an mheannáin gan cuimilt díobh' (LS:58).

Caitear drochmheas freisin ar an mbia traidisiúnta, an t-iasc goirt: 'Tá an búistéir i mbéal an dorais anois againn dhá uair sa tseachtain, agus is olc an saghas feola is fearr leo ná an slaimice éisc' (LS:59). Tá gual á cheannach in ionad na móna a bhíodh in úsáid acu roimhe sin. Tá meon na ndaoine i leith an ruda atá traidisiúnta athraithe go mór agus luachanna an airgid imithe i gcion orthu. Chomh maith leis sin níl siad sásta glacadh leis an gcruatan a d'fhulaing a sinsir. Tá siad ag éirí bog:

> Tine dhearg mhóna ins gach aon tigh ó mhaidean go hoíche agus ó oíche go maidean uaireanta. Ach tá san imithe agus ré nua tagtha, agus má tá níl aon lá loicht acu air. Mar bhí trangláil ag baint leis an móin, agus costas. (LS:65)

Tá deireadh leis an gcruatan ar an bhfarraige freisin mar tá ré na naomhóige thart (LS:70). Cé go raibh margadh maith do na héisc le linn an Dara Cogadh Domhanda thit sé sin as a chéile arís nuair a chríochnaigh an cogadh agus nuair a thosaigh trálaeir iasachta ag iascaireacht thart faoin gcósta arís. Le hiascach na maicréal thart bhí deireadh leis an bhféinchothú. Thosaigh siad ag brath ar an gcuid eile den tír agus, ó lár na dtríochaidí ar aghaidh, bhí tacaíocht speisialta ón rialtas á fáil ag na ceantair Ghaeltachta.

I ndiaidh an Dara Cogadh Domhanda cuireadh obair ar fáil ar na bóithre agus ó shin i leith bhí muintir Chorca Dhuibhne ag brath, a bheag nó a mhór, ar chothú ón rialtas. Leis an 'dole' d'fhás meon nua ina measc—meon an tsoláthair. Tá siad sásta bheith díomhaoin ach amháin 'déirc an díomhaointis' a fháil: 'Táid anshásta leis an saol atá acu, agus chloisfeá cuid acu á rá nár tháinig aon tsaol sa Ghaeltacht riamh a chuirfeadh an ball air' (LS:22). Tá siad eolach ar gach rud a d'fhéadfaidís a fháil saor in aisce (LS: 33, 34, 35, 48, 62, 131) agus cíocras chun an airgid orthu dá réir. Tá an dúil san airgead san fhuil iontu anois agus déanfaidh siad rud ar bith chun gach deontas nó liúntas a bhfuil eolas acu faoi a fháil.[30] Seo mar a léiríonn Ó Criomhthain an meon santach seo a tháinig i dtreis agus é ina fhear óg:

> Bhí an páiste a bhí againn tagtha go haois scoile an tráth so, agus bhí airgead le fáil as Ghaelainn ar scoil agus as gach duine clainne a bheadh agat ach amháin an chéad duine. Toisc ná raibh againn ach an t-éinne amháin, ní raibh an tarna hairgead so le fáil againn, agus dá bhrí sin bhí asacháin an diabhail á chaitheamh linn, cad a bhí orainn ná raibh aon cheann eile ag bualadh sa tráigh linn, agus mar sin de. Ar ndóigh, is amhlaidh a bhíomair ar ár ndícheall sa chuardach gan fhios dóibh! (LS:133)

Níl na daoine sásta obair chrua a dhéanamh a thuilleadh, anois nuair is féidir leo airgead a fháil gan faic a dhéanamh. Ceannaíonn siad an leasú talún, in ionad leasú dá gcuid féin a dhéanamh leis an bhfeamainn, mar a dhéanadh a muintir rompu: 'Fuaireadar amach go raibh sí ródhuaisiúil ar bheagán toradh; gurbh fhearr an paca, agus gur fearr an toradh a thugann sé uaidh' (LS:22).

Bhí an saol sóisialta ag athrú chomh maith. Bhí an chuideachta a bhain leis an mbothántaíocht caite i leataobh ag na daoine. Ba é an teach tábhairne lárionad an chaithimh aimsire anois: 'Níl aon áit ag daoine meánaosta anois chun tamall den oíche a chur tharstu ach i dtigh an tábhairne. Ná bí ag lorg éinne anois ag bothántaíocht ná ag éisteacht le cumadóireacht scéalta fé mar a bhí sa tseanaimsir' (LS:92). Roimhe sin ba iad na tithe ionaid an tsaoil shóisialta. Bhailíodh an pobal ar fad, idir óg agus aosta, fhireann agus bhaineann, isteach chuig teach éigin chun spraoi agus spórt a bheith acu le chéile. Ba iad féin a sholáthair an caitheamh aimsire—an ceol, an rince, an tseanchaíocht etc. Ach tá deireadh leis sin anois:

> Má leanann an saol air mar atá, is gearr gurb é tigh an tábhairne an sáipéal a bheidh acu sa deireadh. Is ann atá an seanshaol agus an saol nua ar aon fhód, ag maireachtaint taobh le taobh gach aon oíche. Mar is é an t-aon áit amháin é anois ina dtagann óg agus aosta ar aon láthair le chéile chun tamall den oíche a mheilt i dteannta a chéile. (LS:93)

Luann Ó Cearnaigh an rud céanna agus é ag cur síos ar an teach tábhairne cáiliúil atá sa cheantar—'An Bóthar':

> Deirimse Fleá Cheoil leat, ní raibh oiread ag aon Fhleá Cheoil riamh. Chomhairíos seasca gluaisteán ann. Bhí rince ar an bhfaiche lasmuigh den dtigh agus cuairteoirí ag amhrán agus ag seimint ann agus pórtar ag teacht amach trí's na fuinneoga agus á shlogadh go tapaidh, fé mar a bheadh gamhna óga ag slogadh bhainne. Bhí an tráthnóna ina sheanashaol ceart ann, mar beir leat go bhfaighir ar an mBóthar an dúchas ceart agus an tseanchaíocht. Tá san ann go láidir. (ID:140)

Ach, cé go raibh sé ina sheansaol acu an oíche sin, léiríonn sé sin fós go bhfuil an tseanré thart agus nach bhfuil fágtha anois ach iarsmaí fánacha.

De réir mar a bhí spleáchas na ndaoine ar an rialtas ag méadú bhí siad ag éirí níos leisciúla (LS:86), níos ábharaí (LS:25, 38, 91) agus níos spriúnlaithí (LS:21, 51). In ionad na flaithiúlachta a thaispeáin na hoileánaigh do na cuairteoirí, tráth, anois tá siad ag iarraidh gach uile phingin is féidir a tharraingt astu. Ní mhúinfidh siad Gaeilge dóibh gan a luach a fháil: ' "Ach", arsa mise, "nuair a díolfar mise fé mar atá na hollúin sin á dhíol ar bhur son, ní bheidh aon cheal mínithe oraibh" ' (LS:25). In ionad na spioradáltachta a chonaiceamar i ndírbheathaisnéisí na seanghlúine níl aon fhaitíos ar Sheán Ó Criomhthain drochmheas a chaitheamh go hoscailte ar an eaglais (LS:51). Níl na daoine sásta pósadh leis an mbochtanas ach an oiread, mar a bhí a muintir rompu, agus dá bhrí sin, is leasc leis na fir bean a tharraingt orthu féin (LS:104). Caithfidh siad deontas ón rialtas a fháil chun beagáinín spreagtha a thabhairt dóibh: 'Bhí deontas beag ón rialtas á fháil ag daoine pósta an uair sin agus déarfainn mura mbeadh san gur beag duine bocht a bheadh pósta ann' (LS:131). Léiríonn Ó Cearnaigh meon na mban i leith an phósta: ' "Ní bhfaigheadh aoinne anso aon bhean anois", arsa Séamas Ó Beaglaoich, "mar tá boladh na gcathracha agus na mbailte móra fachta acu agus is dócha gur fearr dhóibh san ná boladh an éisc" ' (ID:93).

Leagann Ó Cearnaigh béim go minic ar an gcaidreamh atá ag an gcúinne sin den Ghaeltacht le háiteanna eile anois. Níl sé chomh scoite amach ar chor ar bith agus a bhí sé sa seansaol (ID:93, 109). Tá a gcuid eolais ar an saol mór leathnaithe amach go mór: ' "Ar chualaís", arsa mise leis, "go raibh daoine imithe isteach 'on ghealaigh ó aréir?" ' (LS:30). Tá tuiscint níos fearr acu ar chúrsaí na tíre agus tá a dtuiscint ar spás i bhfad níos réalaíche ná mar a bhí roimhe sin: 'Ach níl na daoine chomh fada ó bhaile óna chéile sa tsaol so agus a bhíodar leathchéad blian ó shin. Fé mar a dúirt an fear aréir liom go raibh Baile Átha Cliath i mbéal an dorais anois aige' (LS:42). Bhí an-chuid cuairteoirí ag tarraingt ar an áit agus ba thionchar nua-aimseartha eile iadsan mar 'Tá gach sampla fén spéir á thaispeáint acu do mhuintir an cheantair' (LS:44). Ó thaobh na heacnamaíochta de, níl siad ag táirgeadh rudaí dóibh féin an oiread agus a bhíodh. Dá bhrí sin tá tábhacht faoi leith ag baint leis an margaíocht agus osclaíonn sé seo doirse eile do mhuintir Chorca Dhuibhne: 'Tá, mar a deir siad féin, an Daingean ar an dtuath anois. Fiú amháin fear an éadaigh tá sé aníos ó Chorcaigh agus ó Luimneach' (LS:59).

Ón méid seo is léir an úsáid is féidir a bhaint as leabhair mar seo chun athruithe sóisialta a ríomh. D'eascair na leabhair as na coimhlintí a ghabh leis na hathruithe, ach is léir ó leabhar Uí Chriomhthain go háirithe go bhfuil sé tar éis glacadh go hiomlán leis an saol nua-aimseartha agus go bhfuil a dhearcadh agus a mheon curtha in oiriúint aige don saol sin.

* * *

Ach do bhí a gcultúr féin acu, agus do bhí aithint ar fhear an Oileáin in aon chuideachtain, agus tá go dtí an lá tá inniu ann. Rud é seo a thugadar amach leo . . . (Pádraig Ua Maoileoin, 1960:158)

Breathnaímis anois ar bhraistintí na scríbhneoirí seo fúthu féin mar oileánaigh agus ar an gcaoi ar breathnaíodh orthu ar an míntír i bhfad i ndiaidh dóibh cúl a thabhairt leis an oileán. Fiú amháin ó theideal leabhar Í Chearnaigh is soiléir cé chomh láidir agus a bhraith sé ina oileánach. Glaonn sé 'deoraí' air féin cé nár fhág sé an tír riamh. In áit amháin sa leabhar deir sé: 'Chuimhníos ar an saol breá

a bhíodh againn ann tamall den saol agus sinn chomh fada ó chéile
inniu, cuid againn i Meiriceá agus duine againn i mBleá Cliath,
Paidí ar an Muirígh agus mise ag imeacht i mo dheoraí le haer an
tsaoil' (ID:74).

Fiú amháin agus iad ar an míntír ar feadh i bhfad bhí cumha
orthu i ndiaidh an oileáin agus b'fhearr go mór leo bheith ina
gcónaí fós ann. Is iontach an ceangal a bhraith na daoine seo idir
iad féin agus an áit. Luann Ó Cearnaigh na Blascaodaigh sin a bhí
ag broic le saol na míntíre gan aon luí acu leis:

> Deirtear gur buan é fear ina dhúthaigh féin. Is buaine ná san ina
> pharóiste é. . . . Bhíomar ag caint le Seán Ó Súilleabháin atá seacht
> mbliana déag agus ceithre fichid agus dúirt sé gurbh fhearr leis
> bheith ar an mBlascaod fós ná a raibh de bhlianta caite aige. Is dó
> ab fhíor mar níl lá dena shláinte aige ó d'fhág sé an tOileán, ná ag
> aoinne eile acu. (ID:130)

Léiríonn Ó Criomhthain an cumha seo i ndiaidh an oileáin chomh
maith. Ba dheacair dóibh dearmad a dhéanamh ar an oileán mar
ba ansin a bhí bóithre agus cosáin a n-óige 'agus fanfaid san aigne
againn nó go sínfear fén gcré sinn. Níl sárú ar an ndúchas' (LS:134).
Tá Ó Criomhthain réalaíoch faoi staid na n-oileánach, áfach. Níl
an oiread sin den mhaoithneachas ná den rómánsúlacht ag baint
leis agus atá le Ó Cearnaigh ná, go deimhin, le Ó Gaoithín. Bhí an
t-oileán agus a ré thart agus bheadh orthu glacadh leis sin: 'Mar ní
áit aon áit gan daoine. Ní raibh againn feasta anois ach iompú
isteach i gceart ar an áit go rabhamair agus glacadh leis mar a bhí,
agus an maoithneachas a chaitheamh in airde linn féin ar fad'
(LS:135).

Tá Ó Cearnaigh chomh tógtha sin leis an oileán nach féidir leis
dearmad a dhéanamh de choíche. Ina chur síos ar na hoileánaigh
cheapfá gur neacha neamhghnácha amach is amach a bhí iontu.
Glaonn sé 'éan farraige' air féin agus é i mBaile Átha Cliath i
dtosach mar nach raibh cleachtadh ar bith aige ar an gcathair (36).
Agus é ag trácht ar dhuine eile a bhí ina chónaí sa chathair deir sé
go raibh 'boladh na farraige imithe as a shrón' (47), rud nach raibh
fíor faoi Sheán é féin ag an am. Uair eile agus é ag caint le garsún
as Luimneach deir sé:

> 'Bhuel', arsa mise, 'ní mar a chéile Oileánach agus aon duine eile.
> Bíonn bua fé leith aige, nach aon duine mór leis agus eisean mór le

nach aon duine. Ná fuil a fhios agat nach mar a chéile thusa agus mise?' (ID:45)

Tá nósanna ite na n-oileánach difriúil le nósanna ite mhuintir na cathrach chomh maith, dar leis (ID:52, 114). In áiteanna téann sé thar fóir leis an gcomparáid idir a threabh féin agus lucht míntíreach. Mar shampla:

> Chuas féin i gcomhluadar na beirte mar aithníonn Oileánach Oileánach eile. Ní hé an nádúr céanna chuige atá san Oileánach agus sa Tíreánach. Tá siad chomh fada ó chéile is tá gliomach agus portán. (ID:80)

Bhí cumha domhain air i gcónaí i ndiaidh an oileáin agus dearann sé pictiúr truamhéileach den oileán tréigthe: 'Is dealbh atá an tOileán inniu—na gaiscígh ag tabhairt an fhéir agus na róinte ag caoineadh sna tránna ina ndiaidh' (ID:90).

Tá an-chuid tagairtí ag Ó Criomhthain freisin do shainiúlacht na n-oileánach. Bhí fiú amháin na hainmhithe a bhí acu éagsúil: ' "Is diail an bhraoid atá ann", a dúirt Bod, ag séideadh fé. "An bhfuil aon chuid de bhraoid an Oileáin ann, a Sheáin?" ' (LS:122). Luann sé na nósanna difriúla iascaireachta a bhí ag lucht míntíre (LS:137). Glaodh an t-Oileánach ar Sheán i gcónaí agus bhí meas ar a chumas i naomhóg dá bharrsan. Bhí an-mheas go deo ag Seán féin ar mhuintir Dhún Chaoin, rud a léiríonn sé go minic sa leabhar:

> Sara gcuirfidh mé deireadh lem ráite, déarfainn go bhfuil sé ceangailte orm de réir Dé agus cirt tagairt a dhéanamh anso d'uaisle Dhún Chaoin. Mura mbeadh iad san níorbh fhéidir le haon Chríostaí maireachtaint ar an Oileán riamh. (LS:144)

Éiríonn leis siúd socrú síos le muintir Dhún Chaoin agus cuid den seancheangal leis an oileán a scaoileadh, rud a thagann i bhfad níos deacra chuig Seán Ó Cearnaigh, is léir.

(c) Corca Dhuibhne—tír inti féin?

Is cáipéis í AT—dírbheathaisnéis Uí Mhaoileoin—a léiríonn na hathruithe socheolaíocha, eacnamaíocha agus síceolaíocha a tharla i gceantar beag Gaeltachta le trí fichid bliain anuas. Tá an-chumas san údar meon daoine a léiriú agus éiríonn leis dul faoi chraiceann mhuintir Chorca Dhuibhne sa saothar seo.[31] Chomh maith leis sin déanann sé peannphictiúir a léiríonn spiorad na háite dúinn, an spiorad sin a d'eascair ón dlúthchaidreamh idir na háitritheoirí agus an ceantar féin, spiorad áite atá lonnaithe dá bhrí sin sna daoine agus san áit. Rachaimid siar leis, más ea, ar a thuras go Corca Dhuibhne.

Is áit urbánach í Trá Lí, dar leis, agus níl rian de spiorad an iarthair ag baint léi: 'Dream eile ar fad an dream thiar' (AT:8). Is idirdhealú é seo a dhéanann sé go minic ina chuid scríbhneoireachta agus is rud é a bhronnann logántacht shainiúil ar a shaothar ar fad, mar gur duine den 'dream thiar' é féin chomh maith. Tá an bród, ceann de mhórthréithe an Chiarraígh, go smior ann féin:

> Nach é paróiste Dhún Chaoin an paróiste is sia siar in Éirinn? Nach ann atá an tOileán Tiar, agus gan age fear na Gaillimhe ach oileáinín mara go dtugann sé Inis Thiar air, agus nach é a ainm le ceart in aon chor é ach Inis Oirthir, más fíor? (AT:11)

Ní áit urbánach í an Daingean ar chor ar bith, dar leis, mar tá muintir na tuaithe agus muintir an bhaile ag maireachtáil ar scáth a chéile: 'Tá an gaol róghairid agus iad i mbéal an dorais age n-a chéile' (AT:11). Na hiascairí a rinne baile de (12) agus d'fhás sé mar ionad trádála, ag trádáil 'le tíortha comh fada ó bhaile leis an Sualainn agus an Astráil' (AT:15).

Cé go raibh dlúthchaidreamh ag an Daingean leis na daoine thiar uaidh, ní raibh mórán caidrimh riamh idir an dream thiar agus muintir na breac-Ghaeltachta taobh thoir den Daingean. Bhí nósanna difriúla oibre acu, agus léiríonn Ua Maoileoin a tharcaisne don easpa cultúir a bhain leo, iad 'teanntaithe idir dhá thaoide' gan Béarla ná Gaeilge acu. Tá go leor de thuairimíocht an údair féin le fáil sa leabhar seo go mór mór agus sé ag cur síos ar chúrsaí teanga. Mar shampla, luann sé an bhaint atá ag an timpeallacht le forbairt nó le meath teanga. Tá sé deacair do Ghaeilgeoirí ó dhúchas ó cheantar cois farraige an Ghaeilge a choinneáil nuair a aistrítear go háit i lár na tíre iad, a deir sé:

> Insa bhall dúchais a dh'fhágadar súd, bhí an teanga múnlaithe do ghnáthchúrsaí an tsaoil ina tímpeall, iascaireacht, móin, aimsir, sliabh agus farraige. Is dícheall di maireachtaint, ní abraím fás, in aon chomhluadar eile, agus gan á shú as an úir aici ach anál dheoranta an Bhéarla. Oireann meon agus aigne ina tímpeall di atá Gaelach ar a nós féin; ar nós an phlannda díreach atá sí, agus comh leochaileach leis. (AT:23)

Ba chóir dúinn smaoineamh air seo agus sinn ag castáil ar mhuintir Chorca Dhuibhne—is cuid den áit an Ghaeilge agus na daoine a labhraíonn í agus tá an áit tar éis a deachma féin a bhronnadh ar an teanga agus ar na daoine a labhraíonn í.

Tógann sé siar ón Daingean sinn agus féach ar an bpictiúr iontach a chuireann sé os ár gcomhair agus sinn ag tabhairt ár n-aghaidhe siar amach:

> Ach maidir lena bhfuil de chlaitheacha le feiscint anso agat síos isteach ar ghualainní géara faille a chuirfeadh crith chos is lámh ort gan faic ach féachaint síos orthu, agus as san anairde go dtí mullach an chnoic agus gan luid le cosaint ach carraigreacha agus púicíní cloch, leachtáin agus fraoch agus aiteann? (AT:30)

Tógann sé siar chomh fada leis an gCom sinn—an áit inar rugadh agus tógadh é. Tá na Blascaodaí le feiceáil uainn amach agus tagann maoithneachas air agus é ag breathnú orthu:

> Ní mhaífinn a áit dhúchais ar éinne ar dhroim an domhain faid a bhí na hoileáin seo le feiscint agam ó mhaidean go hoíche gach lá dá n-éirínn dem leabaidh. Is é aoibhneas na nOileán a fuaireas mar bhia agus mar dheoch ó bhéal mo mháthar, trócaire uirthi, mar is astu amach a tháinig sí féin. (AT:31)

Is minic a fheicimid an scríbhneoir seo ag ceangal coincheap teibí le nithe fisiciúla, trí shamhail a chumadh mar a dhéanann sé anseo, nó trí chaint mheafarach a úsáid. Arís léiríonn sé seo an ceangal docht a bhí idir an rud fisiciúil agus an smaoineamh nó an mothúchán pearsanta i bhfochoinsias na ndaoine seo. Tá an grá a bhí aige don áit dhúchais léirithe anseo aige ar bhealach atá thar a bheith éifeachtach agus is mothúchán é a fheicimid go minic níos faide ar aghaidh sa leabhar.[32]

Déanann Ua Maoileoin an-chuid tráchta ar a óige féin sa Chom. Bhí tábhacht ar leith ag baint le teorainneacha na mbailte fearainn: 'B'é an Com ár mbaile fearainn. Is ann a théimíst ag bothántaíocht agus ag cúirtéireacht agus ag imirt chártaí san oíche' (AT:32). In ionad tuairisc mhór fhada a thabhairt dúinn ar laethanta na scoile insíonn sé dúinn faoina chuid oideachais i mbeagán focal:

> Ollscoil ab ea Dún Chaoin féin riamh, agus is ea fós, agus ní raibh sa bhunscolaíocht ach comharthaí sóirt seachas a raibh de thabhairt suas agus d'oiliúint le déanamh ina dhiaidh san ort. Mar bhí oideachas an chrosaire agus an bhóithrín romhat amach. (AT:34)

Agus ba thábhachtaí an t-oideachas neamhfhoirmiúil sin a fuair na daoine 'i bpoll an iarta agus ar lic an tinteáin', mar ba é an t-oideachas ba dhúchasaí, an t-oideachas a d'oir do shaol agus do chultúr na háite. Bhí triúr seanchaithe ar an mbaile agus é ag fás suas agus is acu a bhí na buanna a raibh urraim an phobail ag dul dóibh: 'an abairt ghiorraisc, an focal pras, an dá fhocal in ionad an dosaein' (AT:35).

Luann sé na 'Laethanta breátha', na cuairteoirí a bhíodh ag teacht go tiubh chuig an áit agus é ina leaid óg (AT:35), agus labhraíonn sé faoi dhearcadh na bhfear ar na mná (AT:39). Labhróidís go meafarach faoi na mná go hiondúil: 'B'ionann bean agus bád i measc an chomhluadair seo i gcónaí. "Nach deas an bád í" a déarfaí le bean go mbeadh aon dealramh maith uirthi' (AT:39). Níl rian ar bith den rómánsúlacht bhaoth a bhain le scríbhneoirí ó cheantair eile le brath i saothar an scríbhneora seo. Le fírinne, d'fhéadfá an rud céanna a rá faoi na scríbhneoirí eile a bhí á bplé go dtí seo. Agus iad ag caint ar chúrsaí pearsanta, go mór mór cúrsaí grá, clúdaíonn siad a gcuid mothúchán le gréasán de chaint mheafarach go minic. Is é Ua Maoileoin an t-aon duine a phléann go hoscailte le fadhbanna gnéis—rud atá mar bhunábhar don úrscéal B agus, cé go bhfuil stíl thuairisciúil aige tríd is tríd, is leasc leis na fadhbanna sin a phlé gan an chaint a mhúnlú ar bhealach meafarach atá an-ghraosta in áiteanna.[33]

In áiteanna eile éiríonn Ua Maoileoin an-liriciúil ar fad ach is í an timpeallacht a spreagann an liriciúlacht seo ann. Féach ar an gcur síos a dhéanann sé ar an radharc amach ar an bhfarraige ón gCom:

> Tar éis an iascaigh ansan, dul i ndiaidh na gcaeireach nuair a bheadh an ghrian ag maolú léi siar síos ós cionn na nOileán agus an t-uisce go léir ar dearglasadh tríd an mBealach aniar gur dhóigh leat gurbh é an cosán óir isteach go Tír na nÓg é. Nuair a bheadh na caoire loctha agat, suí síos agus féachaint uait isteach trasna an Bhealaigh ar an Oileán féin, agus gan idir tú agus é ach leathmhíle éigin d'fharraige. Sceamhaíl na ngadhar istigh le clos amuigh agat, agus gur bhreá led chroí dá mbeadh cleiteog éigin báid agat go n-ardófá seol uirthi agus go mbuailfeá isteach. Mar istigh a bhí an draíocht go léir; an draíocht ná tuigeann éinne ach an té a thógtar ar imeall uisce agus a thugann a lá agus a shaol ag féachaint dá dhroim siar go dtí bun na spéireach. (AT:42)

Bhí siad scoite amach go hiomlán gan leabhar ná páipéar ná raidió acu:

Gan aon mhairg á chur ag an saol lasmuigh orainn, ná aon bhaint againn leis, ach an litir ó Mheirice agus an fear siúil ós na dúthaí abhfad i gcéin a bhuaileadh chughainn isteach agus a thabharfadh an oíche fé dhéin an tí againn. (AT:44)

Déanann Ua Maoileoin cur síos ar chuid de na fir shiúil seo a bhíodh ag tarraingt ar an áit agus téann sé ar aghaidh ansin chun cuid de na carachtair a bhí thuas le linn a óige a chur in aithne dúinn. Fíorcharachtair áitiúla[34] iad, leis na tréithe réigiúnacha acu —an deisbhéalacht chainte agus an chlisteacht a raibh meas an phobail ag dul dóibh: 'Bhí Seán Criothain na séidfaíola againn, fear a bhí deas ar scéal a insint agus ar scailp bhreá éithigh a chumadh nuair ab fhuar leis do bhlas ar an bhfírinne' (AT:51).

Tugann sé cuntas dúinn ar na seantithe (53) agus ar an raic ar an bhfarraige (54) ar a raibh tarraingt na gcéadta— pictiúr iomlán den seansaol sular tháinig deireadh leis. Chonaic Ua Maoileoin an saol seo ag athrú. Ghlac na hoileánaigh leis an saol nua-aimseartha nuair a thréig said an t-oileán. Bhlais Ua Maoileoin é nuair a d'fhág sé an baile chun dul go Baile Átha Cliath ach níor thuig sé an tionchar a d'fhéadfadh an nua-aimsearthacht a imirt ar cheantar a óige go dtí gur fhill sé ar an áit ina dhiaidh sin. Bhí sé ábalta an áit a fheiceáil ar bhealach oibiachtúil ansin, trí shúile fir a bhí tar éis saol eile a bhlaiseadh. Thuig sé tionchar na bpáipéar agus an raidió ar phobal beag tuaithe. Ní tír inti féin a thuilleadh í an ceantar inar chaith sé a óige. Tá nósanna na ndaoine athraithe agus an t-aos óg bailithe leo go tíortha iasachta. Breathnaíonn sé ar an saol seo le cumha:

Tá an comhluadar cois tine nach mór imithe, agus formhór na ndaoine óga bailithe leo; tá siad anocht, cuid mhaith acu, ag imirt cheaintíní ar a chéile i hallaí rinnce i mBirmingham nó sa Bhronx, agus nuair a thagann siad abhaile iad ag cainnt ar shoilse agus ar an saol drithleach réiltíneach atá acu ó dh'fhágadar an baile ina ndiaidh. Ní chloisfidh tú choíche iad ag cainnt ar an scailp uaignis a bheidh orthu amáireach agus iad ag fágaint an baile, ná ar an mbrat uabhair agus maoithneachais a thiteann orthu ins na tíortha úd thall gach aon uair a chloiseann siad ainm mhilis an Choma nó Dhún Chaoin ar bhéal a gcomharsan, agus ná fuil de leigheas acu air ach rabhait óil agus bhruighne agus achrainn. Tá an t-uaigneas céanna sa bhaile ina ndiaidh, agus caithfidh tú dul go tigh an óil ansúd comh maith má theastaíonn cuideachta agus comhluadar uait, mar tá an tinteán fuar agus tá sé folamh. (AT:60)

Seo againn i mbeagán focal fadhb na Gaeltachta, nó go deimhin, fadhb na tuaithe i gcoitinne in Éirinn breactha síos go simplí ag an údar. Is deacair a dhéanamh amach cé acu is measa—na deoraithe nó na daoine atá fágtha ina ndiaidh, ach tá truamhéil áirithe ag baint leis an dá dhream. Ní mé ar éirigh le socheolaí nó le síceolaí ar bith cúinsí ceantair mar Chorca Dhuibhne a bheachtú ar bhealach chomh soiléir agus atá déanta ag Ua Maoileoin anseo.

Téann sé ar aghaidh chun na difríochtaí idir an seansaol agus an saol nua-aimseartha a rianadh. Déanann sé cur síos ar na tithe nua-aimseartha, tithe ceann slinne le dhá urlár:

> D'fhás na tithe seo suas fé scéimeanna na Gaeltachta ó bhliain bliain, agus is iad na scéimeanna céanna is ciontach leis an dtoirt go léir mar ní bheidíst i dteideal na grainte gan an chabhail agus an toirt a bheith iontu agus an áirithe sin spáis comh maith. (AT:61-2)

Ar ndóigh caithfidh na daoine an 'ghraint' a fháil agus dá bhrí sin tá siad sásta na tithe móra a thógáil fiú amháin mura n-oireann siad don timpeallacht. Is mór an difríocht idir an teach nua-aimseartha sa cheantar agus an teach traidisiúnta a bhí 'neadaithe comh seascair agus gur gheall le cuid den gcnoc féin é' (AT:63).

Tá tábhacht faoi leith ag baint leis an teach i saol an duine. Is é an chéad phointe tagartha atá ag an bpáiste é: 'For our house is our corner of the world. As has often been said, it is our first universe, a real cosmos in every sense of the word' (Bachelard, 1958:4). Bhí an-tábhacht ag baint le crut an tí thraidisiúnta sa tuath in Éirinn, rud atá pléite go mion ag Caoimhín Ó Danachair (1975). Léirigh seisean go raibh difríochtaí réigiúnacha sna tithe mar go raibh ar na daoine tithe a thógáil a bheadh oiriúnach do chúinsí éagsúla tíre agus geilleagair. Ach anois, chun an 'ghraint' a fháil tá na tithe á dtógáil ar an múnla céanna ó cheann ceann na tíre. Ní hamháin go gcuireann sé seo deireadh leis na difríochtaí réigiúnacha a thug pearsantacht faoi leith d'áiteanna éagsúla sa tír ach, níos mó ná sin, is é is cionsiocair chomh maith le cuid de na hathruithe síceolaíocha atá imithe i gcion ar phobal na tuaithe. Tá deireadh leis an dlúthchaidreamh a bhí acu leis an talamh. Fiú amháin ábhar na dtithe anois tógtar isteach ó áit éigin eile é agus tá deireadh leis na sean-nósanna tógála, nósanna a raibh searmanais áirithe[35] ag baint leo roimhe sin: 'Ach tá na seanabhéasa so go léir ag imeacht le tigh an lae inniu' (AT:67). Tá an rud a bhí nádúrtha ag imeacht agus rud saorga ag teacht ina áit: 'Tá an seanashaol ag

sleamhnú uathu agus saol nua ar fad tar éis gealadh orthu. Agus is
é donas an scéil seo go dtáinig sé ró-obann orthu; ní dóigh liom go
dtuigeann siad fós é' (AT:67).
Déanann Ua Maoileoin comórtas idir an seansaol a bhí agus an
nuashaol atá tagtha. Tar éis dó sampla de bhéadán na gcomharsan
a chur os ár gcomhair, míníonn sé an fáth a raibh a leithéid chomh
coitianta sin:

An dtuigeann tú, bhí an Com comh deighilte sin amach ón saol mór
gur chaith an pátrún a bheith níos dlúthfhite ná mar bheadh sé in
áiteanna eile, ionas gurbh é cúram gach éinne ar an mbaile do
chúramsa. Nuair a bhí na mná so ag cainnt, is í an dlí a bhí ag cainnt,
agus ní raibh aon tsuaimhneas ar an mbaile go rabhadar ina
n-éisteacht. Ins gach baile dá leithéid, is í an báiléaraí agus an
búrdúnaí an maor atá ar an gcoinsias poiblí. (AT:80)

Tugann sé sinn ag bothántaíocht leis. Agus é in éineacht lena athair,
cloisimid faoin raic a bhíodh á bailiú thart faoin gcósta, agus faoi
na rónta a mharaídís agus é ina bhuachaill óg. Cloisimid cuid de na
scéalta a bhíodh á n-insint thart faoin tine chomh maith. Bhí
tábhacht faoi leith leis na scéalta seo:

Is iad na cúraimí seo a choinnigh ina mbeathaidh sa Chom iad—ag
dul siar ar an seanashaol agus ag tarrac chúchu aniar as. Agus dob é
an tarrac ar an saibhreas é, cé go bhfuil cuid mhaith dhe imithe síos
dhon úir lena gcois anois agus gan aon teacht air. (AT:111)

Insíonn sé dúinn faoin obair a bhíodh le déanamh ag na daoine
agus faoi na meithealacha a bhíodh acu chun an mhóin a bhaint,
an fheamainn a shábháil, chun leasú talún a tháirgeadh agus prátaí
a chur.
Tugann an scríbhneoir seo an-chuntas dúinn ar na cuairteoirí a
thagadh go Corca Dhuibhne. Ní hiad na 'Laethanta breátha' an
t-aon dream a bhíodh ag tarraingt ar an áit. Thagadh na Gaeilgeoirí
freisin—daoine a bhí ag iarraidh an teanga a fhoghlaim:

Is le saolú Chonradh na Gaeilge a thosnaíodar so ag teacht ar dtúis,
agus dob shidé an chéad chomhartha a chonaiceamairne go raibh
aon mheas ag éinne uirthi. Dob é an chéad léas amach as an ndoir-
cheacht é do dhaoine bochta ná raibh aon taithí ar an solas acu.
(AT:132)

Chomh maith leis an dream seo bhí na hollúna agus 'boic mhóra'

eile ó chéin is ó chóngar ag déanamh ar an áit. Níor thuig muintir
Chorca Dhuibhne gur cheantar Gaeltachta a bhí san áit go dtí gur
chuir na daoine seo ar a súile dóibh é:

> D'osclaíodar so fuinneoga ar shaol eile dhuinn ná raibh a fhios
> againn a bheith ann in aon chor nó go dtánadar inár measc, saol
> Gaelach, saol a chuir suim san oidhreacht a bhí fágtha againn agus
> a roinneamair go fonnmhar leo. (AT:135)

Is fiú dúinn smaoineamh air seo mar bhí an miotas go forleathan
le fada an lá gurbh iad na ceantair thiar na ceantair fhíor-Ghaelacha.
Is fíor gur fhan an teanga sna háiteanna sin níos faide ná mar a
d'fhan sí sa chuid eile den tír, ach níor bhain sé sin le ceist an
náisiúnachais a bheag nó a mhór. Ní chiallaíonn sé go raibh an
t-iarthar níos dílse don teanga ná don oidhreacht náisiúnta ná mar
a bhí an chuid eile den tír. Cúinsí tíreolaíocha amháin ba chúis le
caomhnú na teanga sna ceantair sin. Níor tháinig siad faoi anáil an
náisiúnachais mórán, mar bhí siad róscoite amach ón gcuid eile den
tír chun páirt a ghlacadh sa ghluaiseacht náisiúnta. Ba chóir dúinn
an íomhá atá againn den iarthar mar áit idéalach, áit inar fhan na
sean-nósanna faoi bhláth fad is a bhí an tuile ag trá sa chuid eile
den tír, a athbhreithniú le fianaise na leabhar atá faoi chaibidil
anseo. Cé gurbh í an Ghaeltacht foinse na hoidhreachta níor thuig
muintir na Gaeltachta go raibh oidhreacht na nGael ina seilbh go
dtí gur chuir díograiseoirí ón taobh amuigh ar a súile dóibh é.

Ní hiad na daoine ar spéis leo an Ghaeilge agus a mbaineann léi
an t-aon dream atá ag díriú ar an áit, áfach. Tá cuairteoirí eile ag
teacht chomh maith, Béarlóirí nach bhfuil aon tuiscint acu do
chultúr na háite:

> Is é an chuid is measa dhe so, comh fada lenár muintir féin de, go
> bhfuil giollaí agus scraistí aimhleasta ina measc a dheineann tláithín-
> teacht leis na stróinséirí seo sa teangain iasachta, agus gan í sin acu
> ach go breallach, rud a thugann blas den local colour dom dhuine
> agus gur fiú leis nóta a dhéanamh ina dhialainn de. (AT:136)[36]

Sampla iad na cuairteoirí seo den duine a théann ag turasóireacht
ach nach léiríonn bá ar bith le pobal na háite, nós atá ag éirí an-
choitianta na laethanta seo agus atá tugtha faoi deara go cruinn ag
Ua Maoileoin:

> Tagann na Béarlóirí seo go Dún Chaoin díreach mar a théadh an

Sasanach ina lá féin, agus mar a théann an Meiriceánach sa lá tá
inniu ann ar an Mór-Roinn agus gan éirim d'aon teangain acu ach
dá n-allagar tráchtála féin; gan aon tuiscint acu don gcultúr ársa
atá san áit rómpu, ná don gcneastacht agus don síbhialtacht a
shíolraigh as an gcultúr san leis na mílte blian. (AT:136)[37]

Tríd an leabhar seo ar fad léiríonn an t-údar an-léamh go deo ar
thréithe an duine. Éiríonn leis meon daoine a chur trasna go
héifeachtach. Agus é ag tagairt do mhuintir an oileáin léiríonn sé
arís an chaoi ar mhúnlaigh an timpeallacht pearsantacht na ndaoine:

> Éan farraige is ea fear an oileáin, ma'b ionann agus fear na míntír-
> each, mar is éan talún é sin, fairsinge tíre aige agus a aigne múnlaithe
> dá réir. Ach níl ag an oileánach ach an chloch fharraige inar scríob
> sé ionad nide dho féin i bhfoithin scailpe chun a chuid gearrcach a
> thabhairt ar an saol inti agus iad a scaoileadh chun farraige, ceann
> ar cheann, de réir mar thagann siad chun coinnlíochta. Tá a rian
> san ar a mheon agus ar a aigne, a rian orthu gur i mbraighdeanas a
> saolaíodh agus a múnlaíodh iad. Fágann so coimhtheacht an ghuar-
> dail agus an chrosáin ann, gach aon ní cúng, beag, suarach. (AT:
> 157-8)[38]

Bhí aithne aige ar Thomás Ó Criomhthain agus thuig sé an t-uaig-
neas a bhí air agus é ina sheanfhear ar an oileán ag deireadh a
shaoil:

> A chuid seilge ar mhuir agus ar shliabh críochnaithe; a chroí sa
> deireadh thiar i ndorn beag cré ina bhfeaca sé a phréamh agus a
> dhúchas. A dhrom tugtha dhon bhfarraige aige agus é ina phríosúnach
> anois aici, an fharraige a thug beatha dho tráth, do féin agus dá ál.
> Scaipeadh na mionéan tagtha ar an ál anois agus gan fágtha aige
> astu ar fad ach an gearrcach aonair, a mhac Seán. (AT:161-2)

Ar a laghad fuair Tomás bás sula raibh air dul i ngleic leis na
coimhlintí a tháinig leis an athrú saoil. Ba rudaí iadsan a raibh ar a
oidhrí dul i ngleic leo. Chonaiceamar an chaoi ar ghlac a mhac,
Seán, leis an athrú chuig an míntír. I dtaca lena gharmhac, Pádraig
Ua Maoileoin, bhí air siúd an baile dúchais a thréigean, cúl a thabh-
airt don Ghaeltacht agus a aghaidh a dhíriú ar Bhaile Átha Cliath.
Anois níl sé in ann Corca Dhuibhne a óige a bhlaiseadh a thuilleadh.
Tugann sé a chuairt bhliantúil ar a cheantar dúchais, mar a dhéan-
fadh deoraí ar bith:

> Is geall le hoilithreacht dom leithéid anois dul siar mar seo ar shaol
> atá imithe i ndearúd uaidh. Táim rófhada imithe as chun aon ní a

bheith fágtha agam ach an macalla, mar táim rite isteach i saol eile le blianta fada. Cuimhne an linbh agus an ógánaigh atá fanta agam ar an seanashaol, lán de rómánsaíocht agus de nóiníní samhraidh. (AT:172)

Is truamhéileach an duine é an duine atá imithe óna fhréamhacha, rud a thuigeann Ua Maoileoin go maith:

> Níl aon oidhre orm, ar shlí, ach an púncánach a thagadh abhaile tar éis a dheich mbliana fichead a bheith tugtha i Meirice aige. A intinn agus a mheon múnlaithe as an nua ar fad. Ní hamháin go bhfuil an teanga leathchaillte aige, ach tá a dhúchas agus a phréamhacha imithe le taoide an tsaoil iasachta uaidh. Is é an trua a bheith ag faire orthu so nuair a dh'fhilleann siad d'iarraidh teacht ar na snáithíní agus iad a shnaidhmeadh, agus, nuair a théann díobh, gan aon lagadh orthu ach ag lochtú agus ag cáineadh an tsaoil as ar fáisceadh ar dtúis iad. (AT:172)

Déanann sé comparáid ansin idir an fear a théann go Meiriceá agus a chaitheann a shaol i measc a dhaoine muinteartha ansin agus an duine a théann go Baile Átha Cliath. Is féidir leis an duine i Meiriceá a shaol a chaitheamh i gcoilíneacht bheag dá mhuintir féin agus nuair a fhilleann sé abhaile 'Níorbh aon atharrach saoil dó é ach atharrach ionaid' (AT:174). Ach ní hamhlaidh atá an scéal don duine a théann go príomhchathair na hÉireann: 'níl aon phaiste i mBaile Átha Cliath, mar a bhfuilimse le chúig mbliana fichead anois, go bhféadfadh duine aithris a dhéanamh ar an bpátrún saoil a chaith an fear eile úd ón gCom i New York' (AT:174).

Tar éis an leabhar seo a léamh bheadh cur amach ag an léitheoir ar go leor gnéithe de shaol Chorca Dhuibhne. Cuimhní is mó atá ann, ach cuimhní atá lonnaithe go daingean in áit faoi leith agus, dá bhrí sin, a bhfuil buaine agus daingne ag baint leo. Chomh maith leis sin, nuair atá duine mar Phádraig Ua Maoileoin ag caint faoi Chorca Dhuibhne tá sé ag caint ar áit a ghránn sé, ar áit atá, dá dheoin nó dá ainneoin, fréamhaithe go daingean ina phearsantacht féin. Is tuisceanach an cuntas atá tugtha aige dúinn ar an gceantar agus b'fhiú do na socheolaithe an leabhar a iniúchadh mar feicimid i gCorca Dhuibhne na próiséis chéanna a bhí ag obair ar cheantair eile Ghaeltachta, ach blas áitiúil Duibhneach a bheith orthu.

Sula scarfar le scríbhneoireacht Uí Mhaoileoin breathnóimid i dtosach ar théama amháin a luann sé in AT agus a phléitear arís ina úrscéal B—is é sin an caidreamh idir fir is mná i gCorca Dhuibhne agus go mór mór easpa spéise na bhfear sa ghnéas agus frustrachas na mban dá bharr.[39] Ní raibh sé de nós ag scríbhneoirí Chorca Dhuibhne an cion a bhí acu dá gcuid ban a léiriú i scríbhinn. Is ar éigean a luaitear na mná ar chor ar bith agus is masla a bhíonn i gceist go hiondúil nuair a luaitear iad. Deir Ua Maoileoin linn gurb ionann 'bád' agus 'bean' i gcanúint an cheantair agus uair eile in AT glaonn sé 'budóga maithe ban' agus 'láracha ban' orthu. Glaonn sé 'stailteacha' ar na fir chomh maith agus labhraíonn sé faoin gcaidreamh gnéasúil ar dhóigh mheafarach tríd síos beagnach.

Seo é an cuntas a thugann sé dúinn ar na mná óga a théadh amach chun an chnoic mar 'iarraim cúis' chun tamall a chaitheamh i measc na bhfear:

'Sea, a Bhríde, déanfaidh sé ana-lá fén gcnoc inniu agaibh' a déarfadh bean acu léi. 'Maran le brothall a rithfidh na hasail orainn', agus an dá bhrí leis an gcarúl age Bríde, gan dabht. Mar fé mar bheadh 'bád' mar ainm ar bhean i measc na bhfear is minic gurb 'asal' a bheadh ar fhear i measc na mban. Agus ós ag tagairt don gcainnt seo in aon chor é, nuair a thagadh an séasúr ar na hasail againne isteach sa Bhealtaine, is cuma cad a dhéanfá leo, ná cén ceangal a chuirfeá orthu, bhíodar bailithe uait soir isteach ar an Móinteán i nDún Chaoin mar a raibh tarrac ar láracha acu san am san. B'shin é an 'rith le brothall' a bhí i gceist age Bríde agus í ag cainnt. (AT:122-3)

Bhíodh na fir ag éalú ó chaidreamh na mban is léir agus seo mar a chuireann Ua Maoileoin síos ar dhrochstaid na mban:

Faid a bheadh an t-ionú ann a bheith i dtreo an éisc, nó déanamh á uireasa, is maith a bhí eolas a gceacht acu; na stailteacha ag imeacht ag faoibín lastuas i measc na fraoighe agus iad féin a bheith caite i gcúinne na luaithe, ní raibh aon dealramh leis, ná an riach é. (AT: 121-2)

Cuirimid aithne ar Bhríde i dtosach in AT ach is í príomh-charachtar an úrscéil B í. Is saothar réigiúnach amach is amach an t-úrscéal seo, é lán le logainmneacha Duibhneacha agus léarscáil de Chorca Dhuibhne taobh istigh den chlúdach, mar atá in AT. Tá frustrachas Bhríde léirithe sa chéad leathanach:

Cá raibh an fear gurbh fhiú do chailín luí leis ar an mbaile? 'Ar aon chuma', a dúirt Bríde 'cá bhfuil an fear go bhfuil an fonn air? Níl sé ann. Nuair a thagann séasúr na móna féin anois ní raghaidís chun cnoic leat. Eagla chúchu ag teacht orthu.' (B:7)

Feicimid í ag tabhairt faoin gcnoc lá earraigh agus déanann an t-údar cur síos fisiciúil uirthi atá an-phríomhaí ar fad. Tá béim ar a torthúlacht anois nuair atá 'cumhacht an nuafháis go léir ina timpeall':

> Do bhraith sí í féin ina steillebheathaidh. Bhí an bradán ag preabadh ina cuisleanna mar bhíodh i gcónaí um an dtaca seo bhliain; bhí an borradh agus an fás ina timpeall. Tháinig boladh úr na hathchré chúichi agus chuir brat aoibhnis uirthi. Den chré chéanna í féin, ba chuid dá colainn í. Bhí tabhairt inti, agus fás. (B:9)

Sa leabhar seo feicimid Bríde ag iarraidh dul i ngleic le cúinsí a saoil agus an saol sin a athrú. Ba dhuine den ghlúin óg í agus ní raibh sí sásta glacadh leis an saol le foighne mar a rinne an tseanghlúin roimpi. Ba mhór an difríocht idir í agus sean-Bhríde:

> Bhí sean-Bhríde trí fichid nó mar sin. Amach as an ndrochshaol a fáisceadh í idir anam agus chorp. Bhí sé ginte istigh inti. Í dúr, fulaingeach fadshaolach; sásta lena raibh aici, agus le toil Dé. Ní mar sin a bhí ag an mbean óg. As saol eile a fáisceadh í sin. Sa bhliain 1910 a saolaíodh í. (B:11)

Tá sé seo mar fhothéama aige tríd an leabhar ar fad: an choimhlint idir an sean agus an nua. Bhí tréithe an tseansaoil fágtha i bhformhór na mban óg ach ba réabhlóidí í Bríde Bhán. Ba mhór an difríocht idir í agus duine dá comhaois, Siobhán: 'Bhí foighne agus fadshaolaí an tseanshaoil fágtha inti siúd, righneas an asail nár dhiúltaigh riamh dá ualach, ach, san am céanna, nár chuir a chroí riamh sa tarrac' (B:19). Léirítear easpa cumais na bhfear ar bhealach an-tarcaisneach ar fad. Ní hamháin go bhfuil na mná óga ag imeacht seasc ach is iad na 'báiléaraithe ban' atá ar an mbaile atá ag rith an bhaile (67).

I lár an lae bhí na fir sásta go leor bheith i gcomhluadar na mban ach thuig Bríde go maith chomh luath agus a thagadh an oíche go mbeidís bailithe leo chuig an teach tábhairne:

> Geáitsíocht ar fad a bhí san obair, a dúirt sí léi féin, mar nuair a thiocfadh an oíche is ag ól ar an mBuailtín a raghadh na stailteacha so, nó ag imirt chártaí nuair ba chirte dhóibh a bheith ag breith isteach ar na mná. Ina ionad san, is ag teitheadh uathu a bhídís san am ceart. (B:72)

Bhí an ceantar breac le baitsiléirí críonna agus is gruama an
pictiúr a dhearann Ua Maoileoin de dhrochbhail na mban. Seo í
Bríde agus beirt bhan óg eile ag déanamh a mbealaigh chuig rince,
tráthnóna earraigh. Ní raibh dada le rá ag an mbeirt ina teannta:

Ní foláir nó ní raibh puinn scóip orthu i gcomhair na scléipe agus ná
raibh ann ach oíche eile ina saol, oíche ná raghadh síos in aon leabhar.
Oíche ná beadh inti ach cúpla seit, agus tamall cois claí le fear nár
thaitin leo, nó dá dtaitneodh féin gur á fhágaint ansan a bheidís agus
ag tabhairt an bhóthair uaignigh go Meirice orthu féin, agus ag
caoineadh an chuid eile dá saol. (B:113)

Ní raibh Bríde ag iarraidh dul go Meiriceá. Bhí méid áirithe de
mheon an tseansaoil inti; bhí sí ag iarraidh an rud a thoiligh sí a
fháil anseo ar an mbaile. Ba dhuine é a raibh luachanna an tsean-
saoil ann an t-aon fhear a chuir an fhuil ag bualadh ina cuisleanna.
Ba é siúd Tadhg an Bhodaigh, nó 'An Stail Aduaidh' mar a ghlaotar
air, fear a tháinig aduaidh chun dul ag rince ar an gCom. Léirítear
mar laoch pobail é. Tá cuma bhródúil air agus é ar mhuin capaill
agus ceapann Bríde gur mór an difríocht idir é agus scraistí an
bhaile. Athraíonn sí a hintinn faoi, áfach, nuair a fhilleann sé ar a
gCom níos deireanaí an oíche sin chun í a fhuadach, rud a dhéanann
sé le teann laochais. Cé go raibh dúil aici ann roimhe sin tá sí ar
buille nár tháinig fir Dhún Chaoin chun í a shábháil mar:

Is rómhaith a thuig sí nach le dúil inti féin a d'ardaigh sé leis í sa
chéad áit ach le barr laochais agus gaiscíochta. Ní dhéanfadh sé seo
in aon chor Bríde Bhán; chaithfí í féin a chur chun tosaigh ar aon
dúil nó mian eile a bheadh sa bhfear, agus b'in í raibh air. (B:146)

D'éirigh le Bríde éalú ón Stail Aduaidh ach bhraith sí súile na
gcomharsan uirthi an mhaidin dár gcionn: 'Súil ab ea gach fuinneog
ar an mbaile an mhaidean úd, súil ghránna dhubh. Béal ab ea gach
aon doras, scaimh ghránna mar a bheadh ar mhadra doichill'
(B:154). Ba uirthi siúd a chuir an baile an locht: 'Bhraith sí ina
haonar ar an mbaile, agus an baile ag fáscadh isteach uirthi, ag
fáscadh agus ag brú agus ag cúngú. B'iad na fir ba chúis leis, toisc
gur thréigeadar fód an áir' (B:157). Níor tháinig siad i gcabhair
uirthi chun í a shábháil ón bhfear aduaidh agus bhraith sí tarcaisne
ina leith mar gheall air sin. Mhéadaigh a meas air siúd de réir mar
a chuir sí i gcomparáid le fir a paróiste féin é. Ach tharla rud di a
bhí chomh neamhchoitianta sin nach raibh an pobal in ann glacadh
leis:

Rud deoranta ab ea a leithéid seo i nDún Chaoin, go mórmhór duine isteach thar paróiste agus gan puinn aithne ar aoinne aige. Dá measfadh sí gur chúichí féin an gheáitsíocht agus an ghaiscíocht go léir, níor mhiste léi. Mhaithfeadh sí a lochtaí go léir ansan dó. Ach ní raibh sí siúrálta gurbh ea; ná gur á thaispeáint féin a bhí sé, ar nós an choiligh iasachta i measc na gcearc. (B:156)

Bhí spiorad san fhear, áfach, rud nach raibh i bhfir Dhún Chaoin, dar léi. Bhí deis acu a mianach a thaispeáint ach thréig siad páirc an áir. Is ise an t-aon duine nár ghlac le nósmhaireacht na háite, cé go raibh dóchas aici ar feadh tamaill go bhfaigheadh sí fear a diongmhála i mBillí, fear comharsanach. Ach bhí Billí chomh meata agus a bhí siad go léir. Smaoinigh sí ar láthair an rince:

> Geáitsíocht ab ea cúraimí an lae inné go léir nuair a smaoinigh sí inniu orthu, idir Bhillí agus Stail agus Timpín trí chéile. Coiligh á dtaispeáint féin, agus ag cocaíocht le chéile, ach cearca ag imeacht seasc ar fuaid na mbuailte. Ní raibh ann ach scáthanna ag troid le chéile; scáthanna ón seanshaol nuair ab fhiú fear a thabhairt ar fhear. (B:182)

Casann Bríde le Tadhg an Bhodaigh uair amháin eile ina dhiaidh sin, agus luíonn sí leis ar thaobh an tsléibhe. Ach faigheann an Stail bás cinniúnach san fharraige agus é ag rásaíocht i gcoinne fir Dhún Chaoin:

> Bhris Bríde síos ar fad, phléasc sí amach ag gol.
> 'Níl aon fhear fágtha anois', a dúirt amach as a tocht, 'ach fir na fuaire'.
> Trí seachtaine ina dhiaidh sin a bhailigh Bríde léi ar a bóthar go Ceanada. Agus is bocht an áit an Com ó d'imigh sí. (B:239)

Feicimid an imirce arís ach cruth difriúil anseo uirthi. Níl Bríde ag imeacht mar gur gá di. Tá sí ag imeacht mar gur mian léi éalú ón gcineál saoil nach féidir léi a athrú agus nach n-oireann di mar atá sé. Is pictiúr truamhéileach di a fheicimid ag deireadh an leabhair, i gcomparáid leis an bpictiúr beo beathaitheach a chonaiceamar ag an tús.

Cé go bhfuil lochtanna áirithe ar an leabhar seo mar úrscéal—an plota a bheith mídhóichiúil in áiteanna; an iomarca den athrá tríd an scéal agus áibhéil déanta aige ar fhadhb na mban—fós éiríonn leis an údar gné amháin de shaol Chorca Dhuibhne a chur os ár gcomhair. Déanann sé fadhb shóisialta amháin a láimhseáil go héifeachtach i bhfoirm an úrscéil, rud nár éirigh le mórán daoine eile a dhéanamh i nGaeilge roimhe sin. Chomh maith leis sin, tá léiriú maith sa leabhar ar eispéireas an duine aonair nuair a bhraitheann sí luachanna an phobail ar de í ag luí go trom uirthi agus gan an cumas inti iad a athrú. Nuair nach raibh sí sásta glacadh leis an gcinniúint, d'éalaigh sí uaithi. I leabhar Mhíchíl Uí Shúilleabháin—FA—faighimid pictiúr de cheantar beag eile. Is ceantar breac-Ghaeltachta atá le feiceáil sa leabhar seo agus cuid de na fadhbanna céanna chun tosaigh ann, fadhbanna a eascraíonn ón gcoimhlint idir an sean agus an nua. Ó thaobh na healaíne de is beag fiúntas atá ag baint leis an leabhar seo mar úrscéal, cé gur ghnóthaigh sé duais i gcomórtas úrscéalaíochta san Oireachtas sa bhliain 1975. Cuirtear pobal daoine in aithne dúinn, daoine ón gceantar breac-Ghaeltachta soir ón Daingean. Castar orainn i dtosach iad ar thraein an Daingin, an traein a raibh an t-ainm amuigh uirthi go raibh sí chomh mall sin gur thóg an t-aistear siar cúpla uair an chloig. Ó thús go deireadh an úrscéil seo is léir nach raibh an t-údar in ann scaoileadh le laincisí an réigiúnachais ar chor ar bith. Cé gur scríobhadh an leabhar sna seachtóidí baineann an scéal leis na tríochaidí. Sa réamhrá a ghabhann leis, deir an t-údar linn:

Sa tréimhse atá i gceist sa leabhar seo bhí teicneolaíocht an nua-shaoil ag brú isteach ar nósanna sean-bhunaithe agus pisreoga, agus bhí tionchar an pháipéir nuachta, an ráidió, an strainséara agus an Mheiriceánaigh ag cur teicheadh ar phúcaí agus ar shaíocht an leasa. Bhí cúl-troid ar siúl idir an 'Fíor-Ghael' agus an rabharta anoir ar ar bhaist sé 'Galldachas' agus bhí cúl-troid ar siúl ag an sagart in aghaidh hallaí rince, suirí, siúl oíche agus 'comhluadar meascaithe'. (FA, Réamhrá)

Is ag filleadh ar na seantéamaí arís atá an scríbhneoir seo, más ea, nós atá i bhfad róchoitianta i litríocht na Gaeilge. Tá suíomh an scéil an-logánta ar fad agus tá aidhm theagascúil ag an údar:

Níor scríobhadh mórán ariamh mar gheall ar Ghleann na Lios, mar ceantar is ea é nach eol dó cá bhfuil a sheasamh. Níl aon amhras cá seasann sé ó thaobh na tíreolaíochta, ar theorainn thoir na Gaeltachta mar a bhfuil coimheascar idir teanga chumasach na galántachta agus teanga lag an dúchais. (FA:Réamhrá)

Is é Breandán Mac Adhaimh, an 'fear aduaidh', príomhphearsa an scéil. Tagann sé go Gleann na Lios ina bhainisteoir uachtarlainne mar is as an áit sin dá mháthair agus tá sé ag iarraidh eolas a bhailiú faoina athair, fear nach raibh aithne aige riamh air. Ag deireadh an leabhair, áfach, níl an t-eolas a bhí ag teastáil uaidh faighte go fóill aige.

Níl aon chríoch leis an scéal agus ní tharlaíonn mórán tríd síos seachas eachtraí beaga áiféiseacha a bhfuil áibhéil thar na bearta déanta ag an údar orthu. Níl sa leabhar ar fad, dáiríre, ach sraith de charachtair réigiúnacha atá curtha os ár gcomhair ar bhealach chomh háibhéalta sin gur geall le scigphictiúir iad.

Léirítear an sagart paróiste mar fhear mór a bhfuil faitíos ar an bpobal roimhe, é ag siúl an bhóthair lena mhaide draighin, ag tiomáint thart ina ghluaisteán, ag screadaíl ar na 'bostúin' a sheasaíonn ag an doras le linn an Aifrinn agus é ag seanmóireacht ar ard a ghutha faoin rince agus faoin gcúirtéireacht:

> Agus do lean an sagart dúthrachtach san go dtí deireadh na sean-móna ag tathant agus ag aitheasc agus ag bagairt ar a thréad, de réir a choinsiasa,—na gunnaí móra á ndíriú go confach aige ar rince, cúirtéireacht, spallaíocht, faoilleáil, suirí, mar aon le bunúdar an uafáis sin go léir, an 'mixed company' agus béim á leagadh go láidir ar chumas éachtach an Áirseora agus ar easnaimh éidreoracha na fola agus na feola. (FA:150)

Sampla é Liam Leaffaití den rachmasóir áitiúil tuaithe: 'Liam Leaffaití siopadóir agus tábhairneoir sean-bhunaithe in Ard an Bhóthair, níor lú leis an sioc samhraidh ná a leithéid seo de scéal nua a chloisint, iomathóir bheith ag tosú ar channtáil air' (FA:162). Agus cé hé an t-iomaitheoir ach an Yainc, Jurry Griffin, atá tar éis meall mór airgid a chnuasach 'thall' agus atá ag iarraidh an t-airgead sin a shúncáil anois i bhfiontair éagsúla ina bhaile dúchais:

> D'admhaigh sé sin go scailéathanach dóibh conas mar chnuasaigh sé féin a 'chlais' airgid Thall in ainneoin 'craiseanna' agus 'Bread-lines'. Ba thúisce leis anois an stór san a ardú leis abhaile, adúirt sé agus é a shúncáil i bhfiontair thairbheacha ar mhaithe lena mhuintir, mar atá, halla rince agus teach pictiúirí, siopa, tábhairne agus taxi, agus beartais fhiúntacha dá leithéidí. (FA:162)

Casaimid ar Sheoirse Ó Ceoláin chomh maith—an Gaeilgeoir díograiseach agus an bailitheoir béaloidis—agus é ag soláthar focail Ghaeilge nuair a chloiseann sé an teanga á truailliú ag an mBéarlachas. Casaimid leis an múinteoir scoile, bean mheánaosta nach bhfuil meas madra aici ar an nGaeilge, 'crot córach seang uirthi agus roiceanna ina cneas crón. Muineál fada caol laistíos d'aghaidh a bhí sciamhach go maith tráth, shílfeadh duine, ach b'fhada de bhlianta ó shin an tráth úd' (FA:36).

An pictiúr is áiféisí ar fad a chuirtear os ár gcomhair ná an pictiúr de Bhríd Ní Dhuibhne—Bessie Deeney nuair a fhilleann sí abhaile ó na Stáit. Feicimid í á réiteach féin don Aifreann. Tá sí ag iarraidh bheith feiceálach ionas go meallfaidh sí Breandán Mac Adhaimh, fear a bhfuil dúil aici ann ó chuala sí go raibh sé le bheith ina bhainisteoir ar an uachtarlann.

Tá go leor samplaí den chaint éiginnte le fáil sa leabhar seo chomh maith, go mór mór agus iad ag tagairt don chúirtéireacht. Bíonn comhrá fada ag cuid de na fir le Breandán faoin 'slataíocht' a luaigh Pádraig Ua Maoileoin. Seo iad ag caint go meafarach faoi mhná na háite a bheith á mealladh ag strainséirí:

> Airiú a Mhister Adams, tagann trálaerí deoranta isteach sa chuan chugainn, slatairí óga eolasacha iontu, líonta fada ar bord acu, an fearas iascaigh thar barr, agus ní fhágfaidís breac éisc ag mo leithéid-se.'
> 'Níl sé sin ceart ná cóir!' Bhí bá láithreach ag Breandán le hiascairí na háite seo. 'Ní dhearna mise barraíocht iascaigh riamh, ach fág sin, ní leomhfainn cur isteach ar mhuintir ceantair ar bith.'
> 'Im baiste gur deas uait é sin a rá a Mhister Adams, agus ba mhaith liom do chaint a chreidiúint. Mar sin féin, tá sé meáite agam gur maith an sás tú chun do bhaoite a chur suas agus éiscín a mhealladh. Cogar a mháistir, a' ndéarfá go mbeadh an ceart agam?'
> 'Ní déarfainn ná go mbeadh', ón máistir sa bhealach dothuigthe sin arís, 'ach ní déarfainn ina dhiaidh sin ná go bhféadfadh a thiteam amach ná beadh'. Bhí an máistir deas ar an urlabhra sea-ní-hea.
> (FA:185)

Ar ndóigh ní thuigeann Breandán brí na cainte mar nach as an áit sin dó.

Ba liosta le lua na carachtair eile a chuireann Ó Súilleabháin os ár gcomhair. An rud is tábhachtaí faoin saothar agus sinn á shuíomh i gcomhthéacs fhorbairt na nualitríochta ná go mbaineann an leabhar seo le sruth na litríochta réigiúnaí. Níl puinn nuachta ag baint leis ó thaobh stíle nó ó thaobh ábhair de. Tá sé an-lochtach mar úrscéal agus an t-aon rud atá spéisiúil faoin leabhar ná go mbaineann sé le corpus litríochta ó cheantar áirithe agus go dtagann an ceantar sin trasna chugainn sa leabhar níos mó ná mothúcháin an údair féin. Fágfaimid Gleann na Lios le sampla den choimheascar idir an Béarla agus an Ghaeilge a bhí mar chuid bhunúsach de shaol

an cheantair sna tríochaidí. Seo Breandán ar an traein agus é ag
dul siar:

> Má bhí a shúile dírithe ar leathanaigh an leabhair, is iad a chluasa a
> bhí bioraithe agus é ag éisteacht agus é ar a chroí díchill ag iarraidh
> brí a bhaint as an "mbriollamas" cainte a bhí ar siúl ag na mná
> feirme, iad ag siosarnaigh os íseal an turas seo.
> '... Mush be wan o thim law-bréas that do be going to the
> Wesht ...'
> '... A ghrá— gil's a thaisce, some o thim get very mad abou' it
> th' Irish ...'
> '... don't it go to the head wit a lot of um ... fuirist aithint gan
> aon chúram eile bheidh orthu ...'
> '... yerra a chroi d'fheoil arent they rattin wit it behind the
> Hill ...'
> '... and lisheneer-ti-me, is there any o' the Irish left a-by ye in
> Com a' Bhróigín?'
> '... a chroí d'fheoil, divil a word of it was heard in our villij suns
> oul Siamas so againne, the fear bocht, was clifted on the side of
> Cnoc na Manach, Beannacht Dé lena anam ...' (FA:37-8)

Ní iontas ar bith go raibh drochmheas ag Pádraig Ua Maoileoin ar
cheantar dá leithéid. Seo mar a chuireann sé siúd síos ar mhuintir
na breac-Ghaeltachta thoir ón Daingean: 'Níl sé ina Bhearla ná ina
Ghaeilge acu. Is iad so an t-aon dream daoine amháin ar m'eolas-sa
go bhféadfaí a chur ina leith, más féidir é a chur i leith éinne, iad a
bheith "illiterate in two languages" ' (AT:21).

Ón scagadh atá déanta anseo ar litríocht réigiúnach Chorca
Dhuibhne, céard iad na conclúidí is féidir a dhéanamh faoi thábhacht
na litríochta seo? Tá dha phríomhrud i gceist anseo. I dtosach, trí
anailís ar bhonn feiniméaneolaíoch a dhéanamh ar shaothair
liteartha is féidir linn teacht ar an mbunfhírinne faoi eispéireas
daoine atá ag maireachtáil mar chuid de phobal beag fuinte i
gceantar iargúlta. Feicimid a mbraistintí faoin saol mar a chaith
siad féin é; a ndearcadh ar an saol taobh amuigh den cheantar
dúchais, agus an radharc domhanda a bhí bunaithe ar an dá rud
seo. Chomh maith leis sin tá sé soiléir ó na leabhair seo gur féidir
leis an litríocht fás as cúinsí sóisialta agus eacnamaíocha. I gCorca
Dhuibhne d'eascair formhór na litríochta as fadhbanna a ghabh
leis an athrú saoil a chuir deireadh go tubaisteach le saol traidisiúnta
an cheantair. Chonaiceamar an chaoi ar athraigh meon na ndaoine
i leith an tsaoil i gcoitinne de réir mar a leathnaigh caidreamh an
cheantair le háiteanna eile amach.

Sa chéad chaibidil eile déanfar iarracht litríocht réigiúnach Chorca Dhuibhne a shuíomh i gcomhthéacs stair na nualitríochta Gaeilge. Chun é sin a dhéanamh breathnóimid ar Chorca Dhuibhne mar a chonacthas do Myles na gCopaleen é, ar na tréithe a phioc seisean as litríocht Chorca Dhuibhne agus ar an gcaoi ar thug sé faoi na téamaí sin a láimhseáil.

Caibidil 12

CORCA DORCHA—AN MBEIDH A LEITHÉID ARÍS ANN?

D'fhoilsigh Myles na gCopaleen *An béal bocht* (=BB) sa bhliain 1941. Um an dtaca sin bhí A1, O, FBF, TBI agus P, maille le hanchuid saothar réigiúnach ó cheantair eile Ghaeltachta, i gcló. Bhí an íomhá den Ghaeltacht agus den fhíor-Ghaelachas a bhí ag teastáil ón bpobal curtha ar fáil dóibh cheana féin. I gcuid a haon den taighde seo pléadh na tosca ba bhun leis an íomhá sin agus chonaiceamar sampla den sórt litríochta a d'eascair uaithi sna caibidlí ar phróslitríocht Chorca Dhuibhne.

Is í an aidhm a bhí ag Myles in BB ná scigmhagadh a dhéanamh ar gach ar bhain le gluaiseacht na Gaeilge lena linn agus is iontach mar a d'éirigh leis é sin a dhéanamh. Aorann sé na béaloideasóirí, na scoláirí, na scríbhneoirí, na hoifigigh stáit a raibh baint acu le polasaí teanga etc. Níor tháinig dream ná eagraíocht ar bith a raibh baint éigin aige leis an ngluaiseacht saor ó ghéire a phinn. Thar aon ní eile, áfach, pléann an leabhar BB leis an bpictiúr den fhíor-Ghael a bhí in aigne mhuintir na hÉireann ag an am. Is é sin an pictiúr a fhaighimid i litríocht réigiúnach na Gaeilge agus bhí sé lonnaithe go daingean i samhlaíocht na ndaoine sna tríochaidí. Chun an tsamhail seo den fhíor-Ghael a aoradh bhain Myles úsáid as litríocht réigiúnach na Gaeilge—na dírbheathaisnéisí agus na 'dea-leabhair' eile a léirigh pictiúr áirithe de shaol na Gaeltachta agus a chuaigh i gcion go mór ar thuairimí an phobail faoin nGaelachas. Tharraing Myles go díreach as saothair na n-údar Gaeltachta, rud atá léirithe go beacht ag Pádraig Ó hÉalaí (1975). Phioc sé nithe áirithe amach as an litríocht a tháinig ó cheantair éagsúla agus dá bhrí sin is sraith d'imprisiúin ilghnéitheacha ó fhoinsí éagsúla liteartha atá curtha le chéile in BB aige. Is í an aidhm atá ag an gcaibidil seo ná an pictiúr de Chorca Dhuibhne mar a chonaic Myles é i litríocht an cheantair sin a scagadh ó na téamaí eile atá le fáil in BB. Cad iad na nithe a bhain sé as litríocht Chorca Dhuibhne a chuir leis an tsamhail den fhíor-Ghael? Agus cén tionchar a bhí ag an leabhar ar na saothair liteartha a tháinig ó Chorca Dhuibhne ó 1941 ar aghaidh?

Osclaíonn an leabhar le léarscáil den cheantar, rud atá le fáil i ngach saothar réigiúnach ó Chorca Dhuibhne. Ní léarscáil fhírinneach an ceann seo, áfach, ach léarscáil de bhraistintí mhuintir

Choica Dhuibhne faoin domhan mór. Is léir uaidh gur beag a
n-eolas ar áiteanna taobh amuigh den cheantar dúchais agus go
bhfuil mearbhall iomlán orthu faoi chuid de na háiteanna sin.
Tá réamhrá ón bhfear eagair curtha leis an leabhar freisin, ag
míniú conas a cuireadh an leabhar ar fáil agus cén fáth. Is scig-
mhagadh ceart ar réamhráite daoine mar Phádraig Ó Siochfhradha
an réamhrá seo:

> Creidim gurbé seo an chéad leabhar riamh dar cuireadh i gcló i
> dtaobh Corca Dorcha. Is mithid é, dar liom, agus is tráthúil. Is mór
> an gar don teanga agus dá lucht fólama go mbéadh tuairisc na
> muintire a mhaireann sa Ghaeltacht iargcúlta san 'na ndiaidh agus
> go mbéadh cuntas beag le fáil i mball éigin ar an Ghaeilg mhín
> saoithiúil a chleachtaigh siad ann. (7)

Insíonn sé dúinn faoin áit: 'áit fá leith inti féin seadh Corca Dorcha
agus daoine gan a gcó-mhacasúil a mhaireann ann' (7). Bónapárt
Ó Cúnasa is ainm do phríomhphearsa an scéil agus tá gnáth-théamaí
na dírbheathaisnéise ar fad le fáil ann—cuntas ar a óige, a chéad
lá ar scoil, eachtraí a tharla dó i rith a shaoil agus an cruatan ar fad
ar ghabh sé tríd.
Corca Dorcha is ainm don áit agus cuirtear béim ar an dorchadas
agus ar an ngruaim a bhain léi mar áit chónaithe. Ba shaol ainnis
anróiteach a chaith na Gaeil inti. Luaitear an drochaimsir go minic
sa leabhar agus is in olcas a bhíonn sí ag dul i gcónaí:

> B'fhacthas dúinn go raibh na plumpana fearthana i gCorca Dorcha
> ag éirí níos tarcuisniúla le gach bliain chuai thart agus bhí cor-
> bhochtán á bháthadh i lár na mín-tíre óna raibh anuas i rith an
> gheimhrí den uisce agus den aiseac-spéire . . . (88)

Nuair a théann Bónapárt go dtí na Rosa tagann iontas mór air mar
níl sé ag doirteadh fearthainne ansin:

> Bhí sé dorcha anois ins na Rosa acht bí athrú éigin, dar liom, tagtha
> ar chruth an domhain. Bhíos tamall maith amuí sular thuigeas go
> díreach cad a bhí neághnáthach mórthímpeal orm. Bhí an tír tirm,
> gan aon dortadh ag teacht anuas orm. B'fholus nárbh ionan na Rosa
> agus Corca Dorcha mar nach ráinig aon oíche riamh ann san áit
> iar-ráite sin gan na roisteacha fearthana ag spalpadh as na spéarthaí
> orainn. (62-3)

Nuair atá Bónapárt ag iarraidh éalú sa deireadh ó Chorca Dorcha
caitheann sé bliain in aisce ag faire ar an aimsir féachaint an dtioc-

fadh tráth a bheadh oiriúnach don turas: 'I gCorca Dorcha bhí aoirde gaoithe agus treise fearthana mar an gcéana, gan staonadh gan teip lá agus oíche, samhra agus geimhre. Ba leamh an bheart bheith ag fuireach le lá na soinine . . .' (92).
Tógadh muintir na háite leis an anró. Nuair a bhí Bónapárt ina pháiste óg bhí an mhuc bhréan, Ambrós, ina cónaí sa teach leis an gclann agus ní fhéadfadh Bónapárt bocht éalú: 'Go deimhin, is agam féin a bhí an t-anro, gan aon tsúil agam ná aon chaoi gluaiseachta eile' (19). Nuair a bhí páistí Chorca Dorcha ar scoil d'fhaighidís léasadh millteanach ón máistir mura mbeadh na hainmneacha ar eolas i mBéarla acu:

Tharaing an máistir an maide ina ghlaic ath-uair agus níor stop go raibh fuil an mhacaoimh seo go líonmhar aige á dortadh, an macaomh féin gan aon mhothú anois ann acht a mhalairt go fírinneach, é sínte ina chuachán fola ar an urlár. (26)

Cé go raibh saol crua ag na daoine ghlac siad go foighneach leis mar bhreathnaigh siad air mar chinniúint a bhí i ndán dóibh agus nach bhféadfaidís éalú uaithi: ' "Má's amhlaidh atá", adúirt mo mháthair ón leaba, "is amhlaidh atá agus is deacair éalú ón rud atá i ndán dúinn" ' (21). Is i mbéal mháthair Bhónapáirt a chuirtear an fhealsúnacht seo tríd an leabhar ar fad. Míníonn sí dó an fáth a mbuailtear na páistí ar scoil: ' "Maiseadh", ar sise, "ná tuigean tú gur Gaeil a mhaireann ar an dtaobh so tíre agus nach bhfuil aon dul ón gciniúin aca? . . . Monuar, ní dói liom go mbeidh aon deáréiteach ar Ghaelaibh choíche acht an cruatan i gcónaí aca . . ." ' (26-7). I ndeireadh an leabhair déanann Bónapárt achoimre ar a shaol ar fad: 'Go dearfa, is agamsa a bhí an t-anró Gaelach i rith mo shaoil—an cruatan, an gátar, an t-anás, an anchaoi, an anacair, an t-anchor, an aindise, an ghorta agus an mí-á' (111). I ndiaidh an liodán sin a chur de, deir sé: 'Ní dói liom go mbéidh mo leithéid arís ann.' Úsáideann Myles an abairt seo go minic sa leabhar. Tá sé le fáil i gcúpla áit i leabhar an Chriomhthanaigh, O, agus is é an tuairim gurbh iad féin na daoine deireanacha a d'fhéadfadh scéal an oileáin a scríobh a chuidigh le Tomás, le Peig agus le Muiris Ó Súilleabháin tabhairt faoina saothair dhírbheathaisnéisiúla. Go híndíreach tá Myles na gCopaleen ag ceistiú an ráitis seo. An leor é sin mar *raison d'être* do phíosa litríochta? Ag tús an leabhair deir Bónapárt go bhfuil an leabhar á scríobh aige mar 'go bhfuil an saol eile ag druidim liom go sciobtha' agus 'mar ná beidh ár sómplaí

arís ann go bráth agus mar ná beidh aon tsaol eile ann i nÉirin
choíche ionchurtha leis an saol úd againne nach bhfuil anois ann'
(9). Le fealsúnacht mar seo mar bhonn don litríocht an iontas ar
bith é go ndearnadh idéalú ar an gcineál saoil a léirítear inti, cineál
saoil nach raibh mórán buntáistí riamh ag baint leis.

Tá na daoine i gCorca Dorcha ag maireachtáil ar leibhéal na
n-ainmhithe nach mór. In áiteanna sa leabhar déantar ionannú idir
daoine agus ainmhithe. Mar shampla nuair a chloiseann na daoine
go bhfuil airgead le fáil ar chlann mhór Ghaelach bheith agat,
gléastar na muca mar pháistí. Ní fheictear an difríocht eatarthu
mar: 'Dar ndói, cleachtaíon daoine óga agus muca óga na nósana
céana agus féach go bhfuil géar-chosúlacht idir a gcroicean' (29).
Maireann na daoine agus na hainmhithe in aon teach le chéile (14)
agus dá bhrí sin ní dhéantar idirdhealú eatarthu uaireanta. Nuair a
thagann an scoláire chun Gaeilge na háite a cur ar théip is iad
fuaimeanna muice a thugann sé abhaile leis agus nuair a shaolaítear
leanbh do bhean Bhónapáirt ceapann sé i dtosach gur bainbhín
muice atá ann. Ag pointe amháin sa scéal tá saol an cheantair éirithe
chomh hainnis sin go gceapann Bónapárt nach n-oireann an saol
ann ar chor ar bith do dhaoine daonna. Tá sé go mór in amhras an
daoine ar chor ar bith na Gaeil: ' "An bhfuilir cinnte", arsa mise,
"gur daoine na Gaeil?" ' (89). Freagraíonn an seanduine mar seo é:
' "Tá an t-ainm sin amuí ortha, a uaislín" ar seisean, "acht ní frith
deimhniú riamh air. Ní capaill ná cearca sinn, ní róintí ná taibhsí,
agus, ar a shon san, is inchreite gur daoine sinn; acht níl sa mhéid
sin acht tuairim" ' (89). Más fíor go raibh an seansaol in áiteanna
mar Chorca Dhuibhne chomh crua sin go raibh na daoine ag
maireachtáil ar nós na n-ainmhithe nach mór, cad chuige an gradam
ar fad a bronnadh ar an gcineál sin saoil i litríocht na Gaeilge? Sin í
an cheist atá á cur ag Myles sa leabhar seo, dar liom.

Tá muintir Chorca Dorcha aineolach ar nithe nua-aimseartha.
Scanraíonn gluaisteáin iad, mar shampla:

> Nuair tháinic an chéad mótar isteach i réim na súl, ghlac a lán
> bochtán scannradh uaidh; ritheadar le géar-screadaíl agus chuaidh
> i bhfolach imeasc na gcarraigreach, acht thángadar amach arís go
> dána nuair bhraitheadar nach raibh cealg ar bith ins na maisíní
> móra nua-dhéanta sin. (46)

Tá a gcuid eolais ar an saol mór an-teoranta ar fad. Tá siad caillte
nuair a imíonn siad taobh amuigh de theorainneacha a gceantair

féin. Mar shampla, lá amháin imíonn Bónapárt chun péire buataisí a cheannach:

> Bhogas liom. Bhí an mála óir slán mar d'fhágas é. Bhaineas fíche pighin óir as agus chuireas arís i dtalamh é. Nuair bhí an obair sin déanta, bhailías liom go groí ag tarraingt ar pé cathair a chasfaí liom an uair sin insa treo siar—Gaillimh nó Cathair Sáibhín nó áit éigin eile mar sin. (103)

Nuair a shroicheann sé an baile mór is drochmheas a léirítear dó. Aithnítear mar oileánach é agus nuair a théann sé isteach i siopa bróg tugann an siopadóir pingin óir dó agus deir sé: 'Away now, islandman' (104). Arís ag deireadh an leabhair is le teann tarcaisne a ghlaotar 'blashketman' ar Bhónapárt (111).

Is téamaí iad seo atá le fáil in A, OI, P agus FBF. Tá stíl agus caint an leabhair múnláithe ar stíl na leabhar sin freisin, le macalla de ráitis ghonta an Chriomhthanaigh fite fuaite le píosaí fada d'fhealsúnacht Pheig nó le codanna giorraisce de chuid Uí Shúilleabháin. Nasctar na téamaí ar fad le chéile i ngréasán d'imprisiúin a thugann léargas áibhéalta dúinn ar shaol Chorca Dorcha.

Nuair a foilsíodh BB sa bhliain 1941 bhí an dírbheathaisnéis mar fhoirm liteartha an-choitianta sa Ghaeilge. Níor tháinig deireadh leis le foilsiú an leabhair seo, áfach. Foilsíodh BPS, TFO, LS, OT agus ID ó shin agus tá iarsmaí de na nithe atá á n-aoradh ag Myles in BB le fáil sna leabhair sin ar fad. Léiríonn sé seo cé chomh beag beann ar chúrsaí litríochta i gcoitinne is a bhí scríbhneoirí na Gaeilge. Is follas nár léigh leithéidí Sheán Sheáin Í Chearnaigh BB riamh, nó, má léigh, níor thuig siad cad chuige a bhí Myles. Cosúil le leabhar fiúntach ar bith i nualitríocht na Gaeilge ní bhfuair BB an aird a thuill sé mar bhí sé ródhúshlánach ar fad do dhaoine a bhí sásta glacadh le freagraí nósúla na linne. Leanadh ar aghaidh leis na saothair réigiúnacha mar bhí sé i bhfad níos simplí tuilleadh den sórt sin scríbhneoireachta a sholáthar ná tabhairt faoi fhealsúnacht nua liteartha a chruthú agus a fhorbairt. Dá bhrí sin bhí Corca Dorcha agus áitritheoirí an cheantair sin fós le feiceáil i litríocht na Gaeilge i bhfad i ndiaidh fhoilsiú BB.

CUID A TRÍ

LITRÍOCHT RÉIGIÚNACH THÍR CHONAILL

Caibidil 13

PRÓSLITRÍOCHT THÍR CHONAILL

Chuir scríbhneoirí ó Thír Chonaill an-chuid saothar réigiúnach ar fáil do léitheoirí na Gaeilge ó thús na haoise seo. Scríobhadh an t-uafás dírbheathaisnéisí. Is í an aidhm chéanna a bhí ag na húdair agus a bhí ag na scríbhneoirí ó na ceantair eile Ghaeltachta—cineál saoil agus sibhialtachta a bhí ar an dé deiridh a bhuanú i scríbhinn. Ní hionann iad agus dírbheathaisnéisí Chorca Dhuibhne, áfach, mar ní théann siad i ngleic mórán leis na fadhbanna móra a bhain le treascairt an tsaoil thraidisiúnta. Déantar talamh slán de go leor nithe a bhain le saol na Rosann agus ní nochtar mórán de na coimhlintí a ghabh leis an nua-aimsearthacht.

Seachas na saothair dhírbheathaisnéisiúla tá cúpla leabhar a dhéanann cur síos ar shaol an cheantair ar bhealach oibiachtúil, iad scríofa sa tríú pearsa agus é mar aidhm ag na húdair eolas faoin saol sa cheantar a thabhairt don léitheoir. Faighimid go leor samplaí d'fhoirmeacha eile liteartha ón taobh seo tíre freisin—an gearrscéal agus an t-úrscéal go mór mór. Is saothair réigiúnacha ó bhonn go barr na saothair seo agus, mar a luaitear i gcuid a haon den leabhar, bhí cúiseanna áirithe leis sin. Cúis amháin a bhain go speisialta le scríbhneoirí Chúige Uladh ná gurbh iad pobal Galltachta Oirthear Chúige Uladh, muintir Bhéal Feirste go háirithe, a bpobal léitheoireachta, agus 'tharla gur litríocht Ghaeltachta sa chéill is caoile a bhí de dhíth ar lucht na Galltachta agus d'oibrigh a dtionchar, más ea, le scríbhneoirí na Gaeltachta a dhlúthú agus a dhaingniú ina n-áitiúlacht' (Mac Cana, 1956:47).

Saothair réigiúnacha, más ea, saothair nach dtéann taobh amuigh de theorainneacha an cheantair Ghaeltachta, ó thaobh ábhair nó ealaíne de, atá i mbeagnach gach saothar nuaphróis a tháinig chugainn ó Ghaeltacht Thír Chonaill. Mar a deir Proinsias Mac Cana:

> I litríocht Chúige Uladh, ní raibh caighdeán ar bith, dá laghad a thionchar, taobh amuigh di féin . . . bhí an claonadh i scríbhneoirí Uladh caighdeán dóibh féin agus do chách a dhéanamh dá dtréithe agus dá n-idiosyncracies féin, idir phearsanta agus áitiúil, maidir le ábhar agus teanga. (1956:51)

Taobh amuigh de shaothar nó dhó ó údair eisceachtúla, faighimid na carachtair áitiúla chéanna ó leabhar go leabhar, na téamaí ceannann céanna faoi chaibidil arís is arís eile agus an fhealsúnacht chéanna i leith an tsaoil léirithe tríd síos. Is mór an difríocht idir litríocht Thír Chonaill agus litríocht Chorca Dhuibhne ar an gcaoi sin. Cé gurb iad na cúinsí céanna saoil faoi deara formhór de scríbhneoirí Chorca Dhuibhne dul i mbun pinn d'fhág na scríbhneoirí ar fad a séala féin ar an ábhar a bhí idir lámha acu. Ní hionann an dearcadh i leith an tsaoil a léiríonn siad go léir, agus ní hionann ar chor ar bith láimhseáil na dtéamaí réigiúnacha ina saothair. A mhalairt ar fad a tharla i gCúige Uladh de réir dealraimh. Ansin ba mhó an luí a bhí ag scríbhneoirí leis an aithris, agus an t-athrá ar sheantéamaí; le foirmlí stíle agus easpa éagsúlachta i léiriú na gcarachtar.

De bharr líonmhaireacht na litríochta ón taobh seo tíre ní dhéanfar iarracht déileáil léi ar fad anseo. Ina ionad sin breathnófar go speisialta ar dhá ghné de nuaphrós Thír Chonaill—na dírbheathaisnéisí (le tagairtí chomh maith do na saothair thuairisciúla faoi shaol an cheantair) agus na húrscéalta réigiúnacha, go mór mór úrscéalta Shéamais Uí Ghrianna.[40]

Is iad muintir Mhic Ghrianna—Seosamh agus Séamus—an bheirt is mó saothar i measc scríbhneoirí Thír Chonaill. Ceapann Proinsias Mac Cana gurb iad is cúis le cuid mhaith de shaintréithiúlacht na litríochta ó thuaidh: 'Ní dóigh go mbeadh a leithéid de choincheap agus "litríocht Chúige Uladh" murach muintir Uí Ghrianna. Eatarthu thug siad téagarthacht agus pearsantacht di a d'fhág nea' spléach í méid áirithe ar imeachtaí na Gaeilge taobh amuigh den chúige acu féin' (1956:51).

D'fhoilsigh Séamas Ó Grianna a chéad leabhar sa bhliain 1921, úrscéal dár teideal *Mo dhá Róisín*. Ó shin i leith scríobh sé seacht n-úrscéal: *Caisleáin Óir* (1924), *Tarngaireacht Mhiseoige* (1958), *An Draoidín* (1959), *Ó mhuir go sliabh* (1961), *Suipín an Iolair* (1962), *Bean Ruadh de Dhálach* (1966), agus *An sean-teach* (1968)); cúig chnuasach déag de ghearrscéalta; leabhar bunaithe ar sheanchas Rann na Feirste (*Rann na Feirste* (g.d.)); dhá shaothar dírbheathaisnéise (*Nuair a bhí mé óg* (1942) agus *Saoghal corrach* (1945)), maille le leabhar de chuimhní cinn scríofa i bhfoirm chín lae (*Le clapsholus* (1967)). Is beag an difríocht idir a chéadiarrachtaí agus na saothair dheireanacha dá chuid, rud a léiríonn gur thuig sé go raibh margadh aige agus dá bhrí sin nár ghá dó aon athrú ábhair nó stíle a chleachtadh.

Is mór an difríocht idir Séamas agus a dheartháir Seosamh. Dáiríre, is scríbhneoir eisceachtúil amach is amach é Seosamh i measc scríbhneoirí Thír Chonaill. Cé gur tharraing sé as saibhreas bhéaloideas an cheantair i roinnt dá chuid gearrscéalta tosaigh (Mac Congáil, 1966) agus cé go bpléann sé téamaí áitiúla iontu, d'éirigh leis rian a phearsantachta féin a fhágáil ar gach rud a tháinig óna pheann.

D'fhoilsigh sé dhá chnuasach gearrscéalta—*Dochartach Dhuibhlionna agus scéalta eile* (1925) agus *An grádh agus an ghruaim* (1929). D'fhoilsigh sé an bheathaisnéis *Eoghan Ruadh Ó Néill* (1931) agus cuntas ar thuras a rinne sé go dtí an Bhreatain Bheag—*An Bhreatain Bheag* (1933). Faoin mbliain 1935 bhí an t-úrscéal *An druma mór* scríofa aige agus an bhliain ina dhiaidh sin d'fhoilsigh sé cnuasach d'aistí dár teideal *Pádraig Ó Conaire agus aistí eile* (1936). Sa leabhar sin tá cuntas ar fhilí áirithe ó Chúige Uladh, a scríobh Seosamh i bhfad roimhe sin faoin teideal *Filí gan iomrá* (g.d.). Sa bhliain 1938 d'fhoilsigh Seosamh an leabhar staire *Na Lochlannaigh* agus foilsíodh a leabhar dírbheathaisnéise—*Mo bhealach féin*—sa bhliain 1940. Ag deireadh an leabhair sin tá cuid de phíosa scríbhneoireachta nár chríochnaigh sé riamh—*Dá mbeadh ruball ar an éan*. Ceapann Proinsias Mac an Bheatha (1970) gur scríobhadh an sliocht sin sa bhliain 1935 sular thráigh tobar na scríbhneoireachta i Seosamh. Is léir ón méid seo gur leitheadach na cineálacha litríochta a chleacht Seosamh Mac Grianna agus ní gá ach breathnú ar *Mo bhealach féin* chun sainiúlacht a chuid stíle a thabhairt faoi deara. Cé go gcloíonn sé le nósmhaireacht na linne sa mhéid go raibh *genre* na dírbheathaisnéise á saothrú go tiubh sa Ghaeilge ag an am, níl mórán cosúlachta idir an leabhar seo agus na dírbheathaisnéisí eile a foilsíodh thart ar an am céanna. Níl sé ag iarraidh saol ceantair a léiriú. Ina ionad sin is mó de Sheosamh Mac Grianna féin a fheicimid ná den chineál saoil a cleachtaíodh i nGaeltacht Thír Chonaill le linn a óige mar a thaispeántar i saothar a dhearthár é. Ní raibh Seosamh istigh leis féin ar chor ar bith i Rann na Feirste. Nuair a imíonn sé ar shiúl ón áit sin áfach, is beag an suaimhneas atá i ndán dó ach chomh beag. Tá an coimhthíos a chaithfidh an duine aonarach goilliúnach a fhulaingt i gcomhluadar daoine strainséartha le brath go láidir ar scríbhneoireacht Mhic Ghrianna, go mór mór ar an leabhar *Mo bhealach féin*.

Údair aon leabhair a bhí i bhformhór na ndaoine eile a scríobh dírbheathaisnéisí nó leabhair faoi Ghaeltacht Thír Chonaill agus bhí baint nach beag ag daoine eile le táirgeadh na leabhar a tháinig uathu. Mar shampla, Liam Ó Connacháin, bailitheoir béaloidis, faoi deara an leabhar *Niall Mac Giolla Bhríde* (1939) a bheith ar fáil dúinn. Seán Ó hEochaidh, bailitheoir eile, a scríobh síos *Rotha mór an tsaoil* (1959) ó bhéal Mhicí Mhic Ghabhainn. Scríobh Eoghan Ó Domhnaill síos *Scéal Hiúdaí Sheáinín* (1940) ó bhéal Hiúdaí agus ansin trí bliana déag ina dhiaidh sin d'fhoilsigh sé leabhar dírbheathaisnéise dá chuid féin, *Na laetha a bhí* (1953) ag cur síos ar eachtraí a tharla dó le linn a óige. Scríobh Fionn Mac Cumhaill (Maghnus Mac Comhghoill) naoi leabhar go hiomlán, leabhair do pháistí a bhformhór. Beidh dhá leabhar dá chuid á bplé anseo—*Na Rosa go bráthach* (1939) agus *Gura slán le m'óige* (1967). Cuntas ar an saol sna Rosa atá sa chéad cheann agus cé nach bhfuil cruth na dírbheathaisnéise air tugtar le tuiscint go raibh aithne ag an údar ar na carachtair atá faoi chaibidil ann. Leabhar dírbheathaisnéise amach is amach atá sa leabhar eile, agus cumha i ndiaidh na hóige le brath tríd síos ann.

Tá anáil an bhéaloidis agus an tseanchais le brath ar fhormhór na leabhar atá luaite go dtí seo. Níor tháinig duine ar bith chomh mór faoi thionchar an tseanchais, áfach, agus a tháinig Seaghán Mac Meanman. Gnáthdhuine de chuid na háite ba ea Seaghán. D'fhoilsigh sé an-chuid alt faoi shaol na Gaeltachta sna hirisí Gaeilge ó na fichidí ar aghaidh agus foilsíodh seacht leabhar dá chuid, cnuasaigh ghearrscéalta ina measc. Blúiríní seanchais a bhfuil tábhacht áitiúil ag baint leo atá sna leabhair seo ar fad. Is leor breathnú ar cheann amháin—*Mám as mo mhála* (1940)—chun a thréithe mar scríbhneoir a aithint. Ní dírbheathaisnéis é ach scríobhadh é chun an seansaol sna Gleannta i dTír Chonaill a léiriú —mám d'eachtraí beaga as mála a chuimhne. Cé gur fhoilsigh Mac Meanman a chéad leabhar *Indé agus indiu* sa bhliain 1929, is beag difríocht atá idir é agus a shaothar deireanach *Crathadh an phocáin* (1955). Ach oiread le Séamas Ó Grianna is léir nach ndearna sé aon iarracht ábhar nó stíl a chuid scríbhneoireachta a athrú nó a fhorbairt tar éis dó stíl faoi leith a thaitin leis na léitheoirí ag an am a aimsiú.

Mar a tharla i gCorca Dhuibhne d'eascair gluaiseacht liteartha as na céadiarrachtaí seo a rinneadh chun saol an cheantair a léiriú. Faighimid fiú amháin duine mar Niall Ó Domhnaill, a chaith formhór a shaoil ag aistriú agus ag déanamh obair foclóireachta don Ghúm i mBaile Átha Cliath, ag scríobh leabhair faoi na Rosa—

Na glúnta Rosannacha (1952). Cuntas oibiachtúil a thugann sé dúinn ar stair, ar sheandálaíocht, ar bhéaloideas agus ar thíreolaíocht stairiúil an cheantair.[41] Cé nár eascair an oiread sin litríochta as meath na n-oileán agus a tharla i gCorca Dhuibhne fós níor deineadh faillí iomlán sa ghné sin de shaol na Gaeltachta i dTír Chonaill. Tá dhá leabhar foilsithe a phléann go díreach le cás na n-oileánach ar chósta Thír Chonaill— *Toraigh na dtonn* (1971) le hEoghan Ó Colm agus *Ó rabharta go mallmhuir* (1975) le Seán Mac Fhionnlaoich. Cuntas ar thréithe agus ar shaol na n-oileánach mar a chonacthas do Eoghan Ó Colm iad le linn an ama a chaith sé mar shagart ar an oileán atá sa chéad leabhar díobh seo. Tá spiorad na háite agus dearcadh na n-áitritheoirí léirithe go beacht ag an údar. Is faoi oileán Ghabhla leabhar Mhic Fhionnlaoich. Oileánach ba ea Mac Fhionnlaoich féin agus thuig sé fadhbanna an oileáin agus na fáthanna ar tréigeadh sa deireadh é sa bhliain 1969. Fíonn sé eachtraí óna shaol féin isteach ina chuntas ar shaol an oileáin.

Bhí cúpla scríbhneoir eile ón gceantar a d'fhoilsigh leabhair go luath san aois seo, daoine mar Aindrias Ó Baoighill, Séamas Ó Searcaigh agus Peadar Mac Fhionnlaoich.[42] Is soiléir ón méid atá ráite go dtí seo gur gluaiseacht liteartha atá againn anseo a d'eascair as cúinsí áirithe saoil agus a bhfuil a sainchomharthaí féin aici mar atá ag próslitríocht Chorca Dhuibhne. Arís caithfimid an cheist a chur orainn féin: cén t-aitheantas a fuair an litríocht seo ó Ghaeilgeoirí na tíre? An amhlaidh gur deineadh neamhshuim dá formhór mar a tharla don chuid is mó de phróslitríocht Chorca Dhuibhne? Caithfear a admháil arís i gcás na litríochta seo gur beag an spéis a chuir na léitheoirí Gaeilge inti mar ghluaiseacht liteartha. Rinneadh na gnáthléirmheasanna gairide in irisí agus i nuachtáin nuair a foilsíodh na leabhair i dtosach ach níor deineadh aon suirbhé ginearálta ar litríocht Thír Chonaill mar bhrainse faoi leith de nualitríocht na Gaeilge.

Fuair údair ar leith an-aitheantas go deo ó na léirmheastóirí, Seosamh Mac Grianna go háirithe. Ní iontas ar bith é sin mar is é siúd an t-aon scríbhneoir ó Thír Chonaill ar éirigh leis laincisí an réigiúnachais a chaitheamh uaidh agus litríocht a léirigh intinn an duine a chur ar fáil. Scríobhadh an-chuid alt faoin scríbhneoir féin agus faoina shaothair (mar shampla Ó Faracháin, 1940; Ó Cróiligh, 1962, 1967; Mac Conghail, 1966; Mac an Bheatha, 1970 etc.). Níor deineadh mórán iarrachtaí, áfach, ar anailís chriticiúil a dhéanamh

ar shaothair a dhearthár, cé gur scríobh Séamas i bhfad níos mó
ná mar a scríobh Seosamh. Is iad na hailt is fearr a scríobhadh faoi
Shéamas Ó Grianna ná alt le Diarmaid Ó Doibhlinn (1966) faoi
shaothair Shéamais mar scáthán ar aigne na Gaeltachta agus alt le
Tomás Ó Fiaich (1977) faoina shaothair mar fhoinse don stair
shóisialta. Deir Ó Fiaich faoi:

> dá dtigeadh an lá choíche a chaillfí gach foinse staire ó Rann na
> Feirste i ndeireadh an naoú haois déag—clárleabhair na mbaistí
> agus figiúirí an daonáirimh agus tuarascála na gcigirí scoile agus an
> chuid eile—d'fhéadfaí saothar ar stair Rann na Feirste san aois sin
> a athchruthú as leabhair Mháire a bheadh chomh hiomlán leis an
> méid a cailleadh, agus i bhfad níos bríomhaire, níos spéisiúla agus
> níos daonnúla. (1974:30)

Ina alt faoi nuaphrós Chúige Uladh pléann Proinsias Mac Cana
(1956) an bheirt Ghriannach; tagraíonn sé do Niall Ó Domhnaill,
ach ní luann sé scríbhneoir ar bith eile ó Thír Chonaill. Scríobhadh
corralt anseo is ansiúd faoi dhuine nó beirt de na scríbhneoirí eile,
mar shampla an t-alt le Maolmhaodhóg Ó Ruairc (1968) faoi stíl
Néill Uí Dhomhnaill nó an t-alt le Pearse Hutchinson (1977) faoi
Rotha mór an tsaoil le Micí Mac Gabhann.

Níor deineadh aon iarracht go dtí seo breathnú ar litríocht Thír
Chonaill mar bhailiúchán de shaothair réigiúnacha ó cheantar faoi
leith. Sin é an rud a bheidh á dhéanamh sna caibidlí ina dhiaidh
seo. Ní hionann an scrúdú a dhéanfar ar litríocht Thír Chonaill,
áfach, agus an anailís atá déanta cheana féin ar litríocht Chorca
Dhuibhne. Tá cúpla cúis leis seo. Ar dtús, d'eascair siad ó áiteanna
atá an-difriúil le chéile. Cé gur ceantair Ghaeltachta atá i gceist
sa dá áit agus cé gurb iad na mórathruithe céanna a chuaigh i gcion
ar an saol traidisiúnta, ní hionann ar chor ar bith an bonn geilleag-
rach sa dá cheantar , rud is cúis le han-chuid difríochtaí a bheith
idir an dá ghluaiseacht liteartha. Ó thaobh ábhair agus stíle de tá
an domhan de dhifríocht idir na leabhair a tháinig ón dá cheantar.
Ní hiad na rudaí céanna is ábhar imní don Ultach agus don Chiarr-
aíoch, is léir. Is rud é seo a bhaineann le pearsantacht réigiúnach
agus, ar ndóigh, tá cáil ar an tír seo as ucht na ndifríochtaí atá le
brath ar na daoine ó réigiún go réigiún inti. Chomh maith leis sin,
níor cuireadh litríocht an dá cheantar ar fáil ar an gcaoi chéanna go
baileach, rud a d'fhág a rian ar thréithe na litríochta ón dá áit. I
gcuid a dó den saothar seo pléadh an chaoi ar tháinig litríocht

Chorca Dhuibhne ar an saol, an pháirt a ghlac na heachtrannaigh, na scoláirí Éireannacha agus na béaloideasóirí i dtáirgeadh na leabhar agus an tionchar a bhí ag na daoine seo ar ábhar agus stíl na n-údar a raibh baint acu leo. Ní raibh litríocht Thír Chonaill saor ó thionchair sheachtracha den chineál seo ach an oiread. Is léir ó na leabhair ar fad, mar shampla, go raibh na scríbhneoirí go mór faoi thionchar an bhéaloidis. Fuair beirt acu—Micí Mac Gabhann agus Niall Mac Giolla Bhríde—spreagadh agus cabhair dhíreach ó bhailitheoirí béaloidis agus tá sé le tuiscint ó na réamhráite i gcuid de na leabhair eile gur thuig na scríbhneoirí go raibh rud éigin le rá acu a mbeadh spéis ag daoine taobh amuigh den Ghaeltacht ann—tionchar an Choimisiúin Bhéaloidis arís.

Litríocht Ghaeltachta a bhí á soláthar acu, dar leo, agus is é an rud a thuig siad leis sin ná litríocht bhéil, seanchas an phobail, breactha síos i bhfoirm leabhair. In ionad braistintí an duine aonair agus é ag feidhmiú taobh istigh dá phobal beag dlúth, is éard a fhaighimid i litríocht Thír Chonaill an rud ar thug Ó Doibhlinn 'aigne na Gaeltachta' air. Is litríocht phobail amach is amach í an litríocht réigiúnach a tháinig chugainn ó Thír Chonaill. Feicimid luachanna an phobail tríd síos inti agus is ar éigean a fhaighimid léargas ar bith ar intinn an scríbhneora féin. An t-aon eisceacht sa mhéid sin, ar ndóigh, ná Seosamh Mac Grianna ach ba dhuine eisean nár ghlac riamh leis an saol pobail i Rann na Feirste.

Céard iad na príomhdhifríochtaí, más ea, idir litríocht Thír Chonaill agus litríocht Chorca Dhuibhne? I dtosach, ní fhaightear an loime ná an cruas atá le haireachtáil i saothair údar mar Thomás Ó Criomhthain. Bíonn an Muimhneach ag súil leis an drochrud; tá dearcadh gruama aige ach líonann a chroí le háthas nuair a thagann ga sonais isteach ina shaol. Cuireann an tUltach béim ar an rud pléisiúrtha, an rud sultmhar, brionglóidí na hóige nó amaidí an ghrá mar shampla. Is minic a bhíonn truamhéil ag baint leis, áfach, nuair nach ionann an saol go baileach agus an íomhá atá cruthaithe aige féin de. Déanfar na difríochtaí seo a fhorbairt níos mó ar ball. Is éard atáthar ag iarraidh a shoiléiriú anseo ná nach ionann braistintí na n-údar seo ar an saol agus braistintí mhuintir Chorca Dhuibhne; nach ionann na téamaí réigiúnacha a bhfuil trácht orthu sna leabhair agus nach ionann, dá bhrí sin, an radharc domhanda a léirítear sa litríocht ón dá cheantar. Déanfar anailís ar bhonn feiniméaneolaíoch ar litríocht Thír Chonaill chun na difríochtaí seo a ghrinniú agus a shoilsiú.

Níl ach dhá leabhar againn ó Thír Chonaill a bhaineann le saol oileáin agus pléifear an dá leabhar seo i dtosach, á gcur i gcomparáid agus i gcodarsnacht le saothair eile i mBéarla a rinne cur síos ar bhonn eolaíoch ar shaol na n-oileán céanna. Baineann an chuid is mó de na leabhair leis an gceantar idir Machaire Rabhartaigh agus Gaoth Barra, go mór mór ceantar na Rosann. Pléifear na dírbheathaisnéisí a scríobh daoine ón gceantar sin. Déanfar iarracht aigne an phobail mar atá sé léirithe sna leabhair sin a chur os comhair an léitheora agus na téamaí réigiúnacha atá mar ábhar ag na scríbhneoirí a phlé. Ós rud é gurb iad na saothair réigiúnacha amháin a bheidh faoi chaibidil anseo caithfear *Mo bhealach féin* a fhágáil ar lár mar, cé gur dírbheathaisnéis é agus go bhfuil sé ar chaighdeán i bhfad níos airde ó thaobh na litríochta de ná an chuid is mó de na saothair a bheidh á bplé, is leabhar de chineál eile ar fad é. Níl sé réigiúnach ar bhealach ar bith agus níl aon dlúthcheangal idir é agus an mhórchuid de nualitríocht Thír Chonaill.

Ina dhiaidh sin breathnófar ar úrscéalta Shéamais Uí Ghrianna mar shampla den úrscéal réigiúnach atá faoi shrian ag an suíomh tíreolaíoch ina bhfuil an plota lonnaithe. Scrúdófar ábhar agus stíl na leabhar seo agus léireofar cé chomh spleách agus a bhí Ó Grianna, mar scríbhneoir, ar an traidisiún béil ó thaobh stíle de agus ar na téamaí áitiúla a bhain le saol na Rosann, ó thaobh ábhair de.

Críochnófar an chuid seo den leabhar le caibidil faoi *An béal bocht*. Céard iad na tréithe a phioc Myles ó litríocht Thír Chonaill agus é ag scríobh na haoire sin? Céard iad na difríochtaí idir Corca Dhuibhne agus na Rosa, i súile Myles? Agus cén úsáid a bhain sé as téamaí na dírbheathaisnéise mar a fhaightear i litríocht Thír Chonaill iad?

Caibidil 14

Ó RABHARTA GO MALLMHUIR— RADHARC Ó NA HOILEÁIN

Now a necklace of dead islands is strung along the coast. The process of decay varied from island to island. There was this in common, the Islanders were a remnant of history for whom Irish life had no further use.[43]

Tá rud éigin faoi oileáin a tharraingíonn aird orthu. Tá rud éigin sainiúil faoin tsibhialtacht a chothaíonn siad agus is minic a chuireann lucht litríochta spéis iontu agus sa siombalachas a ghabhann leo. Deir Thomas Mason faoi oileáin:

I am not sure why islands possess such a fascination for many people, but the fact remains that they do. Artists, literary men and even millionaires, take up their abode on isolated islands and find there a retreat from the clamour and din of modern civilisation, where their spirits can expand and where the primitive virtues and values of mankind are not swamped in a material world which has, to a large extent, lost its soul. (1936:3)

Tá socheolaithe, chomh maith, ag cur spéise sna hoileáin thiar. Breathnaíonn siad ar áitritheoirí na n-oileán seo mar iarsmaí de shibhialtacht a bhí faoi réim anallód cois farraige ar chóstaí iartharacha na hEorpa. Rinne Messenger (1969), mar shampla, anailís antraipeolaíoch ar phobal Árann. Rinne an socheolaí Hugh Brody (1969) anailís ar staid an oileáin Ghabhla roimh thréigean an oileáin sin agus rinne Robin Fox (1962; 1978) anailís shocheolaíoch den chineál céanna ar phobal Thoraí.[44] Níor ghlac muintir na n-oileán sin leis an dearcadh a bhí ag na 'strainséirí' fúthu. Seo mar a mhíníonn Eoghan Ó Colm an scéal:

Difríocht mhór amháin atá eatarthu, nach bhfuil fáilte ar bith ag strainséirí in Inis Bó Finne—go háirithe scríbhneoirí agus lucht na bpáipéar. Níl bac ar bith orthu i dToraigh, cinn go ndeir siad gur ag bunadh an oileáin atá an ceart agus nár cheart scríbhneoirí a ligean isteach nuair nach scríobhann siad an fhírinne. Go minic ní gnóthaí fírinne atá i gceist, sílim, ach go díreach nach dtuigeann strainséirí nádúr agus saol na n-oileánach cé go measann siad féin a athrach. (TT:256)

Tá an t-ádh orainn, más ea, go bhfuil dhá leabhar againn as Gaeilge

141

faoin dá oileán is mó agus is tábhachtaí ar chósta Thír Chonaill—
TT faoi oileán Toraí agus RM faoi Ghabhla.⁴⁵

Faighimid léargas ó na leabhair seo ar shaol an oileáin ón taobh
istigh. Sagart a chaith roinnt blianta i measc mhuintir Thoraí is ea
Eoghan Ó Colm agus fear de chuid Ghabhla féin is ea Seán Mac
Fhionnlaoich. Míníonn Mac Fhionnlaoich an fáth ar scríobh sé an
leabhar agus is fiú dúinn é seo a mheabhrú agus sinn á chur i
gcomparáid le tuairiscí na n-eolaithe:

> Scríobh F. H. A. Aalen agus Hugh Brody as ollscoil Oxford leabhar
> faoi Ghabhla 'Gola' ar fhás agus ar mheath an oileáin ó 1850 anuas,
> ar shaol agus ar bheatha eacnamaíochta na ndaoine agus ar a bhás
> ach chuaigh siad ar seachrán go mór mar ní raibh aithne acu ar
> mhuintir an oileáin, níor thrácht siad ar an saol sóisialta, nó ar an
> ghreann agus ar an gháire nó ar an bhrón agus ar an chrá chroí, ach
> chlaon siad ar fad le hannála poiblí. (RM:3)

Bhí seisean ag iarraidh an fhírinne a nochtadh faoi shaol na n-oileán:

> Iarracht í seo le caoga bliain de shaol an oileáin a insint mar chonaic
> mise é, an greann agus an gáire, an brón agus an crá croí ina saol,
> daonnacht agus nádúr na ndaoine a léiriú le scéalta, an dúil a bhí acu
> i spórt agus i gcuideachta, a mbród agus dul chun cinn, agus na
> fáthanna ar fhág siad an t-oileán, i ndeireadh na dála. (RM:3)

Cé gur rugadh agus tógadh Seán ar oileán Ghabhla, ba dhuine é a
d'fhág an t-oileán agus dá bhrí sin níl daille an áitritheora ag baint
lena chuntas.

Sa chaibidil seo pléifear pearsantacht an dá oileán seo mar a
léiríonn na scríbhneoirí Gaeilge í—an phearsantacht dhaonna agus
pearsantacht na háite féin agus an ceangal a fheictear do na scríbh-
neoirí a bheith idir an dá rud seo. Breathnófar ansin ar radharc
domhanda na n-oileánach. An bhfuil an duairceas agus an ghruaim
chéanna ag baint leo agus a bhain le muintir an Bhlascaoid Mhóir,
mar shampla? Ansin tabharfar sracfhéachaint ar na téamaí réigiún-
acha atá le fáil sna leabhair. Déanfar tagairt do shaothair na
socheolaithe sa mhéid go gcuireann siad le léargas na scríbhneoirí
Gaeltachta.

(a) Pearsantacht oileáin—na daoine

Níl amhras ar bith ná gurbh éagsúil ar fad an saol a bhí ar na
hoileáin thiar. Go dtí gur tréigeadh iad, ba iontu a caomhnaíodh

na seantraidisiúin agus, chomh maith leis sin, na seanluachanna ba
bhun leis na traidisiúin sin. Nuair a théimid 'siar' in Éirinn is ag
dul siar ó thaobh ama atáimid freisin. Ghlaoigh E.
Estyn Evans, 'a
storehouse of the past' ar iarthar Thír Chonaill mar go bhfuil an
oiread sin iarsmaí den chultúr ársa le fáil ann. Deir sé: 'In the north
of Ireland the culture-lag, already apparent in the northeast, in-
creases towards the west: the centuries fall away as one approaches
the Atlantic, and to journey from east to west is to travel into the
past' (1939:207). Luann Robin Fox an rud céanna: 'The sheer
inaccessibility of the place has meant that patterns almost gone
from Ireland—or from peasant Europe generally—survive' (1978:x).
Ba liosta le lua na tagairtí do sheaniarsmaí atá le fáil in RM agus
TT. Is leor a rá go n-éiríonn leis an mbeirt údar pictiúr iomlán den
seansaol a bheachtú dúinn gan aon leithcheal a dhéanamh ar an
saol comhaimseartha ach an oiread. Éiríonn le Mac Fhionnlaoich
é seo a dhéanamh trí chuid den leabhar a scríobh i bhfoirm an
chomhrá. Cuireann sé na daoine ag caint lena chéile agus is trí
mheán a gcuid cainte a fheicimid an cineál saoil a chleacht siad—
an cineál iascaireachta a bhíodh á dhéanamh acu; a gcuid bia; na
seanleigheasanna, piseoga etc.

Bhreathnaigh Eoghan Ó Colm ar na seaniarsmaí mar shuáilcí.
Deir sé linn, mar shampla, gur chleacht muintir Thoraí an 'comhar'
nuair a bhí an nós á chaitheamh i leataobh i go leor áiteanna ar fud
na tíre: 'níl feidhm d'aon fhear i dToraigh fear ceirde a fháil as tír
mór lena chuid oibre a dhéanamh. Má tá teach le cur suas, tógfaidh
sé féin é, agus gheobhaidh sé cabhair ó na comharsana' (TT:295).
Bhí an comhoibriú riachtanach i bpobal beag fuinte mar phobal an
oileáin agus bhí na scileanna ag na daoine chun teacht i gcabhair
ar a chéile. Seo duine de mhuintir Thoraí ag iarraidh ar an Athair
Ó Colm cuidiú leis agus é ag tógáil tí:

> 'Bhail', arsa seisean, 'tá Tomás agus Aodh ag dul a ghearradh an
> chinn an chéad lá maith; tá Pádraig thiar anseo ag déanamh na
> bhfuinneog agus bhí mé ag smaoineamh, má tá an t-am le sparáil
> agat féin, go ndéanfá cúpla doras?'
>   Ní raibh orm ach lúcháir cuidiú leis. Agus sin mar a théann saol
> an Oileáin ar aghaidh, gach aon duine ag tabhairt lámh chuidithe
> don duine eile. (TT:295)

Is mar thoradh ar an oileánachas féin a d'fhan iarsmaí den sean-
chultúr ann fiú amháin nuair a bhí siad ag imeacht ón gcuid sin den

mhintír a bhí taobh leo. Thuig Ó Colm, míntíreach é féin, gur mar sin a bhí:

> Tríd an cheol agus an damhsa thuig mé nach mbeadh na sean-amhráin seo le cluinstean ach ab é go raibh Toraigh chomh scoite is a bhí sé. Thuig mé dá mbeadh Toraigh níos deise don tír gur san uaigh a bheadh an oidhreacht seo, stór luachmhar a chuir na sean-daoine le chéile dúinn. (TT:254-5)

Deir Mac Fhionnlaoich linn nach raibh teach pobail nó sagart (13) dochtúir nó banaltra (16), teach leanna nó teach ósta (17), le fáil ar an oileán. Chomh maith leis sin, bhí siad níos deireanaí ná muintir na tíre ag fáil an 'dole' (22).

Cibé nuacht a tháinig ón taobh amuigh ba trí mheán fhear an phoist a tháinig sé (RM:72). Amhail muintir an Bhlascaoid bhí a nDáil féin acu agus iad in ann cúrsaí an domhain mhóir a chur trí chéile inti (RM:72). Ach oiread le muintir an Bhlascaoid Mhóir freisin, níor íoc siad cáin ar bith (TT:216). Bhí siad beag beann ar mhuintir na hÉireann agus rinne siad an t-idirdhealú céanna idir Éireannaigh agus Oileánaigh agus a rinne na Blascaodaigh. Daoine ar leith a bhí iontu, rud a thug Eoghan Ó Colm faoi deara chomh luath agus a tháinig sé ina measc:

> Níorbh fhada dom san Oileán gur thuig mé go raibh mé i measc daoine ar leith, daoine iontu féin. Chuala mé an tréith sin maíte sular sheol mé fad leo agus fuair mé cruthúnas air gach lá dar chaith mé ina gcuideachta. Thuig mé fosta nárbh iontas ar bith fearg a bheith orthu faoi altanna sna páipéir ina dtaobh; altanna ó strainséirí agus lucht Béarlachais ó am go ham, scríbhneoirí nár thuig saol an Oileáin ná tréithe na n-Oileánach. Tá fuath na ndaol acu ar scríbhneoirí de thairbhe sin, agus ní nach ionadh. (TT:131)

Thóg siad roinnt mhaith de na nósanna atá acu ó thír mhór, arsa Ó Colm, ach chuir siad a séala féin orthu agus iad amuigh in uaigneas an oileáin:

> D'fhág an scoiteacht agus an t-uaigneas na daoine seo i muinín an damhsa agus an cheoil, cuid mhór de a ghoid siad ar tír mór ach a chothaigh agus a thóg siad go cúramach i dToraigh—agus a bhfuil a ndúil agus a mbród ann le feiceáil go soiléir oíche dhamhsa. (TT:255)

Ní hionann a n-eispéireas agus iad i ngleic leis an saol agus eispéireas lucht míntíre. Mar shampla: 'Tá sé riachtanach againn cuimhneamh nach ionann stoirm tíre agus ceann oileáin, nó cibé ar bith, oileán scoite mar atá Toraigh' (TT:124). Bíonn olc ar na hoileánaigh nuair a labhraíonn míntírigh fúthu ar bhealach aineolach neamhthuisceanach:

> Deir bunadh na mórthíre gur dream corr agus daoine iontu féin iad. Tá sé fíor go leor gur daoine iontu féin iad, ach níl siad corr. Níl de dhifear ann ach gur scoith muintir na tíre iad féin ar shiúl ón saol atá i dToraigh. D'imir siad feall ar an seanam agus ar na seandaoine a chruthaigh é. Chaith siad amach an seantrioc agus thug isteach stuif úr, agus is acusan, sílim, atá an leasainm tuillte agus ní ag bunadh Thoraí. Leis an bhail atá orthu anois níl an seanam ná an t-am úr acu. (TT:46)

Ní dheachaigh na hathruithe saoil a bhí ag tarlú sa chuid eile den tír i bhfeidhm ar phobal an oileáin. Ní raibh siad ag cur saol an oileáin i gcomparáid leis an saol in áiteanna eile agus, dá bhrí sin, bhuail fearg iad nuair a thosaigh strainséirí ag déanamh amhlaidh:

> Siocair iad a bheith chomh scoite agus atá, agus gan mórán caidrimh acu leis an saol mór, fágann sin faichilleach agus amhrasach iad fosta faoi dhaoine nach dtuigeann siad, iad cúramach ina bhfreagraí agus druidte faoi eolas a thabhairt do dhaoine atá ag cuardach eolais le cur os coinne an tsaoil. (TT:305)

Cé go raibh Ó Colm féin ag maireachtáil ina measc ar feadh sé bliana d'airigh sé nár chuid den phobal ar chor ar bith é:

> Bhuail sé mar arraing mé go raibh sé bliana caite agam féin i measc na ndaoine seo, ag obair agus ag iascaireacht ina gcuideachta, ag comhrá agus ag éisteacht leo fá na tithe, na cladaí agus na cuibhrinn, ach i ndiaidh sin agus uile gur bheag mo thuiscint orthu. Gan dabht ar bith tuigeann siad féin a chéile, ach tá sin intuigthe go leor agus gur fhás siad suas sa doras ag a chéile, agus gur ionann gléas beatha do theaghlach agus teaghlach. Tá na tithe uile i mullach a chéile, na sealbhóirí bunús uile gaolmhar lena chéile, agus in áit gnáth-shráid-bhaile beag, tá sé níos cosúla le teaghlach mór amháin . . . spreagann an muintearas agus an dáimh dílseacht agus báúlacht i measc na ndaoine nach bhfuil furasta a pholladh. Dá fhad fear tíre ina measc is é is soiléire an pointe seo dó. (TT:304)

Is fiú dúinn é seo a mheabhrú agus sinn ag léamh leabhair nó tráchtais ar bith faoi shibhialtacht an iarthair in Éirinn. Chothaigh an t-oileánachas an dlús agus an meon cosantach atá ag na daoine. Ós rud é gurbh áit faoi leith an t-oileán ba dhream faoi leith na hoileánaigh. Seo mar a léiríonn Peadar O'Donnell an smaoineamh céanna: 'A crowded island was a special kind of townland. It was more than a scatter of houses. It was Our Island. This Island. How could it be else when one night of storm and the boats out made one heart of all its people?' (1975:8).

Caithfimid smaoineamh ar an rud a thugamar faoi deara agus sinn ag iniúchadh litríocht Chorca Dhuibhne—go raibh nasc diamhair idir an áit féin agus na háitritheoirí, gurbh ionann iad ar bhealach agus gur bhronn siad araon tréithe sainiúla ar a chéile. Breathnófar anois ar an spiorad áite mar atá sé léirithe sna leabhair seo, ag tagairt go speisialta don chaoi a ndeachaigh sé seo i gcion ar mhuintir an oileáin.

(b) *Pearsantacht oileáin—an áit féin*

Éiríonn leis an mbeirt scríbhneoirí seo spiorad na háite a aimsiú agus a léiriú go beacht dúinn. Léiríonn Mac Fhionnlaoich diamhaireacht na timpeallachta ar oileán mara agus an chaoi a dtéann an t-atmaisféar seo i gcion ar na hoileánaigh:

> Tá faire na hoíche i lár na h-aibhéise fada uaigneach, ach tá draíocht fan fharraige. Tá sí tarraingteach, meallacach, cuireann sí duine faoi gheasa, cuireann sí mothú coimthíoch i do chroí, bíonn tú níos cóngaraí do Dhia, agus don tsíoraíocht agus ar dhóigh éigin bíonn tú scartha ón tsaol seo. (RM:102)

Nascann sé an radharc atá os a chomhair amach leis an spioradáltacht go minic. Seo é ag cur síos ar an radharc ón mbád a bhí ag dream oileánach agus iad ar a mbealach ar ais go Gabhla i ndiaidh bhabhta iascaireachta:

> B'iontach agus ba mheallacach an radharc a bhí romhainn, cnoic arda mhaorga ó Fhánaid go hÁrainn isteach uainn, an spéir ag déanamh a scíste ar a nguaillí, Toraigh na dTonn ina shuí go státúil ar ár ngualainn, Inis Bó Finne ag éirí aníos as an fharraige, Gob Chnoc Fola thiar udaí ag fanacht linn, soitheach mór ag nochtadh amuigh ag bun na spéire agus corrbhád bradán idir muid féin agus an tír mhór ar an turas chéanna linne.
> Bhí Rí na nEalaíontóirí ag dathú na radharcanna ba dheise a chonaic súil riamh, bhí sonas agus pléisiúr orainn nach raibh saolta agus bhí Rí na Glóire dár gcomóradh abhaile. (RM:103)

Téann timpeallacht an oileáin i gcion go mór ar Eoghan Ó Colm nuair a shroicheann sé i dtosach é:

Chonaic mé ar gach taobh díom carraig rite lom, gan athrach ach
cibé roic a ghearr an aimsir agus an tsíon agus caitheamh na n-aois-
eanna ina chraiceann—rianta, áfach, nár laghdaigh bláfaireacht a
hóige ach a d'fhág boladh taitneamhach milis ag éirí aisti, a éiríonn
as an leathach nó as an tsáile maidin úr shamhraidh. Bhí anam agus
beatha ag broidearnach anseo nár mhothaigh mé riamh go dtí sin.
Má bhí an charraig aosta féin bhí gné na hóige uirthi i gcónaí.
(TT:39)

Samhlaítear an t-oileán mar áit bhuan dó agus leagann sé an-bhéim
go deo ar an nasc idir an timpeallacht agus tréithe na ndaoine. Is í
an teanga féin an t-idirghabhálaí, dar leis. Tugann sé go leor samplaí
dúinn de nósmhaireachtaí cainte a bhaineann le canúint an chean-
tair, agus deir sé:

Tá mé cinnte go bhfuil saibhreas focal agus téarmaí den chineál seo
á n-úsáid gach lá againn, ach nach dtugann muid faoi deara an gaol
atá acu le smaointe agus dearcadh na seanaimsire. Níl anseo ach
dornán beag acu, dornán beag a léiríonn go follas an nasc sin, nasc
nach feasach muid é, agus an glas-lámh atá ag na dúile orainn—aer,
uisce, teas, agus talamh—na ceithre mháistir atá ar iompar linn, as a
bhfuil muid múnlaithe agus ina muinín de réir an dlí nádúrtha, gach
nóiméad de gach lá agus ár mbeatha crochta as gach ceann den
cheathrar acu in am agus i dtráth. (TT:46)[46]

Samhlaítear dó go bhfuil canúint Thoraí éagsúil le canúintí na
gceantar eile i nGaeltacht Thír Chonaill agus is í an timpeallacht is
cúis leis, dar leis:

Ní Gaeilge bhlasta bhinn í cosúil leis an Ghaeilge i gceantar na
gCruach; sin an chanúint is ceolmhaire dár chuala mé riamh, sílim.
Ach labhraíonn siadsan go mall agus baineann seinm as na gutaí.
Nó níl sí chomh gealgháireach ná chomh glórach le Gaeilge Chloch
Cheann Fhaolaidh, Ghaoth Dobhair, agus na Rosann; ach ar
ndóigh, tá an saol níos réidhe faoi na cladaí sin anois. Ní bhaineann
bunadh Thoraí ceol binn as a gcomhrá. Mharaigh an alltacht, an
ghairbheacht, agus an fiántas binneas ar bith dá raibh ina gcanúint
agus thóg sí blas na gaoithe, na stoirme, agus na goirtíneachta.
(TT:297-8)

Áit lom í Toraigh agus tá an loime chéanna le haireachtáil i gcanúint
na ndaoine ann. Níl ceol na n-éan le cloisteáil ann agus níl an chaint
ann ceolmhar ach an oiread. Tá gairbhe na gaoithe agus suaimh-
neas na cille ag guailleáil lena chéile i gcanúint na n-oileánach:

Tiocfaidh cosairt ar an chladach agus rachaidh na clocha duirlinge a chnagarnach, agus ní thig a rá nach bhfuil tionchar ag na tréithe seo ar nádúr agus ar ghlór na ndaoine atá ina gcomharsana acu gach lá dá saol.

Áit ar leith í Toraigh, aicme iontu féin a teaghlach, agus a gcanúint ag cur leis. (TT:298)

An suíomh fisiciúil agus an suíomh stairiúil faoi deara éagsúlacht na n-oileánach ar na cóstaí thiar. Agus é ag tagairt do chuid de na sean-deasghnátha a bhíodh á gcleachtadh i dToraigh agus ar oileáin eile ar fud an chósta, deir Ó Colm:

Mar eireaball ar an chuntas seo ba mhaith liom a dhearbhú go mbeadh sé contráilte againn smaoineamh nó cinneadh gur cás scoite aonarach deasgnáth an Ghlacaigh agus an Turais Mhóir, agus muintir Thoraí a dhaoradh i ngnás a bhí fada leitheadach in Éirinn agus i dtíortha eile fosta. (TT:95)

Bhí an tseansibhialtacht calcaithe ar oileán Toraí, áfach, nuair a bhí fórsaí ón taobh amuigh ag cur deiS leis in áiteanna eile nach raibh chomh fada sin siar. Cén chaoi a ndeachaigh saol traidisiúnta an oileáin i bhfeidhm ar radharc domhanda na n-oileánach? Céard iad na tréithe a chothaigh an t-oileánachas iontu? Agus arbh ionann a ndearcadh ar an saol agus dearcadh mhuintir an Bhlascaoid Mhóir? Déanfar na ceisteanna seo a chíoradh anois.

(c) *Radharc domhanda*

Bhí an saol crua céanna acu ar na hoileáin ar chósta Thír Chonaill agus a bhí acu ar na hoileáin eile ar an gcósta thiar agus tá an fhoighne agus an fhulaingt le léamh ó na cuntais a thug na húdair seo dúinn. Bhí gá leis na tréithe seo i bpobal a bhí ag brath ar an bhfarraige chun slí bheatha a bhaint amach. Glacann siad leis an gcinniúint fiú amháin nuair is droch-chinniúint a chastar leo. Seo mar a chuireann Mac Fhionnlaoich síos ar bhás oileánaigh ar an bhfarraige. Fuarthas a chóta i gcurach a tháinig isteach i mbéal trá:

D'aithin sí an cóta. Bhí a fhios aici gurbh é cóta a dhearthár, Jimí, a bhí ann, bhain an baile amach agus d'inis an scéal dá céile Micí, nó is rómhaith a bhí a fhios aici gur bádh Jimí. Chuaigh siad caol díreach go Gabhla, agus nach aici a bhí an scéal truacánta le hinsint dá teaghlach. Chuaigh Jimí go tír mhór an tráthnóna roimh ré, níor phill sé, ba leis an cóta a bhí sa churach, bhí an duine bocht caillte, bhí an t-oileán ag caoineadh, ach ní dúirt Hughie Mór, an t-athair, ach 'toil Dé go raibh déanta!' (RM:115-6)

Níl na tagairtí don mhí-ádh ná don chruatan leath chomh flúirseach sna leabhair seo, áfach, agus atá siad i leabhair an Bhlascaoid Mhóir. Is í an ardmheanma an tréith is suntasaí, agus an bród is an fhéinmhuinín a d'eascair ón gceangal a bhí idir na daoine agus an t-oileán leis na cianta. Seo mar a léiríonn Ó Colm an bród dochreidte seo a bhain le muintir Thoraí, go mór mór nuair a d'airigh siad iad féin faoi ionsaí ag daoine nár thuig iad:

Ní bacaigh ná lucht siúil iad ach oiread le muintir na tíre. Ní zú é an t-oileán ná ní ainmhithe a áitreabhaigh le staidéar ag strainséirí trí bharraí iarainn, agus níl adharca ar bith orthu ach oiread. Ach daoine iad atá díomasach, beadaí, bródúil, agus ar a gconlán féin mar is dual agus is dúchas don sliocht. (TT:127)

Thug Robin Fox an rud céanna faoi deara i dToraigh:

This sense of island identity is very strong and noticed by outsiders; there is a terrible sensitivity that it is almost impossible not to offend in the defensiveness that the people feel about themselves and their much misunderstood 'customs'. But there is a pride also in being a 'Tory man' that will be asserted, with fists if necessary, against all comers. (1978:28)

Samhlaítear an t-oileán mar áit rómánsúil atá saor ó pheacúlacht an domhain mhóir. Seo mar a léiríonn Ó Colm an tionchar a bhí ag an oileán air:

Agus b'fhéidir fosta go bhfuil mé féin ag brionglóideach—nó áit aislingeach í seo. B'fhéidir gur chuir síóg biorán suain ionam, nó gur thóg Manannán a shlat os mo chionn, nó áit í seo a bhfuil scíste ag an gcolainn agus faoiseamh ag an intinn, áit a bhfuil an saol mór faoi dhearmad, nach dtig le buaireamh, brón ná anacair seasamh ann, áit atá sa dara doras ag an tsíoraíocht. (TT:22)

Is mór an difríocht idir an cuntas seo agus an rud a léiríonn Tomás Ó Criomhthain—uafás an tsaoil in áit a raibh na daoine ag broic leis an gcinniúint gach lá dá saol. Déantar ardmholadh ar shuáilcí an tseansaoil sa dá leabhar, rud atá coitianta sna dírbheathaisnéisí ar fad, go mór mór sna dírbheathaisnéisí a scríobh seandaoine a bhí ag druidim le deireadh a saoil agus a chonaic an-chuid athruithe.

Cuireann Seán Mac Fhionnlaoich na tuairimí seo faoin seansaol i mbéal seandaoine agus, mar a luadh cheana, is comhrá idir é féin agus cuid de bhunadh an oileáin atá i gcuid mhaith dá leabhar. Seo é ag caint le hÉamonn Tharlaigh Mhicí, an duine ba shine ar an oileán:

'A Éamainn', arsa mise leis lá amháin, 'cad é an sórt saoil a bhí ag na gasúir i nGabhla nuair nach raibh ortsa ach slat de chóta?' 'Tá cuimhne mhaith agamsa ar na laethanta sin', arsa Éamann, 'i bhfad níos fearr ná ar an saol le fiche bliain anuas. Bhí saol breá againn, sin an rud a shíl mise san am, ach ceart go leor ní raibh sé ar dhóigh ar bith cosúil leis an saol atá ag páistí an lae inniu. Ní rabhamar millte, bhí smacht orainn agus bhí orainn cuid mhór timireachta a dhéanamh fán bhaile'. (RM:45)

Leanann sé ar aghaidh ansin le cuntas an-mholtach ar fad ar an seansaol. Luaitear Críostúlacht mhuintir an oileáin go minic. Tháinig siad i gcabhair ar a chéile i gcónaí, tréith a bhí fíor-thábhachtach i bpobal beag scoite mar é: 'Ach bhí fir garach—bhíodh scaifte d'fhir óga i gcónaí ligthe leis an turas a dhéanamh, ní bhíodh ganntanas cuidithe orthu agus ní fhágtaí an duine tinn gan dochtúir nó sagart' (RM:16).

Níl puinn de dhrochthréithe an mhíntírigh ag baint leis na hoileánaigh, dar le Ó Colm:

Caithfidh mé a rá i dtús báire, agus sin go teannta, nach ionann an dearcadh atá acu ar an saol agus atá ag muintir na hÉireann. Tá a ndearcadh níos spioradálta, níos Críostúla. Ní ag cur trom atá mé anois ar lucht na tíre; ní bheadh sin cóir, mar nach ionann staid ná riocht don dá dhream. Oileán bocht scoite ceann acu agus tír fhairsing shaibhir an ceann eile. Níor rug saint an tsaoil ar bhunadh Thoraí, ná tóraíocht an airgid; tá siad sásta leis an bheagán, ón láimh go dtí an béal. (TT:131)[47]

Tá laochas áirithe ag baint le saol na n-oileánach agus tá an-trácht ag Mac Fhionnlaoich ar chuid de na gaiscígh a bhí ina gcónaí san oileán lena linn. Nuair a ghnóthaigh fir ón oileán an chéad áit i gcomórtas rásaíochta ba ócáid mhór í do mhuintir Ghabhla:

An té a bheadh ag éisteacht leo mheasfadh sé nach raibh a leithéid de ghaiscígh ann ó aimsir Fhinn agus na bhFianna. Chaithfí an bua mór seo a cheiliúradh, chaithfí a thaispeáint go raibh muintir an oileáin bródúil as na laochra seo. . . . (RM:131)

Bhí tábhacht ar leith ag baint le rásaí na gcurachaí mar bhí na hoileánaigh ábalta a gcumas ar an bhfarraige a léiriú iontu. Ba bheag a spéis i gcaitheamh aimsire mar pheil, rud a bhí míntíreach ó bhonn: 'Ach ní raibh an tsuim chéanna ag na seanbhoic sa pheil; ní raibh baint aige leis an fharraige, ní raibh sé dúchasach' (RM:161). Cuireann Mac Fhionnlaoich an-chuid de 'laochra' an oileáin in aithne dúinn, daoine a raibh spiorad an oileáin go smior iontu. Seo mar a léiríonn Ó Colm duine dá leithéid—Séamas Mac an Bhaird:

Scéal corrach a bheadh i scéal Thoraí gan focal nó dhó ar Shéamas Mac an Bhaird, an scríbhneoir, an file, an t-aisteoir, an damhsóir agus an gaiscíoch. Rí-oileánach a bhí san fhear, fionnrua, ard, leathan deachumtha dóighiúil, a urra ag cur lena mhéid, a fhuinneamh ag cur lena dhath agus a thréithe intleachta agus pearsanachta, a ghrá tíre agus teanga chomh suntasach tréan lena ghné agus a chosúlacht. (TT:141)

Agus laochra áitiúla mar seo ina measc an aon ionadh é go raibh meon an-dearfa ag muintir an oileáin faoin saol. Ní fhaighimid aon rian den duairceas atá le brath sna leabhair ón mBlascaod. Ina ionad sin tá dóchas acu i gcónaí agus muinín acu as a gcumas féin. Seo é an cur síos a dhéanann Robin Fox ar an dearcadh seo a bhí acu i leith an tsaoil: 'There is almost a careless sense of a gamblers defiance of the odds in their attitude, which is, contrary to mainland notions, far from magical and superstitious. They are a pious people, but pragmatic' (1978:27). Cé gur tréigeadh Gabhla sular foilsíodh leabhar Mhic Fhionnlaoich, tá seisean dóchasach chomh maith. Bhíodh cuid de na daoine ag filleadh ar an oileán ón míntír i rith an tsamhraidh agus cinneadh gur chóir buaine éigin a bhronnadh ar shibhialtacht an oileáin trí chumann a eagrú:

Ach tháinig cuid againn le chéile, bhunaíomar Cumann Ghabhla, chun go mairfeadh an muintearas, an cairdeas, an comh-oibriú agus an dámh a bhí ansin ó chuir an chéad duine cos ar an oileán, chun go mbeadh oícheanta siamsa agus cuideachta againn anois agus arís, chun tacaíocht a thabhairt dá chéile agus chun déanamh cinnte nach gcaillfimis seilbh air. . . . Tá saol úr i ndán do na h-oileáin, mura bhfuil mise meallta. (RM:171)

Léiríonn sé seo an soirbhíochas láidir a bhain leis na hoileánaigh seo. Tá sé dochreidte go bhféadfaidís todhchaí shona a shamhlú don oileán fiú amháin i ndiaidh é a bheith tréigthe. Tá a gcroíthe

fós san oileán agus, dá bhrí sin, ní scarúint iomlán é. Níl an nasc a
bhí idir na hoileánaigh agus an dúlra chomh docht agus a bhíodh
sé, áfach. Ba chuid lárnach de shaol an oileánaigh an chuid sin dá
shaol a chaith sé ar an bhfarraige, mar shampla, agus bhraith siad
uathu í agus iad ar thalamh tirim: 'I ndiaidh príosúnacht ar talamh,
cúpla seachtain, is iontach an biseach a dhéanann cuairt ar leabacha
an éisc d'intinn agus do cholainn duine' (TT:202). Tá samplaí
d'fhealsúnacht an iascaire le fáil sa dá leabhar seo. Tá saol an
oileáin ag brath ar an iascaireacht agus dá bhrí sin múnlaíonn an
fharraige agus an aimsir eispéireas laethúil an oileánaigh:

> Is í an fhuinneog an chéad rud a dtabharfaidh fear oileáin a aghaidh
> ar maidin air—go mbainfidh sé lán a dhá shúil as an fharraige. Má
> chastar duine air idir sin agus tráthnóna déanfaidh sé a chomhrá
> leis agus a aghaidh uirthi. Tá sé ag iarraidh cluas a thabhairt don
> scéal agus ise a choimhéad san am céanna. Agus, ar ndóigh, is é an
> t-ábhar a bhíonn á phlé, an aimsir agus an fharraige. (TT:203)

Is soiléir ón méid seo go bhfuil dearcadh ag muintir na n-oileán
seo ar an saol atá difriúil ar fad le gnáthdhearcadh mhuintir na
hÉireann, go mór mór sa lá atá inniu ann. Feicimid an ceangal
docht idir na daoine agus a n-áit chónaithe, tréith a bhain le pobail
thraidisiúnta ach atá ag imeacht go tiubh anois ar fud an domhain
mhóir de réir mar a théann an nua-aimsearthacht i gcion fiú ar na
réigiúin is iargúlta.

(d) *Domhan an oileáin faoi bhrú*

Tugaimis sracfhéachaint anois ar an bhfianaise ó na leabhair seo
den athrú saoil a bhí ag bagairt ar na háiteanna seo in ainneoin
dhlús na sibhialtachta a chleacht siad agus in ainneoin an chomh-
aitheantais a bhí acu orthu féin mar aonad féinchothaitheach.
    Chomh luath agus a thosaigh na hoileáin ag éileamh rudaí ón
taobh amuigh thosaigh siad ag déanamh comparáide idir iad féin
agus an domhan taobh amuigh. Ba í an mhórthír a bhí gar dóibh
an áit ba mhó a raibh caidreamh acu léi agus dá bhrí sin ba í siúd
an chéad slat tomhais agus iad ag breithniú a gcáis. Tá neart tagairtí
sna leabhair do na nithe sin a bhí ar an míntír nach raibh le fáil ar
an oileán agus don chorrgheábh a dhéanfadh na hoileánaigh chuig
an tír mhór chun na rudaí sin a bhlaiseadh (mar shampla, na

tábhairní, na rincí etc.). Mar gheall ar iad a bheith scoite amach bhí costas breise ar earraí le híoc ag na hoileánaigh chomh maith:

> Tá costas le stoc agus bia a fháil go Machaire Rabhartaigh agus ó sin go Toraigh. Fágann sin gach earra níos daoire fosta. Beidh daoine ag ceasacht faoin chorrlach seo ar iasc agus ar bhia ar an oileán, ach níl neart air sin. Gaimbín é atá le híoc ag gach duine arb í a phribhléid í a leaba a chóiriú ann. (TT:13)

Is léir, áfach, nach raibh muintir na n-oileán thiar ar fad sásta cur suas le míbhuntáistí na n-oileán nuair a chonaic siad an chaoi a raibh an saol ag feabhsú ar an míntír. De réir mar a d'athraigh cúinsí an tsaoil ar an míntír, rinne na hoileánaigh comparáid idir an saol sin agus saol an oileáin agus chonacthas dóibh gur suarach an áit a bhí acu, gaibhnithe ag an bhfarraige agus iompaithe isteach orthu féin gan puinn cur amach acu ar shólaistí an tsaoil mhóir. Míníonn Seán Mac Fhionnlaoich an fáth ar tréigeadh Gabhla:

> Bhí mórán cúiseanna lena n-imeacht. Scoil bheag aon oide a bhí ar an oileán, múinteoirí óga a bhí ag teacht agus ag imeacht, scoileanna móra ar an tír mhór, na páistí ag fáil scoláireachtaí Gaeltachta go dtí Meánscoileanna agus caoi acu postanna móra a fháil ina dtír féin, rud a fuair cuid mhór acu; rathúnas ar an tír mhór nach raibh ann sna tríochaidí agus sna daichidí, stáisiúin leictreachais i Min a' Chuing, a thug fostaíocht d'fhir óga agus margadh seasmhach do lucht na móna, tithe ósta úra agus aíochta do chuairteoirí a thug fostú do chailíní, caint ar mhonarchana a thógáil ar an Screabán a thabharfadh obair don phobal, áiseanna nua-aimseartha acu, teilifís sna tithe agus carr ag gach aon teaghlach. (RM:168-9)

Ní i ngan fhios do mhuintir an oileáin a tháinig an t-athrú saoil ar an tír mhór. Chonaic siad cé chomh mór chun deiridh agus a bhí siad féin agus níorbh fhada gur bheartaigh siad ar an áit dhúchais a thréigean. Nuair a bhí na míntírigh ag díriú ar Albain nó ar Mheiriceá ó na tríochaidí ar aghaidh, bhí na hoileánaigh ag díriú ar an míntír. Mar a deir Brody: 'The depopulation of Gola occurred at about the same time as the depopulation of the Rosses—as people left the mainland for England and Scotland so they left Gola for the mainland' (1969:123). Imirce bhuan a bhí i gceist ag Brody anseo, ar ndóigh, mar bhí an imirce shéasúrach go hAlbain faoi lán seoil i bhfad roimhe sin.

De réir mar a lean bánú an oileáin ar aghaidh bhí an crann taca a choinnigh an pobal le chéile roimhe sin ag titim—is é sin an mhuinín a bhí acu astu féin agus an soirbhíochas a lean é. Bhí líon áirithe daoine de dhíth chun spiorad na ndaoine a ardú agus de réir mar a laghdaigh an daonra tháinig deireadh, de réir a chéile, leis an dlús a chothaigh sé. Bhí an sult imithe as an saol do na daoine a d'fhan ar an oileán: 'Bhí an pobal ar an oileán ag laghdú, bhí uafás agus scanradh ar an dream a bhí fágtha. Bhí beaguchtach ag teacht orthu; dá n-imíodh cúpla teaghlach eile ní fhéadfadh duine ar bith fanacht ar an oileán' (RM:168). Bhí meath ag teacht ar an iascaireacht ag an am chomh maith. Ón Dara Cogadh Domhanda ar aghaidh cuireadh ar shúile na n-oileánach nach raibh iontu ach dream beag scoite, nach raibh tábhacht ar bith ag baint leo. Bhí orthu dul i gcomórtas le trálaeir mhóra, trálaeir iasachta go minic, agus nuair a thit an tóin as an margadh éisc i ndiaidh an chogaidh thosaigh na daoine san iarthar ag brath ar chuidiú airgid ón rialtas, rud a bhí mar thairne eile i gcónra an chultúir a bhí caomhnaithe sa cheantar leis na blianta.

Tairraingíodh isteach i saol na tíre iad trí mheán na déirce. Ba mhór an chabhair dóibh é nuair a fuair siad airgead ón rialtas i dtosach: 'Nuair a fuair na fir an dole ar dtús bhí lúchair ar mhuintir na Gaeltachta agus fáilte mhór acu roimhe. Ba é Dia a chuir chucu é, bhí achan fhear á chuardach agus bhí muintir na n-oileán amhlaidh' (RM:77-8). Ach ní athrú chun feabhais amháin a ghabh leis an 'dole' agus leis na deontais eile a cuireadh ar fáil do mhuintir na Gaeltachta. D'athraigh a meon chomh maith. Bhí an féinchothú thart agus, mar a tharla i gCiarraí, an leisce tagtha ina ionad:

'. . . Anois tá fear bocht ná saibhir de réir an mhéid "dole" atá ag teacht isteach aige, gan trácht ná iomrá ar rathúnas an talaimh agus na farraige. Ar ndóigh, tá 'fhios agat féin go bhfuil sé diabhalta náireach ag coimhéad ar bhunadh an Oileáin ag dul isteach sna siopaí le hiasc a cheannach! Tá dole acu lena cheannach, ná ach ab é go bhfuil chaithfeadh siad an churach ná an bád a thabhairt leo agus é a sheiftiú mar rinne a n-aithreacha rompu.' (TT:307)

Tá fealsúnacht an fhéinchothaithe caite i leataobh acu: ' ". . . Cá bhfuil an fear anois atá ábalta bheith beo ar a shaothar féin? Gheobhaidh a leath bás leis an ocras ach ab é an déirce atá siad a fháil".' (TT:308).

Déanann Fox achoimre mhaith ar an bpróiséas seo a tharla i ngach aon áit a bhí scoite amach ó na lárionaid:

After years of subtle resistance based on isolation, the very isolation

has turned against them. When they could be left to their subsistence
and ignored, they could survive. Now, along with the crofters of
Scotland and the outporters of Newfoundland, they are being sucked
into the welfare state which paradoxically cannot let them live in
their culture of relative poverty but must, because it cannot tolerate
their poverty, destroy their culture. (1978:192)[48]

Fuair na daoine airgead déirce ach ní bhfuair siad aon chabhair
dáiríre. Ba é comhartha deireanach an mheatha in oileán Ghabhla
gur thosaigh strainséirí ag ceannach tithe ar an oileán. Daoine iad
seo a bhí ag iarraidh éalú seal ón nua-aimsearthacht chéanna ba
chúis le tréigean an oileáin ar an gcéad dul síos:

> Tháinig an coimhthíoch agus cheannaigh sé teach agus feirm ar
> chomhartha. Bhí sé ar lorg an tsuaimhnis agus fuair sé é. Tháinig siad
> as Sasana agus as Albain, as Béal Feirste agus Baile Átha Cliath,
> b'fhurasta dóibh gabháltas a fháil ar shaorchonradh agus in am
> ghairid bhí scaifte acu ar an oileán. (RM:170)

Deir Brody faoin bhfeiniméan seo: 'The sale of a house to a city
dweller marks the final triumph of urban over traditional life'
(1969:102). Le muintir an oileáin imithe d'fhéadfadh na strainséirí
maireachtáil ar a suaimhneas, cuid den bhliain ar aon nós, ar
oileán atá chomh marbh anois le hiarsmalann.

Ón dá leabhar seo faoi oileáin ar chósta Thír Chonaill faighimid
léargas eile ar an meath sin a bhí ag tarlú go forleathan ar an gcósta
thiar ó thús na haoise seo. Feicimid na próiséis chéanna ag dul i
bhfeidhm ar oileáin atá chomh fada óna chéile is atá an Blascaod
Mór agus oileán Toraí, cé nach ionann i gcónaí an tionchar a bhí
acu ar na háiteanna sin.

Fágfaimid na hoileáin anois chun breathnú ar na Rosa—an
ceantar fairsing Gaeltachta a shíneann ó Mhachaire Rabhartaigh
go Gaoth Barra—agus déanfaimid iniúchadh ar na dírbheathaisnéisí
a tháinig chugainn ón gceantar sin.

NA ROSA GO BRÁCH—RADHARC ÓN TÍR MHÓR

'Cé gur chónaigh siad i ndúiche chreagach ní raibh a saol anróiteach; bhí a ndearcadh bog, nádúrtha, daonna. Ní mhairfeadh croí cruaidh ar carraig, ach croí maoth mar an caonach' (Niall Ó Domhnaill, 1952:32).

Is iad na leabhair a bheidh á bplé anseo ná na dírbheathaisnéisí agus na saothair thuairisciúla faoin saol sna Rosa—*Niall Mac Giolla Bhríghde* (=N), *Na Rosa go brách* (=NB), *Scéal Hiúdaí Sheáinín* (=SHS), *Mám as mo mhála* (=MM), *Na glúnta Rosannacha* (=GR), *Gura slán le m'óige* (=GSO), *Nuair a bhí mé óg* (=NO), *Saoghal corrach* (=SC), *Na laetha a bhí* (=LB), *Rann na Feirste* (=RF), agus *Rotha móra an tsaoil* (=RMS). Scríobhadh iad go léir idir 1938 agus 1959 agus b'fhiú an suíomh ama seo a mheabhrú agus sinn á n-iniúchadh. Breathnófar i dtosach ar chruth agus ábhar na leabhar agus déanfar scagadh ansin ar eispéireas daonna mhuintir na Rosann mar atá sé léirithe iontu.

A dhírbheathaisnéis féin agus cur síos ar an saol san Fhiodh Mhór (dhá mhíle ón gCraoslach, Tír Chonaill) ó dheireadh an naoú haois déag ar aghaidh atá sa leabhar N (1938). Pléann sé na téamaí atá coitianta sna dírbheathaisnéisí ar fad—an scoil, an tseilg, eachtraí a tharla dó le linn a óige—agus chomh maith leis sin tugann sé cuntas dúinn ar na rudaí sin a bhaineann le dírbheathaisnéisí Thír Chonaill amháin—an imirce shéasúrach go dtí an Lagán agus go hAlbain. Ba dhuine é Niall Mac Giolla Bhríde a raibh spéis nach beag aige i gceist na Gaeilge agus i gcúrsaí polaitíochta a linne agus fíonn sé na ceisteanna seo isteach i scéal a bheatha. Tá cuntas aige ar Chonradh na Gaeilge, mar shampla, ar na feiseanna agus ar an achrann dlí a tarraingíodh nuair a chuir sé a ainm ar a chairt as Gaeilge. Múnla na dírbheathaisnéise atá ar an leabhar tríd síos, an t-údar ina sheanfhear ag breathnú siar ar laethanta a óige. I gcomparáid le litríocht Chorca Dhuibhne, déantar neamhní, a bheag nó a mhór, den timpeallacht. In ionad meanma na háite a léiriú dúinn, tá an cur síos maoithneach agus idéalú á dhéanamh aige ar an áit. Ó thaobh na stíle de, tá an leabhar cosúil le *Peig* in áiteanna. Insíonn sé eachtraí beaga dúinn, eachtraí a chonaic sé féin, nó ar chuala sé daoine ag caint fúthu. Luann sé go leor daoine de chuid an cheantair agus é ag plé cúrsaí polaitíochta, ach is é a mheon féin, níos mó ná meon an phobail a léiríonn sé. Leabhar éagsúil ar fad ó thaobh foirme de is ea an leabhar RB (1939) le Fionn Mac Cumhaill. Leabhar faoin saol sna Rosa atá ann, an scéal inste i bhfoirm an chomhrá. Cuireann an t-údar carachtair os ár gcomhair agus trí mheán na gcarachtar seo léiríonn sé na príomhghnéithe de bheatha na ndaoine sa cheantar. Ní dírbheathaisnéis an leabhar sa mhéid nach bhfuil sé scríofa sa chéad phearsa. Tá sé le tuiscint ón leabhar, áfach, gur daoine iad a raibh aithne ag an údar orthu, nó gur daoine cineálacha iad, daoine a mbeadh súil agat bualadh leo sna Rosa. Ós rud é gur i mbéal daoine atá na heachtraí curtha, tá stíl an tseanchaí le brath go láidir ar an leabhar. Arís is iad na gnáth-théamaí réigiúnacha a phléann sé maille leis na téamaí sainiúla a bhaineann le litríocht Thír Chonaill—eispéireas na ndaoine agus iad ar an gcoigríoch; fear an ghaimbín agus 'snáth na bainríona' etc.

Dírbheathaisnéis chineálach í an leabhar GSO (1967) leis an údar céanna, é ag scríobh mar sheanfhear agus cumha i ndiaidh na hóige le brath tríd síos ann. Arís, sa leabhar seo, cuirtear go leor carachtar os ár gcomhair—duine ar bith a bhí suaithinseach ar bhealach éigin sa phobal.

Dírbheathaisnéis eile atá sa leabhar SHS (1940). Tá go leor cainte ann faoi Albain agus faoi dhaoine a chuaigh ar an drabhlás agus iad ann. Chomh maith leis sin, tá stór de stair agus seanchas áitiúil le fáil sa leabhar, carachtair áitiúla agus na scéalta a bhíodh acu. Déanann Hiúdaí Sheáinín iarracht choinsiasach chun mórimeachtaí na bliana a chur síos go beacht, mar shampla na himeachtaí a bhain le féilte mar Lá Fhéile Bhríde, Lá le Pádraig agus Oíche Shamhna. Tá an leabhar ar fheabhas in áiteanna chun meon an phobail a léiriú.

Baineann MM (1940), le Seaghán Mac Meanman, leis na Gleannta, Tír Chonaill. Cosúil leis na saothair eile dá chuid tá sé deacair é a rangú mar chineál áirithe litríochta. Ní dírbheathaisnéis é ach cnuasach d'eachtraí a scríobhadh chun léargas éigin a thabhairt don léitheoir ar an seansaol. Scéalta seanchais a bhain leis an gceantar is mó atá ann, gan aon snáth ceangail lárnach ag dul tríd an leabhar.

Leabhar difriúil ar fad é GR (1952) le Niall Ó Domhnaill. Sa saothar seo tá lear mór eolais faoi stair, seandálaíocht, béaloideas agus tíreolaíocht stairiúil an cheantair curtha inár láthair ag an údar. Éiríonn leis, chomh maith, spiorad na háite a bhreacadh síos ar bhealach an-éifeachtach ar fad. Is leabhar an-spéisiúil é, cé go bhfuil an cur síos féin an-oibiachtúil in áiteanna.

Is éard atá i NO (1942) ná an chéad chuid de dhírbheathaisnéis Shéamais Uí Ghrianna. Tá an cur síos taitneamhach ann agus déanann an t-údar iarracht intinn an pháiste a léiriú i dtéarmaí tagartha an cheantair (mar shampla, an bríste nua; é ag iarraidh bheith ina stócach; an scrúdú etc.). Pléann sé na téamaí réigiúnacha ar fad—an Lagán, Albain, scéalaíocht agus seanchas cois tine etc. Éiríonn leis sinn a mhealladh sa leabhar seo cé gurb ag comhlíonadh nóis a bhí an t-údar ó thaobh stíle agus foirme de. Leanann Ó Grianna ar aghaidh le scéal a bheatha sa leabhar SC (g.d.). Tá stíl dhifriúil aige sa leabhar seo. Is geall le tráchtaireacht ar shaol na linne é—an-chur síos aige ar chúrsaí oideachais, mar shampla—agus arís faightear an tuairimíocht sa chomhrá. Tá rómánsúlacht agus saontacht an scríbhneora seo le feiceáil i SC agus is tréithe iad sin a fheicimid arís ina chuid úrscéalta.

Stairsheanchas an cheantair atá sa leabhar RF (g.d.). Tá tuairisc ann ar sheanfhundúirí an bhaile agus ar na daoine ba mhó clú le linn shaol Uí Ghrianna féin, agus saol a athar. Tá sé cosúil ar bhealach le GR cé go dtarraingíonn Ó Grianna ó fhoinsí seanchais amháin, áit a n-úsáideann Ó Domhnaill an-chuid foinsí éagsúla.

Scéal faoi óige an údair i Rann na Feirste atá sa leabhar LB (1953) le hEoghan Ó Domhnaill. Cé gurb iad na téamaí seanchaite a phléitear ann, níl sé cosúil leis na dírbheathaisnéisí eile mar tá samhlaíocht an linbh léirithe go héifeachtach ann.

Baineann RMS (1959), le Micí Mac Gabhann, le himeachtaí a bheatha féin, go mór mór lena shaol thar lear, in Albain i dtosach agus ansin i Meiriceá. Tá an cur síos an-oibiachtúil ar fad agus ní fhaighimid mórán léargais ar intinn an údair féin. Ó thaobh ábhair agus stíle de tá an leabhar an-chosúil le *Dialann deoraí* le Dónall Mac Amhlaigh.

Is ar éigean a théann na scríbhneoirí seo i ngleic ar chor ar bith leis an athrú saoil a chuaigh i gcion ar an tír sna tríochaidí agus sna daichidí, cé go raibh siad go léir beo le linn na tréimhse sin. Tá siad an-difriúil ar an gcaoi sin leis na leabhair ó Chorca Dhuibhne agus fiú amháin leis an dá leabhar faoi na hoileáin ó thuaidh a théann isteach go mion sna hathruithe a tharla thart ar an am sin.

Tá an seanchas fite fuaite le scéal bheatha na n-údar agus go minic is é a fhaighimid sna leabhair seo ná pictiúr den seansaol curtha i mbéal daoine agus iad ag comhrá le chéile. Nuair a thos-

aíonn siad ag fealsúnú ar an saol is dearcadh docht daingean a
léiríonn siad ar fad, iad ag breathnú siar agus a meon múnlaithe ag
an aimsir chaite. Tá baint nach beag ag an suíomh tíreolaíoch leis
an difríocht seo idir litríocht Chorca Dhuibhne agus litríocht Thír
Chonaill, dar liom. Tá a fhios againn gur cheantar beag scoite a bhí
i gCorca Dhuibhne agus, ar ndóigh, bhí na hoileáin—an Blascaod
Mór, Gabhla agus Toraigh—níos scoite amach fós. Ba rud é seo
nach raibh fíor ar chor ar bith faoi na Rosa i dTír Chonaill. Cé gur
cheantar iargúlta é bhí ceangal docht idir é agus áiteanna eile
taobh amuigh de (mar shampla, ceantar an Lagáin, agus, ar ndóigh,
Alba). Ó thaobh na heacnamaíochta de bhí pobal na Rosann ag
brath ar na háiteanna sin. Ní fhéadfaidís maireachtáil ar chor ar
bith gan iad. Dá bhrí sin bhí na doirse oscailte do thionchair ón
taobh amuigh i bhfad sular thuig muintir Chorca Dhuibhne go
raibh saol ann taobh amuigh dá leithinis bheag féin. Níor phobal
féinchothaitheach pobal na Rosann agus bhí siad ag brath ar na
siopaí i bhfad sula raibh gá lena leithéid i gCorca Dhuibhne. Dá bhrí
sin, d'fhás an gaimbíneachas agus tá an-chuid tagairtí sna leabhair
ón tuaisceart don ghreim docht a bhí ag fear an ghaimbín ar na
daoine.

I gCiarraí agus ar na hoileáin thiar ba réabhlóideach na hathruithe
a tháinig ar an saol agus ar dhearcadh na ndaoine i leith an tsaoil
nuair a tarraingíodh an ceantar isteach i saol na tíre. In áit an
domhain bhig dá gcuid féin a bhí acu roimhe sin thuig siad go
raibh siad ar fhíorimeall an tsaoil mhóir. Bhí an tuiscint sin ag
muintir na Rosann i bhfad roimhe sin agus dá bhrí sin ní raibh na
hathruithe a tharla i saol an cheantair chomh tubaisteach sin. An
claochlú is mó a tharla ná gur mhéadaigh ar líon na n-imirceoirí
buana agus de réir a chéile gur tháinig laghdú ar an imirce shéasúrach
a raibh an pobal ag brath chomh mór sin uirthi roimhe sin.

Ba chóir go mbeadh sé soiléir ón méid seo go bhfuil tuiscint ar an
suíomh stairiúil agus an suíomh tíreolaíoch an-tábhachtach chun
an chuid seo de litríocht réigiúnach na Gaeilge a mheas ina comh-
théacs ceart. Breathnófar anois ar na leabhair féin, ar thíreolaíocht
phearsanta mhuintir na Rosann mar a léirítear iontu í; ar na téamaí
réigiúnacha agus ar nósmhaireachtaí scríbhneoireachta na n-údar.

(a) *Tíreolaíocht phearsanta mhuintir na Rosann*

Trí na leabhair seo a léamh tógtar isteach sinn ní hamháin i saol

laethúil na Rosann ach, chomh maith leis sin, in intinn an duine a
tógadh cois cladaigh sa cheantar beag sin i dTír Chonaill. Déanfar
iarracht anseo léarscáil na hintinne sin a scrúdú. Cén chaoi ar
bhreathnaigh na daoine seo ar na Rosa? Cén chaoi ar bhreathnaigh
siad ar na háiteanna eile sin inar chaith siad sealanna éagsúla dá
saol—ceantar an Lagáin agus Alba? Cén léiriú a fhaighimid ar shaol
Mheiriceá sna leabhair? Beidh dhá rud i gceist anseo—na mothúch-
áin a spreag an timpeallacht fhisiciúil sna daoine agus an dáimh a
bhí acu le háiteanna áirithe mar gurbh iontu a bhí na daoine a
raibh cion acu orthu.

Éiríonn le Niall Ó Domhnaill dreach na tíre a dhearadh dúinn
le cur síos meafarach a chuireann radharc gléineach os ár gcomhair:

> Tír íseal is mó atá ins na Rosa, ach amháin in Árainn agus i gceantar
> na Cruaiche agus isteach droim na Ros Uachtarach; tír thárnocht
> gan chrainn, fána míle droim agus ailteán, lán carraigeach amuigh
> fána bord, ina blár lom túrtóg óna bráid isteach. Tá bearnacha móra
> sa chósta. Stróc an Fharraige Athlantach an brollach as. Scar sí an
> iomad oileán ó thír mór agus líon sí camais an chladaigh le gaineamh
> trá agus le dumhacha. (GR:2)

Cothaíonn an timpeallacht dlús agus bhí an dlús seo de dhíth go
mór ar an bpobal agus iad ag stracadh leis an saol ar bheagán
maoine. Molann na húdair go léir áilleacht an cheantair. Seo mar
a dhéanann Niall Mac Giolla Bhríde cur síos ar Ghleann Bheatha,
áit a bhí gar dá áit chónaithe féin:

> Tuairim ar dheich míle siar ó Leitir Ceanainn atá Gleann Bheatha,
> agus é ar áit chomh deas is a gheofá dá siúlfá Éire ó Thoraigh go
> Clíona agus ó Bhinn Éadair go Gaillimh. Loch istigh ina cheartlár
> agus cnoic mhóra mar gharda uirthi. Pléisiúr don tsúil agus sásamh
> don aigne seasamh ar mhala an tsléibhe agus amharc síos uirthi.
> Fraoch ar gach taobh di. Gan fuaim le cluinstin ach an lapadánacht
> ar an scairbh nó méileach uain ar thaobh an chnoic, nó géimneach
> bó i gciúnas an tráthnóna thíos in íochtar an ghleanna. (N:28)

Éiríonn leis atmaisféar iontach a chruthú agus é ag tabhairt cuntais
ar an timpeallacht, agus ceanglaítear dreach na tíre féin leis na
mothúcháin a chothaíonn sé sna háitritheoirí. Is nós an-choitianta
é seo ag scríbhneoirí Chúige Uladh. Seo é Séamas Ó Grianna, mar
shampla, ag cur síos ar na mothúcháin a bhí aige agus é ag filleadh
ar na Rosa tar éis dó seal a chaitheamh sa choláiste i mBaile Átha
Cliath:

D'imthigh linn suas a chois na fairrge a' tarraingt ar a' Tuaisceart. Bhí aoibhneas ar muir agus ar tír. An t-eallach a bhí ag inigilt ins na páirceannaí bhí cuma shultmhar shásta ortha. Bhí an chuma chéadna ar na huain agus iad a'meadhar go croidheamhail aigeantach. An fhaoileann a bhí 'na suidhe go státamhail amuigh ar a'tuinn agus brollach uirthí comh geal le sneachta na haon oidhche bhí cuma uirthi go rabh aoibhneas agus lúthgháir uirthi. (SC:57)

Bíonn béim i gcónaí ar an bpléisiúr is féidir a bhaint as an dúlra agus is pictiúr den áit sa samhradh is iondúla a dhearann na húdair. Seo é Ó Grianna ag cur síos ar an gceantar sa chéad chuid dá dhírbheathaisnéis:

Tráthnóna deas i dtús an tsamhraidh agus é ag teannadh suas ar bharr láin mhara. Thíos ar ár gcúl bhí dumhchanna geala na Maol Fionn. Bhí Gaoth Dobhair ina luí romhainn mar bheadh ribín airgid ann agus é ag éirí caol agus ag éirí caol go dtí nach raibh trí leithead báid ann thuas ag an Dún Bhán. Agus taobh istigh de sin bhí na cnoic fad d'amhairc uait. An tEargal agus an chloigeann aige ar an iomlán acu agus loinnir mhaiseach ina ghnúis ag grian an tráthnóna. (NO:61)

Éiríonn leis ár samhlaíocht a mhúscailt agus pictiúr fíorálainn a chur os ár gcomhair. Faightear cuntais mar é sna leabhair seo ar fad, cé nach bhfuil duine ar bith de na scríbhneoirí a éiríonn chomh liriciúil sin agus a éiríonn Ó Grianna. Déanann siad go léir a bheag nó a mhór d'idéalú ar an áit agus faighimid breischéim na haidiachta á húsáid go minic agus iad ag tagairt di. Mar shampla, seo mar a dhéanann Ó Grianna tagairt don cheangal docht a bhí idir duine dá chomharsana agus a bhaile dúchais:

Dá dtugtaí a rogha dó eadar an chuid eile de Éirinn agus an áit ar tógadh é ligfeadh sé uaidh an chuid eile go fonnmhar. Is iomaí tráthnóna samhraidh a tháinig sé anuas agus shuigh sé ar an laftán seo go deachaigh grian i bhfarraige. 'Laighin Uí Eaghra' a bhaist sé féin ar an inseán bheag seo, agus ba é a bharúil nach raibh sé ar dhroim an domhain áit ba deise ná é. (NO:61-2)

Bhí Niall Mac Giolla Bhríde chomh tógtha sin lena áit dhúchais gur spreag sí filíocht ann:

Is iomaí áit álainn in Éirinn
Ag filí's lucht foghlama i gcáil,
Ach measaim gur gleannta Thír Chonaill
An áit ann is deise le fáil. (N:105)

Sa chaoi chéanna ina dtaispeántar an ceantar mar áit shultmhar phléisiúrtha, léirítear go bhfuil na tréithe céanna ag na háitritheoirí. Mar a chonaiceamar i gcás na n-oileánach tá pearsantacht na háite féin agus pearsantacht na ndaoine fite fuaite lena chéile. Seo mar a chuireann Fionn Mac Cumhaill síos ar mhuintir Rann na Feirste agus é ag filleadh ar an mbaile tar éis seal a chaitheamh i Meiriceá: 'Bhí muintearas sna daoine. Ní raibh deifir ar aon duine. Bhí faill ag gach duine tamall comhrá a dhéanamh leis an duine eile. Agus bhí gáire rachtúil le cluinstin' (GSO:111). An gáire agus an caidreamh daonna na rudaí ba thábhachtaí leis an bpobal agus is iad a bhraith an deoraí uaidh agus é ag saothrú a choda ar an gcoigríoch. Éiríonn na scríbhneoirí maoithneach agus fileata in áiteanna, agus iad ag smaoineamh ar cheantar a n-óige. Feicimid pictiúr de na Rosa sna leabhair seo atá difriúil ar fad leis an bpictiúr de cheantar a chuireann litríocht Chorca Dhuibhne inár láthair. Is áit bhreá shonasach í ceantar na Rosann, ach is áit fhliuch dhorcha í Corca Dhuibhne. D'fhág an timpeallacht a rian ar na daoine, de réir dealraimh. Leagtar béim sa litríocht ó thuaidh ar phléisiúr an tsaoil, ar ghreann agus spleodar na ndaoine. Samhlaítear muintir Chorca Dhuibhne dúinn mar dhream crua fadfhulaingeach; iad faoi smacht ag an timpeallacht agus ag an aimsir, ach iad ag iarraidh dul i ngleic go foighneach leis na nithe sin nach bhfuil aon neart acu orthu.

Rud amháin a chuidigh leis an maoithneachas agus an rómánsúlacht atá le brath sna saothair Ultacha ná go gcothaíonn an deoraíocht dáimh lena áit dhúchais i nduine agus, ar ndóigh, ba chuid lárnach de shaol na Rosann an imirce shéasúrach, rud nach raibh fíor faoi Chorca Dhuibhne. Breathnófar anois ar an bpictiúr a dhearann na scríbhneoirí de na háiteanna sin ina mbídís ar fostú.

Théadh na gasúir go dtí an Lagán agus iad an-óg agus ba é sin an chéad deis a bhí acu áit taobh amuigh den bhaile dúchais a fheiceáil agus cineál eile saoil a bhlaiseadh: 'ní rabh mé ar an choigrích ariamh. Mar sin de, ní rabh 'fhios agam caidé an duifear a bhí eadar na coimhthighigh agus a' baile. Ach, bhí fhios agam luath go leor é' (SHS:21). Ní fhéadfadh Hiúdaí é a chreidiúint nuair a chonaic sé Leitir Ceanainn: 'Bhí iongantas an domhain orm fhéin nuair a chonnaic mé na toighthe móra agus na fuinneógaí móra bhí ortha' (SHS:25).

Seo é Séamas Ó Grianna ag cur síos ar an turas a rinne sé féin go dtí an t-aonach fostaithe sa Srath Bán den chéad uair:

Soir go Dún Fionnachaidh linn, áit chomh deas is atá in Éirinn. Ó sin
suas chun an Chraoslaigh agus amach go Cill Mhic Néanáin, áit eile
atá iontach deas, agus áit a bhfuil urraim ag muintir Thír Chonaill
fána choinne go dtí an lá a bhfuil inniu ann. Carraig an Dúin giota
beag síos uait, agus cnámha seanteampaill, an áit ar chaith Colm
Cille tús a shaoil. (NO:169)

Imíonn a spéis sa timpeallacht chomh luath agus a fhágann sé an
ceantar dúchais agus ní dhéantar iarracht ar bith dreach na tíre a
léiriú dúinn. Tagraíonn na húdair do thimpeallacht na cathrach
ceart go leor mar gur thimpeallacht í a bhí chomh coimhthíoch sin
dóibh gur bhraith siad as áit amach is amach inti. Deir Ó Grianna:
'Chuamar anonn an droichead agus isteach chun an tSratha Báin.
Chonacthas domh gur mhillteanach an baile é—sluaite daoine agus
tithe móra agus trup is tormán. An bhfuil an dara cathair ar an
domhan chomh mór léithi?' (NO:170). Is beag cur síos a fhaightear
ar cheantar an Lagáin féin ach amháin go míníonn cuid acu ionad
an cheantair a nglaotar 'An Lagán' air, agus tréithe na ndaoine a
mhaireann ann: 'áit ar bith as Leitir Ceanainn go mbí tú ar an
Ómaigh i gCondae Thír Eoghain. Albanaigh bunús mhuintir na
dúiche sin. Tá an mhórchuid acu go measartha acmhainneach, agus
bhíodh muintir na Gaeltachta ar fostó acu' (NO:165).

Chuir an timpeallacht choimhthíoch agus na cúinsí saoil a ghabh
léi drochaoibh ar phobal na Rosann. Seo mar a chuireann Fionn
Mac Cumhaill síos ar aonach an fhostaithe sa Srath Bán: 'ní rabh
siamsa, pléisiúr ná sport ag na créatúir a bhí annsin le fastodh a
dhéanamh. Bhí siad ina seasamh annsin, agus máighistrí aniar agus
siar eatorra ag cur luach ortha mar dhéanfaidhe le caoirigh nó
eallach ar aonach' (RB:63-4). Ní hionann ar chor ar bith muintir
an Lagáin agus pobal lách na Rosann:

> Bhí cuid de na máighistrí sin agus ní rabh sé ionnta múineadh a bheith
> ortha. Rachadh fear aca agus gheobhadh sé greim gualann ar chailín
> shé nó 'sheacht déag 'e bhliadhna. Bhuailfeadh sé lán na súl aisti.
> Annsin chuirfeadh sé ceist uirthe cá 'r bh' as a dtáinig sí, cá rabh sí
> ar fastodh aroimhe, caidé thiocfadh léithe a dhéanamh, an dtiocfadh
> léithe eallach a bhleaghan agus obair thaobh amuigh agus astoigh
> a dhéanamh, agus caide 'n tuarastal a bhí sí dh' iarraidh. (RB:64)

Ós rud é go raibh an ghráin acu ar mhuintir an Lagáin ní raibh
dáimh ar bith acu leis an áit ach oiread agus dá bhrí sin is beag
tagairt a dhéanann siad di, seachas b'fhéidir corrthagairt do mhéid
na feirme ina mbídís ag obair.

Bhain an Lagán le tréimhse áirithe de shaol an ógánaigh. Bhí deireadh go deo lena chuid oibre ansin tar éis dó a chéad turas go hAlbain a dhéanamh, agus: 'Dá olcas a' saoghal a bhí ar a' Lagán, b'fhearr é ná saoghal na h-Albana' (SHS:74-5).

Bhíodh na buachaillí óga ag súil leis an lá a mbeidís ag dul go hAlbain ag obair: 'Nuair a bhí mise i mo ghasúr scoile ba ghnách le mórán daoine as an áit seo dul go hAlbain agus go Sasain. Is iomaí scéal greannmhar a chuala mé fán tsaol iontach a bhíodh acu thall sna tíortha sin' (N:26). Ach an oiread leis an Lagán, áfach, ní dhéantar aon iarracht dreach na tíre a dhearadh dúinn. Cé go dtéidís sall gach uile bhliain níor chuir a bhformhór acu aon eolas ceart ar an áit. Seo é an cuntas a thugann Ó Grianna ar an turas go hAlbain sa bhád ó Dhoire:

> Bhí cuid de na pasantóirí agus ní raibh aon orlach ar an chósta nach raibh a fhios acu. Bhí cuid eile agus dá dtéadh siad anonn is anall míle uair ní bheadh a fhios acu a dhath ach go raibh siad ar an fharraige, go raibh eolas an bhealaigh ag an fhoirinn agus go mbeadh siad i nGlascú ar maidin an lá arna mhárach. (NO:180)

Is í an neamhshuim seo sa timpeallacht an tréith is suntasaí a fheictear. An t-aon phictiúr a chuirtear os ár gcomhair den timpeallacht fhisiciúil in Albain ná pictiúr den scioból ainnis ina gcodlóidís, áit lofa a bhíodh lán le luchóga go minic. Seo mar a chuireann Hiúdaí Sheáinín síos ar an leaba a bhí aige siúd agus é in Albain den chéad uair:

> Chodail mé fhéin i gceart, an oichche sin, nó bhí mé tuirseach. Níor mhóthaigh mé luchógaí ná rud eile agus bhí sin ann agus go leor aca. An dara h-oidhche, i ndiaidh mé tuitim thart, fuair ceann aca greim pluic orm. (SHS:85)

Chuir an áit isteach go mór orthu, ní nach ionadh, agus fuair siad sólás go minic san ól: 'Cé bheadh 'na dhiaidh orainn braon 'ól a thógfadh gruaim a' tsaoghail dínn seal tamaill, nó chuirfeadh an saoghal a bhí againn duine ar bith dh 'ól' (SHS:86). Ba mhinic a chuaigh na daoine sin nach raibh in ann déileáil leis an saol ar an gcoigríoch ar an drabhlás amach is amach. Bhí an fhadhb seo chomh forleathan sin go bhfuil an-chuid scéalta le fáil sna leabhair faoi fhir áirithe a chaith blianta dá saol ar an drabhlás in Albain agus gan ach an ainnise i ndán dóibh ag deireadh a saoil.

Tugtar le fios gur deineadh rudaí thar lear nach ndéanfaí go brách sna Rosa:

> Bhí an tOileán Úr ag biseadh fosta, agus bliadhain i ndiaidh na bliadhna eile bhí an t-aos óg a b'fhearr ar thógáil na Rosann ag gabháil go Meiriceá. Ach ar bhealach amháin b'fhearrde go mór do chuid aca é dá mbíodh siad gan a' n amharc a fheiceáil ariamh ar Albain nó ar an Oileán Úr. Bhí béasaí aca ar an choigcrích nach rabh aca ins na Rosaibh. (RB:16)

Mhéadaigh an imirce an ceangal a bhí acu leis an gceantar dúchais. Deir Mac Cumhaill: 'An raibh deoraí riamh ann nach raibh dáimh aige lena áit dhúchais?' (GSO:104). Ba shaol brónach go hiondúil a bhí i ndán don duine a chuaigh go Meiriceá, rud a léiríonn Fionn Mac Cumhaill, duine a chaith seal sna Stáit é féin. I RB cuireann sé an méid seo i mbéal carachtair a chaith an chuid is mó dá shaol i Meiriceá. Dramhlas is ainm don duine seo:

> 'Caidé n' mhaith do an t-airgead', arsa Dramhlas, 'agus gur fhág sé 'ach a'n deor alluis a bhí ina chorp, gur fhág sé sin thall i Meiricea?'
> . . . 'Chaill mé oiread alluis leis an dara fear ins na Rosaibh, agus shiubhail mé oiread le 'ach a'n scór aca', arsa Dramhlas. (RB:92)

Ba thruamhéileach an rud é an imirce i gcónaí, fiú amháin do phobal daoine a raibh taithí acu ar an imirce shéasúrach le fada. Ba i ndiaidh an Chéad Chogaidh Mhóir a thosaigh an t-aos óg ag tarraingt ar Mheiriceá (GR:65), agus níor fhill a bhformhór ar an mbaile riamh. Ba bheag an dáimh a bhí acu leis an áit thall agus ba mhinic cumha i ndiaidh an bhaile orthu. Arís ní dhéantar aon iarracht cur síos a dhéanamh ar an timpeallacht agus is léir nach raibh an dlúthchaidreamh acu léi agus a bhí acu le timpeallacht a n-óige sna Rosa. Éiríonn le Fionn Mac Cumhaill an neamhshuim seo sa timpeallacht a léiriú go beacht agus é ag caint faoi dheoraí Éireannach a raibh daichead bliain caite i Meiriceá aige: 'Ní bheadh sé furast aige cuimhne a choinneáil ar ainm gach áite dá raibh sé. Agus bhí sé in áiteanna iargúlta nach raibh a fhios aige cé acu bhí ainm orthu nó nach raibh' (GSO:106). Is mór an difríocht idir eispéireas an duine sin agus eispéireas an duine a fhanann ina áit dhúchais, áit a bhfuil ainm aige ar gach baile fearainn is bealach, gach paróiste is ceathrú, gan trácht ar na hoileáin, na cnoic, na locha agus na gnéithe eile den tírdhreach.[49]

Maidir leis an deoraí, ta a chroí fós tógtha leis an gceantar dúchais agus braitheann sé a mhuintir féin uaidh:

> Ainneoin go raibh daichead bliain caite i Meiriceá ag Doiminic nuair a casadh orm é, níor chaill sé a dháimh riamh lena áit dhúchais. D'inis sé dom fosta go bhfaca sé daoine ansin nach raibh acu ar a ndinnéar ach prátaí agus scadán caoch, agus go dtiocfadh leo gáire rachtúil a dhéanamh. Agus bhí sé ag rá nach ndearna sé féin gáire rachtúil ó chuir sé a chos ar thalamh Mheiriceá, agus nach raibh a ábhar aige. (GSO:106-7)

D'airigh Mac Cumhaill féin an easpa pearsantachta a bhain le dreach na tíre i Meiriceá:

> Is tír mhór í. Chonaic mé féin áiteanna inti a dtiocfadh le duine mílte agus mílte a shiúl ar bhlár a bhí gan teach, gan cónaí, gan ainm. B'fhéidir go raibh ainmneacha ar na háiteanna sin lá den tsaol, ach má bhí cailleadh iad. Agus má cailleadh, níl aon duine ansin lena gcaoineadh. Na daoine atá ansin anois, níl gaol acu le seanainmneacha na tíre. Níl gaol acu leis na hainmneacha a tugadh ar áiteanna ansin inniu nó inné. (GSO:107)

Bhraith sé go raibh na daoine i Meiriceá fuar, míchairdiúil, agus nach raibh aon chaidreamh eatarthu. 'Galar an tsoláthair' ba chúis leis seo, dar leis: 'An té go mbíonn an galar sin air ní bhíonn faill aige do chaidreamh nó do charthanacht. Bíonn iomlán a aire ar sholáthar. Faigheann pingin pingin eile' (GSO:107). Is léir ó RMS gur bhain galar seo an tsoláthair le Micí Mac Gabhann nuair a bhí seisean i Meiriceá. Ní thagraíonn sé ar chor ar bith don timpeallacht sna ceantair ina raibh sé. Deir sé go minic linn nach raibh a fhios aige go baileach cá raibh sé agus díríonn sé a aire i gcónaí ar na hiarrachtaí a bhí ar bun aige chun airgead a thuilleamh. Is beag tagairt a fhaighimid uaidh do chumha i ndiaidh an bhaile. Ina ionad sin feicimid go raibh dearcadh an deoraí Éireannaigh go smior ann —an dearcadh bródúil sin nach ligfeadh le rá é nach ndearna sé éacht mór agus é thall (RMS:108). Chuaigh sé ag cuartú óir sna sléibhte i Montana le beirt chairde leis ó na Rosa. Ba mhinic saol anróiteach acu agus iad scoite amach ó na bailte móra:

> Bhí muid amuigh ar an iargúltacht agus cha rabh fhios againn féin go cruinn cá háit; bhí an sneachta ina ráthanna thart orainn agus bhí an fuacht ag goillstin orainn . . . ach an rud ba mheasa den iomlán, cha rabh ár sáith bídh againn leis an gheimhreadh a chur tharainn. (RMS: 111-12)

Cuireann Micí Mac Gabhann síos ar a shaol i Meiriceá ar bhealach an-oibiachtúil agus tá sé deacair déanamh amach ón leabhar ar thaitin an saol ansin mórán leis. Ní fheicimid corraithe go rómhinic é agus fiú amháin agus é ar a bhealach ar ais chuig an seanfhód, in ionad na rómánsúlachta atá le haireachtáil sna leabhair eile, tugann sé cuntas fuarchúiseach dúinn ar na hathruithe a thug sé faoi deara ina cheantar dúchais. Ní hionann ar chor ar bith an chuid seo de RMS agus an chuid sin de GSO ina gcuireann Fionn Mac Cumhaill síos ar an uair a d'fhill sé féin abhaile ó Mheiriceá.

Tá sé le feiceáil ón méid seo thuas nach ionann an chaoi a ndeachaigh na háiteanna éagsúla ar chaith na daoine seo a gcuid saoil i gcion ar gach duine acu. Táimid dall ar fad beagnach ar an saol ar an Lagán, in Albain nó i Meiriceá tar éis na cuntais seo a léamh. Ní fhaighimid ach blúirí beaga eolais anseo is ansiúd faoin saol sna háiteanna sin. I dtaca leis an áit dhúchais, áfach, tá pictiúr gléineach de os ár gcomhair amach agus dearcadh na n-údar ina leith dulta i gcion ar an bpictiúr sin.

(b) Téamaí réigiúnacha

Pléann na leabhair seo go léir na téamaí sin a mbeifeá ag súil leo i leabhair dhírbheathaisnéise. Tá an-chuid cainte ar an scolaíocht, mar shampla (N:4, 5, 6; SHS:11, 12, 13; GSO:7, 8, 14, 78; NO:26, 33, 34; LB:7). Luann siad ar fad an Béarla sa scoil agus go minic léirítear brúidiúlacht an mhúinteora agus cruatan shaol na scoláirí. Bhídís ag taisteal de shiúl na gcos ar maidin mar shampla, ag dul trí locháin mhóra uisce, agus ní hannamh a bhídís fliuch go craiceann sula sroichidís teach na scoile.

Tagraítear chomh maith don chineál bia a bhíodh acu agus do na héadaí a chaithidís. Déantar an-chuid cainte ar an airneál—an príomhchaitheamh aimsire a bhíodh acu, agus luann siad na daoine a bhí inniúil ar phíosa maith cainte a dhéanamh. Mar shampla, seo é cuntas Uí Ghrianna ar a theach féin i Rann na Feirste nuair a bhí seisean ina leaid óg:

> Teach mór airneáil a bhí sa teach s' againne fada ó shin. Bhíodh Donnchadh Rua againn corruair agus é ag inse fá chuid éachtaí a athara. Thigeadh Seáinín Phádraig an Dálaigh agus níodh sé oíche sheanchais ar na Fianna agus ar Chú na gCleas. Bhíodh mo mháthair mhór againn oícheanna sníomhacháin agus gan aon scéal ó Neamh go hÁrainn nach mbíodh aici. (NO:67)

Luann siad ar fad na hoícheanta airneáil a bhíodh ar siúl sna tithe agus bhí ardmheas acu ar na seanscéalta agus ar na daoine a choinnigh ina gcuimhne iad: 'Nuair a bhí mé i mo ghasúr bhíodh comharsana ag airneál gach oíche sa teach s' againne. Bhíodh mo leabhar i mo láimh agam féin, ach ní ar an leabhar a bhíodh m' aire. Bhíodh m' aire ar na scéalta a bhíodh á n-insint' (GSO:55).

Ba mhó a spéis sna seanscéalta ná sa nuacht a bhí le fáil ar na páipéir. Tagraíonn Ó Grianna do theach sa pharóiste ina mbíodh an máistir scoile ar lóistín. Bhíodh sé ag léamh as leabhair agus ag iarraidh a chuid eolais a roinnt le muintir na háite: 'Ach an mhór-chuid den am bhí a chuid cainte ag gabháil le sruth, nó ní rabhthas ag tabhairt mórán airde air. An t-eolas a bhíodh an máistir a bhaint as na leabhra, ní raibh sé ag teacht leis an dearcadh a bhí ag muintir na háite' (NO:115-6). Ba thábhachtaí leo siúd an t-oideachas áitiúil a fuair siad óna n-aithreacha rompu. Agus iad ag caint cois tine faoi dhaoine a bhí beo sa cheantar tráth dá raibh, cuirtear béim i gcónaí ar an ngaiscíocht. Is léir go raibh an-chuid laochra áitiúla acu, daoine a sheas an fód chun clú na Rosann a chosaint. Ba phobal bródúil iad agus ní ligfidís le rá é go mbeadh an bua ag dream éigin taobh amuigh den bhaile orthu. Seo mar a léirítear an bród seo i RB. Bhí geall ag Dramhlas le fear ó pharóiste eile go mbuafadh Domhnall Phádraig Mhóir air i gcaitheamh na cloiche:

'Caithfidh tú a bheith ann', arsa Dramhlas. 'Caithfidh tú cliú agus cáil na Rosann a sheasamh. Bhí fear ar an aonach indiu i gcuid-eachta Antoin na Baintreabhaighe, agus thug sé dubhshlán na Rosann ó Ghaoth Dobhair go Gaoth Bearra ag caitheamh na cloiche.' 'B'fhéidir go gcaillfeá do gheall, a Dhramhlais', arsa Domhnall. 'Is cuma ann nó as don gheall', arsa Dramhlas, 'ach is mór an rud é cliú na Rosann'. (RB:283-4)

Bhí meon na ndaoine bunaithe chomh mór sin ar an gceantar dúchais nach raibh meas dá laghad acu ar laochra móra a linne. Ba ar laochra na Rosann amháin a dhírigh siad a n-aire. Sa mhéid seo bhí siad beag beann ar áiteanna eile:

Ach bhí naoimh agus laochraí agus scoláirí dá gcuid féin acu i Rinn na Feirste, gan a ghabháil siar a fhad leis an tseantsaol ar chor ar bith. Is minic a chluinfeá oíche sheanchais i dteach an airneáil agus iad ag caint ar shagart bheannaithe a chaith tamall sna Rosa. B'fhéidir gur scéal fá fhear as Rinn na Feirste a raibh léann trom aige ag cluinfeá an dara scéal a chluinfeá. Agus ní thiocfadh am luí choíche go gcluinfeá ar obair iad ag seanchas ar fhear de chuid an bhaile a bhí iontach maith ag troid; b'fhéidir fear éigint a bhí ar shiúl ar an drabhlás in Albain, ag ól is ag troid ó tháinig ann dó. (NO:135)

Cé gur thuig siad gur dhream beag scoite a bhí iontu, chaomhnaigh an ghaisciúlacht seo an meas a bhí acu ar a chéile mar phobal ar leith a bhí inchomórtais le dream ar bith daoine ar dhroim an domhain. Dhaingnigh sé ina logántacht iad; ba bheag a spéis sa saol mór taobh amuigh den áit dhúchais. Bhraith siad slán sábháilte fad is a bhí laochra acu a sheasfadh an fód dóibh.[50] Tá trácht sna leabhair chomh maith ar na tithe a bhíodh ag na daoine agus ar na féilte agus na nósanna a bhain leo. Luann Eoghan Ó Domhnaill an 'druma mór' agus na buíonta ceoil a bhíodh i ngach baile sna Rosa tráth, agus déanann cúpla scríbhneoir díobh tagairt do dhéanamh an phoitín.

I gcomparáid le litríocht Chorca Dhuibhne tá an-chaint ar chúrsaí pósta agus cleamhnais sa litríocht ó thuaidh. Is é an dearcadh rómánsúil céanna a fhaighimid sna cuntais ar fad, áfach, an truamhéil fite fuaite go minic le mothúcháin leanbaí faoin ngrá. Seo mar a thráchtann Fionn Mac Cumhaill ar bheirt a bhí ina gcónaí sna Rosa tráth agus a raibh a scéal ar fud na dúiche ó shin:

Ní raibh aon duine dár chuala scéal Shiúsaí Bige nach raibh trua aige di. Bhí lámh agus focal idir í féin agus Toimlín Bán a tógadh sa comharsanacht. Chuaigh Toimlín go Meiriceá, agus bhí sé le pilleadh ar an bhaile i gceann chúig mbliana lena pósadh. (GSO:27)

Faighimid anseo an seanscéal céanna a insítear arís is arís eile faoi lánúin ó na Rosa a bhí le pósadh. Ar ndóigh, ní fhilleann an buachaill ó Mheiriceá: 'Chuaigh na cúig bliana thart, ach níor phill Toimlín Bán as Meiriceá. Nuair a chuaigh leathbhliain eile lena gcois thart, agus nár phill sé, thosaigh Siúsaí Bheag a thitim i ndroimdubhach' (GSO:28). Tá sí chomh brónach sin go gcuireann sí lámh ina bás féin i lár na hoíche. Is téama é seo atá an-choitianta agus iad ag trácht ar chúrsaí grá. Bíonn an truamhéil agus an t-uafás le brath go minic sna scéalta agus na carachtair ag iarraidh dul i ngleic lena gcinniúint.

Is i dtaca le cúrsaí pósta is mó a fheicimid muintir na Rosann ag fulaingt. Cuirtear pictiúr os ár gcomhair go minic de dhuine nach bhfágfaidh an seanteach chun dul ag pósadh. Is tréith an-suntasach í an dílseacht do na seandaoine agus go minic feicimid samplaí de dhaoine a chaith a saol ar fad ag tabhairt aire do thuismitheoir éigin a bhí cróilí ag deireadh a shaoil. Insíonn Seaghán Mac Meanman scéal dúinn faoi bhean de chuid na háite ar tharla sé seo di:

> Tamall 'na dhiaidh sin chuir fear chúig mbó ceileabhar pósta uirthi, acht ní fhágfadh sise a máthair ar bha bainne na cruinne agus an Ghlas Ghaibhleann ina gcuideachta, a's bhí an fear chomh ceachardha sin nach dtabharfadh sé an tseanbhean leis i gcuideachta na h-inghine. Chuir sin an cleamhnas síos agus suas. (MM:60)

Is é an scéal céanna atá ag Hiúdaí Sheáinín. Is iontach an greim a bhí ag máithreacha na tuaithe ar an aos óg:

> Bhí Cathaoir 'na chomhnuidhe thuas i bPoll Chró Bheithe. Áit iongantach uaigneach fhiadhain atá ann. Ní rabh ag n-a mháthair ach é, agus níor mhaith léithe é 'imtheacht uaithe go bhfaghadh sí fhéin bás. B'fhada roimhe sin a d'fhéad Cathaoir a ghabhail chuig mnaoi, nó bhí aois a phósta i gceart aige. 'Na dhiaidh sin níor mhaith leis ghabhail thaire chomhairle a mháthara. D'fhanóchadh sé aici-se 'fhad agus bhéadh sí beo, déanadh na mná a rogha rud. (SHS:139)[51]

Téama réigiúnach eile atá an-choitianta ná téama na himirce. Tá sé seo pléite thuas i dtaca leis an gcaoi ar bhreathnaigh na himirceoirí ar an gcoigríoch. Anseo déanfar na braistintí eile a bhí ag muintir na Rosann i leith na himirce a scrúdú. Tá truamhéil i gcónaí ag baint léi agus ceanglaítear ionad áirithe le cumha na himirce. Déanann Ó Grianna cur síos ar cheann amháin de na háiteanna seo, áit a ngabhadh an pobal slán go deo leis an duine a bhí ag imeacht:

> Loch a'Ghainimh! Loch beag cruinn i lár sléibhe taobh amuigh de Bhun an Eargail .... is iomdha deor ghoirt a sileadh ar imeall a' locha sin. Is iomdha sgaifte beag, tuirseach, brónach, a shuidh ar na túrtógaí agus a chaoin uisce a gcinn. Chonnaic a' tEargal a't-iomlán, agus, dá mbéadh fonn cainnte air, is leis a thiocfadh an sgéal cosgarthach a innse. (RF:150)

Tagraítear chomh maith do na daoine sin a d'imigh go hAlbain ach nár tháinig abhaile riamh (RF:202). Déanann Mac Meanman cur síos ar nósanna an chonbhóidh—an oíche mhór cheoil agus dhamhsa a bhíodh acu an oíche sula n-imeodh na himirceoirí. Tugann sé cuntas dúinn chomh maith ar an turas go dtí an bád a rinne beirt ón gceantar tar éis dóibh an slán deireanach a fhágáil ag a muintir:

> Shiubhail leo. Amach soir thríd an Lagán an áit a raibh an Gall 'na thoicidhe agus an Gaedheal 'na sclábhaidhe. Agus chuir na toighthe

breághtha agus an talamh méith comhthrom iongantas an tsaoghail
ar an bheirt nach bhfaca dadamh ariamh acht cróithe toite agus
spleotáin fhuara sléibhe. 'A Néill', arsa Colm, 'seo na Flaithis!
Seo an garraidhe ar chaith Ádhamh agus Éabha seal d'á saoghal ann.
Shíl mé féin nach raibh dadamh ar an taoibh thall de na cnuic s'
againn féin acht cnuic eile agus nach raibh i n-Éirinn uilig acht
cnuic'. (MM:90-1)

Léiríonn Niall Ó Domhnaill an chaoi ar athraigh nósanna imirce
le himeacht aimsire. Nuair a bhí Albain ag bisiú thréig fir na Rosann
ceantar an Lagáin, an áit ina saothraídís a mbeatha roimhe sin.
Chuaigh siad go hAlbain ansin agus de réir a chéile thosaigh an
t-aos óg ag pósadh agus ag socrú síos ann. Deir sé faoin athrú seo:
'An imirce shéasúrach a choinnigh cúig ghlún daoine beo ins na
Rosa, tá sí anois ag fuadach na hóige' (GR:7).

Tar éis an Chéad Chogaidh Dhomhanda osclaíodh doirse
Mheiriceá agus thosaigh na daoine óga ag imeacht as éadan a chéile.
Ós rud é gur bhraith teaghlaigh na Rosann ar shaothrú na bhfear
in Albain ní raibh rud ar bith i ndán don cheantar nuair a tháinig
laghdú ar an obair shéasúrach ansin. Ar ndóigh, tháinig Rialtas an
tSaorstáit i gcabhair ar na daoine sula ndeachaigh an scéal go
cnámh na huillinne ach is rud é sin nach ndéantar tagairt ar bith
dó sna leabhair seo, fiú amháin i leabhar Mhic Chumhaill—GSO—
nár foilsíodh go dtí an bhliain 1967. Ina ionad sin ag breathnú
siar ar an saol a bhíodh ann atá siad.

Éiríonn leis na húdair a séala féin a chur ar cheist na himirce go
minic. Insíonn Eoghan Ó Domhnaill dúinn faoin máistir scoile a
mhúineadh an oiread Béarla do na gasúir is a bheadh de dhíth orthu
chun dul go hAlbain: 'Ní bhfaigheadh sé aitheantas ar bith ón
chigire as bheith ag teagasc an chineál seo Béarla dúinn. Ach ba
chuma leis. Ar an tsaol a bhí romhainn a bhí sé ag smaoineamh.
Ar an bhealach a bhí le siúl againn' (LB:93). Tá an truamhéil
chéanna ag baint leis an gcuntas seo a thugann Séamas Ó Grianna
ar lá ar tháinig cigire chuig an scoil ina raibh sé féin ag múineadh.
Rinne sé dráma leis an rang roimhe sin—'Julius Caesar' le
Shakespeare—ach bhí an chuid is mó d'fhoireann an dráma as
láthair an lá seo. Is iontach an cur síos a dhéanann sé ar fhírinne an
tsaoil do leanaí óga na Rosann:

Bhí Cassius ar a'Lagán, agus bhí Brutus ar fastódh i mBun a'Bháic.
Bhí Portia a'bogadh an chliabháin dá mháthair sa bhaile, agus bhí
Caesar 'na luighe sa bhruicínigh agus gan aon duine comh bocht is

go mbeadh urraim aige dó. Ní raibh fágtha den chuid a b'fhearr aca
acht Marcus Antonius. Acht ní rabh aoibh ró-mhaith air-san.
(SC:147)

Tá cúpla téama eile le fáil i litríocht Thír Chonaill nach bhfeicimid
i litríocht Chiarraí ar chor ar bith. Luadh ceann amháin acu seo
cheana, i dtagairt do na difríochtaí a bhí idir geilleagar an dá
cheantar. Bhí muintir na Rosann ag brath ar na siopaí i bhfad sula
raibh pobal féinchothaitheach Chorca Dhuibhne, agus d'éirigh leis
na siopadóirí greim daingean a fháil ar na daoine trí chóras an
ghaimbíneachais. Is rud é seo nach bhfaighimid tagairt ar bith dó
sa litríocht ó dheas. Míníonn Niall Ó Domhnaill an bunús a bhí leis:

Thoisigh na siopaí leis an mhin cháirde. Le fás na tráchtála tháinig
gach uile chineál earraidh isteach; ach ní tháinig an saothrú a
chuirfeadh ar chumas na ndaoine an t-earradh a cheannacht. Chuir
na siopaí deireadh leis an tseandóigh bheatha. Tháinig an galántas
agus d'imigh an sníomhachán agus an fhíodóireacht. Chuaigh daoine
i muinín na siopadóirí le héadach, earradh agus oirnisí a sholáthar
dóibh. Nuair nach raibh an teacht isteach airgid acu b'éigean dóibh
'cáirde' a iarraidh san íocaíocht; agus d'fhás an gaimbíneachas as an
cháirde. (GR:61)

Níor tháinig deireadh leis an spleáchas seo ar fhear an ghaimbín go
dtí gur tháinig an comharchumannachas chun cinn sa cheantar.[52]
Faighimid pictiúr d'fhear an ghaimbín go minic sna leabhair
Ultacha. Bhí greim docht aige ar mhuintir na Rosann agus bhíodh
na mná ag déanamh stocaí dó chun na hearraí a bhí ag teastáil
uathu a fháil ina shiopa. Seo é an cuntas a thugann Fionn Mac
Cumhaill ar dhuine amháin de na siopadóirí seo:

Níorbh' é de thógáil na Rosann Caimí. Ní rabh a fhios car b' as a
dtáinig sé. . . . Chuir sé teach snáth' ar bun le snáth bainríoghna a
choingbheáil le cuid ban na Rosann. I gan fhios nó os árd bhí baint
aige le bunadhas 'ach a'n rud ins na Rosaibh a rabh saothrughadh
na pighne ann. (RB:21-2)

Ba chrua an saol a bhí ag na mná ag iarraidh fear an ghaimbín a
shásamh fad is a bhí a gcuid fear féin in Albain:

Bheadh sise ag déanamh stocaí bainríoghna go mbéadh an deich
agus punnta sin díolta aice. Annsin leigfidhe an luach airgid céadna
léithe aríst. Caimí é féin a chuireadh an luach ar an éadach: ní rabh
an dara luach ann. (RB:34)

Is mór an difríocht idir an saol seo agus saol chuid ban Chiarraí.
Cé go raibh saol crua acu siúd chomh maith, ar a laghad bhí siad
ag brath ar a n-acmhainní féin agus ní raibh siad spleách ar chumh-
acht ar bith ach amháin cumhacht na haimsire agus na timpeall-
achta fisiciúla. Ní hiontas ar bith go bhfaighimid tagairtí i litríocht
Thír Chonaill do na daoine sin nach raibh sé ar a gcumas dul i
ngleic leis an saol thart timpeall orthu agus a d'éalaigh ón saol sin
trí mheán an ólacháin, nó, mar a ghlaotar ó thuaidh air, an drabh-
láis. Feicimid corrdhuine sna leabhair seo go léir a chuaigh ar an
drabhlás mar éalú ó chinniúint nach raibh siad ábalta glacadh léi.
Seo é an cuntas a thugann Hiúdaí Sheáinín ar dhuine dá leithéid:

> Níl a'n áit ó Ghaoth Dobhair go Gaoth Beara a gcluinfeadh sé imirt
> chárdaí a'gabhail nach dtarrónadh sé air. Ní fhaca sé a'n leith-
> phighinn ariamh nár ól sé agus nár imir sé, agus, ar an ádhbhar sin,
> bhí sé i gcomhnuidhe i mboichtineacht.
>   Bhíodh a mhuintir ag éileamh air go minic siocair é 'bheith comh
> drabhlasach agus bhí sé. (SHS:143)

Ón méid atá ráite thuas feicimid, ní hamháin go bhfuil téamaí
áirithe sa litríocht seo a bhaineann le Tír Chonaill amháin, ach go
dtarraingítear pictiúr sna saothair seo freisin de charachtair réigiún-
acha a bhain go dlúth le saol na Rosann le linn do na húdair seo a
bheith ag fás suas sa cheantar. Is iad na carachtair chéanna seo a
thagann chun tosaigh arís is arís eile sna saothair chruthaitheacha,
idir ghearrscéalta agus úrscéalta, a tháinig chugainn ón gceantar.

(c) Na húdair Ultacha—a dtréithe

Scrúdaímis anois modhanna inste na n-údar Ultacha atá luaite
anseo. An bhfuil tréithe réigiúnacha ag na húdair a chuaigh i gcion
ar a gcuid stíle? An bhfuil sé fíor go bhfuil a leithéid de rud ann
agus nósmhaireacht réigiúnach scríbhneoireachta, mar a thugann
Proinsias Mac Cana (1956) le fios, nó an mbaineann cuid de na
tréithe a fheicimid i litríocht Thír Chonaill le pearsantacht na
scríbhneoirí féin amháin?
I bhformhór na leabhar seo ní fheicimid tréithe na n-údar ar chor
ar bith iontu mar is é an pobal is mó atá chun tosaigh, é sin nó
tugann an scríbhneoir cuntas lom dúinn ar ar tharla dó féin nó dá
chomhaimsearthaigh.
Litríocht phobail, tríd is tríd, atá againn i SHS, RB, MM agus

RF. Is é meon an phobail a fheicimid sna leabhair sin agus gan ach rian beag de phearsantacht an údair a bheith imithe i gcion orthu. Ní iontas ar bith é seo mar go bhfuil an seanchas áitiúil mar dhúshraith acu. I leabhar Mhicí Mhic Ghabhainn, cé go n-insíonn sé scéal a bheatha dúinn is ar éigean a fheicimid an duine féin ar chor ar bith, tá an stíl chomh hoibiachtúil sin. Sna leabhair eile, áfach, feicimid cuid de thréithe na n-údar féin agus pléifear na tréithe is suntasaí díobh sin anseo.

I leabhar Néill Uí Dhomhnaill tá pearsantacht an údair féin le feiceáil ina chuid stíle agus sna tuairimí a nochtann sé. Tá a éirim mar scoláire imithe i gcion go mór ar láimhseáil an ábhair. Taispeánann sé an tuiscint dhomhain atá aige ar shaol na Rosann agus anseo is ansiúd léiríonn sé a léargas pearsanta féin ar fhadhbanna an cheantair. Mar shampla, seo é ag cur síos ar mheath na teanga sa cheantar. Nascann sé a thuairimí féin leis an bhfianaise stairiúil:

> Tháinig an Béarla chun na Rosann leis na plantóirí tá trí chéad bliain ó shoin, ach ba bheag áird a bhí ag an phobal air go deireadh an ochtú céad déag. Thug sé an chéad chéim ar aghaidh nuair a tógadh an baile cuain ar Inis Mhic Duirn. Chuidigh fás an Chlocháin Léith leis ina dhiaidh sin. Chuidigh na gardaí cósta, na ribhinigh, na péas, na hoifigigh custaim, na giollaí tiarna, na mairnéalaigh a tháinig i dtír leis. Ba mhór an cuidiú an imirce agus na scoltacha aige. I ndeireadh ama chuidigh gach uile ní leis: na damhsaí, na haontaí, na siopaí, na cruinníocha, na páipéir, na leabhra; gach uile dhuine a raibh post maith aige, gach uile dhuine ar mhaith leis comhrá a thabhairt don té a raibh posta aige, gach uile dhuine a raibh clann aige le cur chun na coigríche. (GR:167)

Thuig sé go maith an t-athrú a chuir deireadh leis an teanga:

> Tháinig meath na teangtha le meath an phobail. Nuair a chuaigh an t-aos óg a dhéanamh buanimirce tógadh an gháir: 'Cadé an mhaith an Ghaeilg do na páistí nuair fhuígfeas siad an baile? Ba í sin an gháir amhlánta a scrios an teanga Ghaeilge ar fud Éireann ach sa bheag, agus a rinne díobháil mhór di ins na Rosa. (GR:167-8)

Is léir gur chuir meath na teanga isteach go mór ar Niall Ó Domhnaill, rud atá fíor chomh maith faoi Niall Mac Giolla Bhríde. Pléann seisean ceist na Gaeilge go minic ina dhírbheathaisnéis agus míníonn sé an bhaint a bhí aige féin le gluaiseacht na teanga. Níor fhoghlaim sé Gaeilge ar scoil, rud a chuir as go mór dó: 'níor tugadh uchtach ar bith dúinn ar Ghaeilge a labhairt nuair a bhí mise in

mo thachrán ar scoil. Ghoill sin ar mo leithéidse, mar ní raibh de
theanga againn sa bhaile ach an Ghaeilge' (N:53). Bheartaigh sé ar
léamh na teanga a chleachtadh é féin. Ba mhór a spéis san oideachas
i gcónaí, cé nach bhfuair sé mórán deiseanna oideachas foirmiúil a
fháil ina óige: 'Bhí dúil agam san oideachas, agus is minic ó shin a ba
trua liom nach bhfuair mé caoi níb fhearr le freastal a dhéanamh ar
an scoil i m'óige' (N:10). Chomh maith leis an spéis seo a chuir sé
sa Ghaeilge agus san oideachas, ba náisiúnach amach is amach é,
rud atá soiléir ón gcuntas a thugann sé dúinn ar cheisteanna
polaitiúla a linne. Bhí sé féin ar dhuine de na daoine sin a bhí i
láthair nuair a cuireadh na hÓglaigh ar bun ina pharóiste féin: 'Ní
raibh i láthair ach cúigear, ach níorbh fhada ar bun na hÓglaigh
againn go dtáinig brí agus láidreacht agus méadú iontu. In ionad
cúigir bhí dhá chéad go leith óglach againn taobh istigh d'am
ghairid, agus dúthracht agus fonn oibre orthu uilig' (N:89).

Cés moite de Shéamas Ó Grianna is é Niall Mac Giolla Bhríde
an t-aon duine de na dírbheathaisnéisithe a léiríonn spéis faoi leith
in imeachtaí polaitiúla na tíre. Cuireadh an dlí air faoina ainm agus
a sheoladh a bheith i nGaeilge ar a chairt agus tugann sé cuntas
iomlán dúinn ar ar tharla sa chúirt ina dhiaidh sin. Ba í a mháthair
a chothaigh an dearcadh náisiúnta ann, is léir. Seo é an cuntas a
thugann sé ar a thuismitheoirí ag tús an leabhair:

> Sílim nár casadh aon duine riamh orm a raibh an Ghaeilge aige
> chomh breá binn blasta is a bhí sí ag mo mháthair. Tógadh í i Ros
> Goill, áit a raibh an Ghaeilge ab fhearr a bhí in Éirinn an uair sin.
> Bhí an teanga ar a chomhairle féin ag m'athair fosta, agus ar an
> ábhar sin is beag Béarla a cluineadh sa teach seo againne. Ní hé
> amháin go dtug an bheirt acu an Ghaeilge dúinn maidin agus
> tráthnóna, ach rinne siad a ndícheall ar spiorad Gaelach agus dear-
> cadh náisiúnta a spreagadh ionainn. Buíochas mór do Dhia nár
> shaothar in ascaidh acu é. Ní raibh m'athair aineolach ar an Bhéarla,
> ach b'annamh a labhraíodh sé linne i dteanga na Sasanach. (N:2-3)

Tá dearcadh an-idéalach aige ar an áit dhúchais agus is minic é ag
moladh aoibhneas a óige ann. Mar shampla: 'Ba bhreá ar fad
amach an saol a bhíodh againn agus mé ag éirí aníos' (N:2), nó
'Beidh cuimhne go deo agam ar an dóigh aoibhinn neamhurchóid-
each a gcaithimis na hoícheanna fada geimhridh' (N:51). Ar
ndóigh, tá a bheag nó a mhór den rómánsúlacht ag baint leis an
dearcadh seo.

I ndírbheathaisnéis Fhinn Mhic Chumhaill feicimid an seanduine

ag breathnú siar ar a óige agus maoithneachas na seanaoise imithe i
gcion ar a bhraistintí faoin saol a bhí ann an uair sin:

> Maireann laetha ár n-óige inár gcuimhne agus mairfidh. Agus dar
> liom gur mór an díol trua an té nach mian leis a bheith ag smaoin-
> eamh ar laetha a óige, bíodh sé ag gol in áit na maoiseoige nó ná
> bíodh. De mo thairbhe féin de, ní fearr liom dóigh dá mbíonn orm,
> anois agus arís, ná bheith ag smaoineamh ar na laetha úd, i bhfad ó
> shin, nuair a ba chuma liom ag cur nó ina thuradh é. Agus nuair a
> ligim fad na téide leis na smaointe is iomaí cearn a dtugann siad
> cuairt air. Is neamhiontach go mbíonn siad siúlach, nó bhí mé féin
> siúlach lá den tsaol. Agus is neamhiontach gur minic a thugann siad
> cuairt ar an cheantar a dtugtar Bailte Phádraig air i Rosa Thír
> Chonaill. (GSO:3)

Tá an rómánsúlacht chéanna ag baint le Séamas Ó Grianna.
Chonaiceamar cheana an chaoi ar bhreathnaigh sé ar an áit dhúchais.
Is iad na dea-thréithe i gcónaí atá chun tosaigh agus é ag cur síos
uirthi. Tá an rómánsúlacht ag baint le stíl Uí Ghrianna i gcoitinne,
áfach, agus ba é siúd a dhaingnigh mar nósmhaireacht liteartha ag
scríbhneoirí Thír Chonaill í. Is minic a phléann sé cúrsaí grá fiú
amháin ina dhírbheathaisnéis féin agus is rómánsúlacht bhaoth a
bhíonn i gceist i gcónaí, í fite fuaite le hamaidí na hóige agus maoith-
neachas na seanaoise. Seo é ag smaoineamh ar na Rosa agus é i
dTír Eoghain: 'Ba mhaith liom a bheith ins na Rosaibh, an áit a
rabh ainnir dheas na gciabh-fholt donn. Bhí fhios agam, ar ndóighe,
nach bhfeallfadh sí orm, agus mé i ngean uirthi. Acht ba chuma sin,
bhí an saoghal dorcha gan í' (SC:67). Úsáideann sé na nathanna
seanchaite céanna arís is arís eile agus é ag tagairt do chúrsaí grá agus
is grá an-leanbaí a bhíonn i gceist go hiondúil. I NO insíonn sé
dúinn faoin gcéad chailín a ghráigh sé:

> Bhí mé i ngrá san am le cailín beag rua as Port na mBó. Ní raibh mé
> riamh ag caint léithi. Ní bhfuair mé uchtach ceiliúr a chur uirthi, nó
> ní raibh ionam ach stócach. Agus ba doiligh do stócach ceiliúr a
> chur ar chailín a raibh na scafairí ab fheiceálaí sna Rosa ag briseadh
> na gcos ina diaidh. Ach cuirfidh mé ceiliúr an iarraidh seo uirthi.
> Scríobhfaidh mé cúpla amhrán de chuid Bhurns agus cuirfidh mé
> chuici i leitir iad! (NO:207)

Bíonn an áibhéil i gceist i gcónaí agus is beag difríocht idir na
cailíní éagsúla a thaitin leis. Más fíor an cuntas a thugann sé dúinn
bhí gach uile dhuine acu ar an gcailín ab áille a chonaic sé riamh.

An cuntas seo a leanas ar chailín a chonaic sé ar an traein sa Fhrainc is sampla é den tsamhail bhaineann a chuireann sé os ár gcomhair go minic:

Agus nuair a thionntóigh agus fuair mé amharc iomlán ar a haghaidh is ar a cosamhlacht, chonnaictheas domh go raibh sí ar a' chailín a b'fhíordhóigheamhla a chonnaic mé riamh ar mo shúile cinn. Ba í gile na gile agus áilne na háilne í. Ba mhaith liom lá iomlán a chaitheamh ag amharc uirthí, dá mbínn gan aon fhocal a labhairt a choithche léithe. Agus mar dubhairt Oisín, a Phádraig, dá bhfeictheá a dreach, bhéarfá do shearc don mhnaoi. (SC:252)

Tá an áibhéil agus an rómánsúlacht chéanna ag baint le dearcadh náisiúnach Uí Ghrianna. Ba fhrith-Shasanach amach is amach é agus tagann sé seo trasna go láidir ina dhírbheathaisnéis. Is minic a fheicimid i mbun bolscaireachta é, agus é ag tagairt do cheist na tíre nó do cheist na Gaeilge:

Is iomdha buille trom a bhuail Sasain orainn. Rinne sí creach agus slad orainn le teinidh is le harm, le gaduidheacht is le gorta is le géarleanamhaint. Acht an sgrios a ba troime den iomlán an dóigh ar sgrios sí ár dteanga agus ár n-oideachas agus ar chuir sí an 'Murder Machine' i n-áit. Níor éirigh le smacht ar bith eile dár chuir sí orainn ár gcur as aithne mar rinne an léigheann a tugadh dúinn. (SC:26)

Tá teachtaireachtaí mar seo fite fuaite isteach i scéal a bheatha aige. In áiteanna téann sé le háibhéil amach is amach. Mar shampla, in áit amháin déanann sé cur síos ar Mhisean a bhí ar bun ina pharóiste dúchais. Ba ghnách do na sagairt labhairt leis an bpobal i mBéarla ach an uair seo tháinig misinéir Muimhneach chucu agus níor thuig na daoine focal dá ndúirt sé:

'Mhánuis', arsa m'athair le Mánus Tharlaigh Thuathail, 'tusa a shiúil agus a chuala, goidé bhí sé a rá?' 'Níl a fhios agam', arsa Mánus, 'ach mo bharúil gur Laidin a bhí ann.' (NO:87)

Tá Ó Grianna ag dul thar fóir anseo,[53] agus déanann sé an rud céanna in áit eile agus é ag cur síos ar a thuras féin thart ar scoileanna na Gaeltachta agus é i bhfeighil Chorn na Dála (corn a bhí le bronnadh ar an scoil ab fhearr ag an nGaeilge i ngach cúige). Níor thuig na Muimhnigh ná na Connachtaigh canúint Chúige Uladh, a deir sé. Ansin nuair a théann sé go Cúige Uladh sa deireadh is é an scéal céanna acu siúd é: ' "Pardon me, sir", ars' an múinteoir, "but they don't understand you. It's Ulster Irish we have here" ' (SC:170).

I measc na leabhar ar fad a dhéanann cur síos ar óige na n-údar is dóigh nach bhfuil leabhar ar bith a bhfuil meon an linbh le feiceáil chomh soiléir ann agus atá i LB, le hEoghan Ó Domhnaill. Feicimid an tsamhlaíocht iontach atá ag aos óg na Rosann agus iad mar mhionóglaigh ag cosaint an Charracamáin ón namhaid. Is geall le brionglóid an cur síos samhlaíoch a dhéanann sé ar an eachtra seo. Cnoc beag i Rann na Feirste ba ea an Carracamán agus ní fhéadfadh aon rud le rothaí faoi teacht anuas as. Ach bheartaigh Eoghan agus a chomrádaithe an píopa a bhí sa díog ar bhun an chnoic a leagadh ionas nach bhféadfadh aon ghléas iompair teacht trasna na díge. Ní raibh sa phlean ar fad ach aithris dhíreach ar ghníomhartha na nÓglach féin sa cheantar ag an am. Seo é Eoghan ag caint lena 'chomplacht':

> Bhí an t-iomlán acu cruinn ag seanteach na scoile ar a hocht a chlog tráthnóna. Chuaigh mé féin suas ar carraig agus labhair mé leo: 'Tá an t-iomrá go bhfuil cúig mhíle saighdiúir ar a mbealach as Leitir Ceanainn ag tarraingt chun an bhaile seo. Caithfear an droichead atá ag bun an Charracamáin a leagan anocht. An chéad loraí a thiocfas anuas an cnoc rachaidh sí thar a corp sa díg, agus tiocfaidh an t-iomlán eile anuas sa mhullach uirthi, agus dhéanfar smionagar díobh. Anois má tá fear ar bith in bhur measc a bhfuil eagla air, gabhadh sé chun an bhaile chuig a mháthair.' (LB:75)

Tá neart samplaí eile sa leabhar de shaontacht agus amaidí na hóige agus mealltar an léitheoir leis an léargas cruinn ar intinn an ghasúir a bhí ag Eoghan Ó Domhnaill. Is leabhar eisceachtúil é LB sa mhéid seo mar sna dírbheathaisnéisí eile is léir gur duine fásta atá ag caint agus is í an óige trí shúile an fhir chríonna a fheicimid iontu.

Feicimid, mar sin, tréithe na litríochta ó Chúige Uladh ar chúpla leibhéal. Feicimid an chaoi ar féidir í a úsáid mar fhoinse chun eispéireas na ndaoine a bhí ina gcónaí i nGaeltacht na Rosann a iniúchadh. Feicimid an chaoi ar mhúnlaigh an timpeallacht pearsantacht na ndaoine agus, trí na príomhthéamaí a scrúdú, tagaimid ar charachtair agus ar ábhair réigiúnacha a d'úsáid scríbhneoirí Chúige Uladh ina dhiaidh sin mar amhábhar dá gcuid saothar cruthaitheach. Sna leabhair sin a bhfuil pearsantacht na n-údar féin le brath go soiléir iontu feicimid an chaoi ar tháinig nósmhaireachtaí áirithe stíle chun tosaigh i saothair scríbhneoirí áirithe, nósmhaireachtaí a fheicimid arís sna leabhair eile a d'fhoilsigh siad.

Caibidil 16

ÚRSCÉALTA SHÉAMAIS UÍ GHRIANNA

Place obviously matters to a writer as long as he does not stay there exclusively, I mean as long as in his writing he is there and elsewhere. Regionalism is something else: it is a vehicle of sentimentality in which the incompetents choose to travel (Grigson, 1972:859)

Féachaimis anois ar ghné amháin de shaothair Shéamais Uí Ghrianna mar shampla den réigiúnachas, sa chiall is caoile de, a d'eascair ó Ghaeltacht Thír Chonaill. Scrúdaímis a chuid úrscéalta— agus léireofar cé chomh deacair agus a bhí sé dósan éalú ó laincisí an réigiúnachais fiú amháin agus é ag baint triail as *genre* liteartha a bhí difriúil amach is amach le *genre* na dírbheathaisnéise. Scríbhneoir réigiúnach ó bhun go barr ba ea Séamas Ó Grianna. Dúirt Proinsias Mac Cana go raibh sé ag soláthar litríochta do phobal léitheoirí i mBéal Feirste agus tá leide le fáil sa scéal 'Faoi na fóide is mé sínte' in *Cith is dealán* gur don 'aos óg gan chéill a bhíos ag léamh leabhar thuas fá na bailte móra' (1926:113) a bhí sé ag scríobh. Tá ábhar a shaothar cruthaitheach, idir ghearrscéalta agus úrscéalta, suite sa cheantar céanna agus tá téamaí na leabhar an-teoranta ar fad ó thaobh an ama de freisin. Seo mar a thagraíonn Tomás Ó Fiaich do shuíomh a chuid scéalta:

Is annamh a shuíonn sé scéal taobh amuigh dá cheantar féin, cibé acu Rann na Feirste nó Ceann Dubhrann nó Lag a' tSeantoighe nó Rinn na bhFaoileann etc. a thugann sé ar an áit, nó An Clochán Liath nó An Clochán Dubh nó An Clochán Bán ar an sráidbhaile is cóngaraí di. Nuair a thugann an scéal i bhfad ó bhaile é, cailleann sé a spéis sa timpeallacht go minic.
Is ionann an cás aige i gcúrsaí ama. Cé gur scríobh sé go leor scéalta atá suite i lár Chogadh na nDúchrónach agus i bhfad ina dhiaidh sin—go fiú leabhar iomlán (*An Sean-teach*) faoin am atá romhainn nuair nach mbeidh ach an dá chónaí fágtha i Rann na Feirste—ní chuireann sé dathanna na timpeallachta isteach chomh mion iontu sin agus a dhéanann sé nuair a bhíonn an scéal suite i laetha a óige nó sa ghlúin roimpi. (1974:29-30)

Ní haon ionadh, más ea, nach mbraithimid mórán éagsúlachta ina shaothair. Is iad na téamaí ceannann céanna atá le fáil sna leabhair ar fad beagnach. Mar a deir Mac Cana: 'Bhí luí níos mó ag Máire leis an áitiúlacht agus cuid is mó de fhuíollach scríbhneoirí Thír

179

Chonaill tá siad múnlaithe ar an bpatrún céanna a bheagán nó a mhórán' (1956:51).

Sa chaibidil seo breathnófar ar na húrscéalta a scríobh Ó Grianna. Tá ocht gcinn acu go hiomlán ann—*Mo dhá Róisín* (=MDR), *Caisleáin óir* (=CO), *Tarngaireacht Mhiseoige* (=TM), *An Draoidín* (=D), *Ó mhuir go sliabh* (=OMS), *Suipín an Iolair* (=SI), *Bean ruadh de Dhálach* (=BRD) agus *An sean-teach* (=ST). Ní bhacfar leis na gearrscéalta a scríobh sé mar ní gá ach cnuasach amháin a léamh chun a thuiscint gur tógadh a bhformhór díreach ón seanchas —an scéal bunaithe ar rann áitiúil nó feoil rómánsúil curtha thart ar chnámha de scéal seanchais. Mar dhuine a bhí báite i saol an tseanchais agus é ag fás suas níor dheacair dó gearrscéalta—mar a tuigeadh dósan an gearrscéal mar fhoirm liteartha—a sholáthar. Ba bheag scríbhneoir a bhí ag saothrú an ghearrscéil nuair a chuaigh Ó Grianna i mbun pinn i dtosach agus ba threise an béaloideas ná an chumadóireacht i bhformhór na saothar gearrscéalaíochta ag an am. Ba mhór an difríocht, áfach, idir an píosa seanchais agus an t-úscéal nua-aimseartha agus sin é an fáth gurb ar an ngné sin de scríbhneoireacht Uí Ghrianna a dhíreofar aird anseo.

Ba é an chéad úrscéalaí Gaeilge é, dáiríre, agus ní dócha go raibh scríbhneoir ar bith Gaeilge ó shin i leith a d'fhoilsigh an oiread sin leabhar leis. I dtosach anseo caithfear ceist thábhachtach faoina chuid scríbhneoireachta mar atá sé le feiceáil sna húrscéalta dá chuid a fhreagairt: an raibh aon tuiscint aige d'fhoirm an úrscéil mar fhoirm nua-aimseartha phróis? Cén fhianaise atá le fáil sna leabhair féin nach cumadóireacht chruthaitheach a bhí ar bun ag Ó Grianna ar chor ar bith ach go raibh sé ag soláthar ábhar léith-eoireachta a bheadh oiriúnach d'fhoghlaimeoirí agus don dream beag Gaeilgeoirí proifisiúnta a bhí i bhfeighil cúrsaí foilsitheoir-eachta ó bunaíodh an Gúm? Ina dhiaidh sin scrúdófar na leabhair mar shaothair liteartha chun teacht ar na príomhthéamaí réigiún-acha a thugann pearsantacht faoi leith do litríocht Chúige Uladh. Tagrófar chomh maith do na carachtair réigiúnacha a bhain le Gaeltacht Chúige Uladh mar atá siad léirithe ag Ó Grianna.

Tá rianta de thuairimí Uí Ghrianna faoin litríocht le fáil in áiteanna áirithe ina chuid saothar agus ní féidir breithiúnas cothrom a thabhairt ar a dhéantúis liteartha gan na tuairimí seo a iniúchadh. Is léir, mar shampla, nárbh ionann an tuiscint a bhí aige ar an ngearrscéal agus ar an úrscéal mar fhoirmeacha liteartha, agus a bheadh ag an ngnáthléirmheastóir liteartha inniu. Féach mar a phléann sé an cheist seo i RF:

Is iomdha cómhráidhteach agus sgéalaidhe agus seanchuidhe agus ceoltóir a bhí i Rann na Feirste le mo chuimhne féin, gan trácht ar na línte a bhí ann roimhe sin. M'athair, an fear a' bh'fhearr a chuala mé riamh ag an ghearr-sgéal, chan cionn is mé féin a rádh. (RF:141)

Is ionann an gearrscéal agus scéal gearr béaloidis, scéal Fiann-aíochta nó píosa seanchais, mar shampla. Tháinig an béaloideas seo anuas ó ghlúin go glúin ach i bpobal a raibh cáil air de bharr líonmhaireacht na seanchaithe agus na scéalaithe, ní iontas ar bith é go raibh daoine áirithe ann a bhí oilte ar scéalta a cheapadh as an nua. Scéal ar bith a chum duine ar an gcaoi sin, ba scéal nua, nó 'úrscéal' é. Seo é Ó Grianna ag cur síos ar 'úrscéalaí' a bhí ina chónaí i Rann na Feirste le linn a óige:

Bhí Padruig Phadaí fileadhanta binn-ghlórthach, agus bhí Eoghan Ó Baoighill beacht agus deagh-bhriathrach. Acht ní rabh ann le mo linn, acht aon novelist amháin, sé sin Condaí Éamoinn. 'Mur gcluinim aon sgéal, chumfainn féin sgéal', adeireadh na seanchuidhthe i dtús sgéil. Chumfadh Condaí, agus bhí deilbh áluinn i gcomhnuidhe ar a chuid cumraidheachta. (RF:142)

Níos faide ar aghaidh sa leabhar seo tugann sé samplaí de na 'húrscéalta' a bhí le fáil i seanchas Rann na Feirste:

Tá cuid mhaith fosta againn den rud ar a dtugtar úrsgéaltaí. 'Nighean Rí Chnoc an Óir', 'Conchubhar a' dá chaorach', 'Maighdean Coilleadh Léithe', agus fiche ceann eile den chineál. Sgéaltaí áidhbhéalacha gáibhtheacha an mhór-chuid aca. Tá geasrógaí agus cumhachtaí ionnta atá do-chreidte ar na saoghaltaí deireannacha seo. Acht ins na tíortha nár cuireadh faoi smacht le teinidh is le harm is le gorta mar cuireadh Éire, tá dúil mhór ag daoiní ins an chineál sin sgéaltach. (RF:215)

Is léir uaidh seo go raibh dearcadh dá chuid féin ag an nGriannach faoi cháilíochtaí an úrscéil. Tá sé feicthe againn sa chéad chuid den leabhar seo gur beag an tuiscint a bhí ag lucht athbheochan na Gaeilge ar an litríocht ach an oiread. Saothair bhéaloidis a ghnóthaigh duaiseanna liteartha san Oireachtas, mar shampla, agus nuair a bunaíodh an Gúm bhí an-éileamh ar leabhair Ghaeilge de chineál ar bith agus ba chuma cén caighdeán liteartha a bhí sroichte acu. Thosaigh daoine ag soláthar agus d'éirigh le scríbhneoirí áirithe, Ó Grianna ina measc, an-chuid leabhar a fhoilsiú in ainneoin na srianta a bhí ar scríbhneoirí ag an am, srianta a thuig Ó Grianna go maith.

Fuair na scríbhneoirí íocaíocht a bhí bunaithe ar líon na bhfocal a scríobh siad. Dá bhrí sin loiteadh an stíl go minic leis an athrá ar abairtí agus nathanna seanchaite a rinne na húdair chun toirt bhreise a bhronnadh ar a saothair. Chomh maith leis sin, ní raibh an pobal léitheoireachta ag súil le réabhlóideachas, ó thaobh foirme nó smaointeoireachta de. Thaitin céadiarrachtaí Shéamais Uí Ghrianna go mór leo agus níor éiligh siad aon rud difriúil uaidh ina dhiaidh sin. Níor ghá dóibh aon cheisteanna a chur orthu féin agus iad ag léamh saothair Uí Ghrianna, mar níor cheistigh seisean riamh cúinsí an tsaoil a léirigh sé ina chuid leabhar. Is samhail a shaothar liteartha de mheon a phobail léitheoireachta, mar ba dhuine é a rinne iarracht choinsiasach an pobal sin a shásamh ina chuid scríbhneoireachta.

Chomh maith leis na nithe seo ar fad caithfear cuimhneamh gur ghann na samplaí de dhea-úrscéalta a bhí ar fáil ag an am. Níorbh iontas ar bith é sin i dteanga a bhí ag meath, teanga nár saothraíodh an t-úrscéal riamh roimhe sin inti. Tharla an rud céanna in Albain, rud a luann Edwin Morgan: 'The Gaels have never taken to the novel as a literary form and there are few serious examples of it' (1972:886). B'fhiú, dá bhrí sin, anailís a dhéanamh ar úrscéalta Uí Ghrianna ar dhá chúis: chun iad a scrúdú mar shaothair chruth-aitheacha a théann i ngleic le cuid de na fadhbanna a pléadh cheana féin sna dírbheathaisnéisí Gaeilge; agus chun iad a mheas mar thoradh ar an iarracht a rinneadh chun litríocht nua-aimseartha Ghaeilge a sholáthar.

(a) Na húrscéalta tosaigh—MDR agus CO

D'fhoilsigh Séamas Ó Grianna a chéad úrscéal sa bhliain 1921 agus foilsíodh an t-úrscéal deireanach dá chuid seacht mbliana is daichead ina dhiaidh sin. Is beag forbairt a tháinig ar a stíl sna blianta sin agus ba iad a chéad dá úrscéal—MDR agus CO—na leabhair ba mhó a thuill clú dó mar úrscéalaí. Tá an dá leabhar seo lomlán leis an rómánsúlacht bhaoth agus an áibhéil atá le feiceáil ina shaothair ar fad. Tá frith-Shasanachas an údair agus náisiún-achas rómánsúil a linne le haireachtáil tríd síos i MDR, an logántacht agus an stair fite fuaite le chéile in úrscéal atá neamhdhóichiúil amach is amach in áiteanna.

Cailín ó Bhaile Átha Cliath atá mar bhanlaoch sa scéal. Tá sí lán le tírghrá agus tá an-bhaint aici le Conradh na Gaeilge. Tá go leor

bolscaireachta do chúis na tíre agus na Gaeilge le fáil sa leabhar,
rud a thaitneodh leis na léitheoirí agus leis na foilsitheoirí, ar
ndóigh. Bhíodh an cailín seo—Róisín Donn—ag tarraingt ar
choláiste Gaeilge i gCeann Dubhráin gach samhradh, áit ar casadh
Labhras Óg uirthi. Titeann seisean i ngrá léi, tosaíonn sé ag foghlaim
na scríbhneoireachta ar a son agus ansin téann sé go Baile Átha
Cliath chun a chion féin a dhéanamh ar son na Gaeilge agus ar son
a thíre. Chomh maith leis sin, ba mhaith leis an Cailín Donn a fháil
mar bhean chéile. Cé go raibh sise i ngrá leis bhí sí tar éis gealltanas
a thabhairt nach bpósfadh sí go dtí go mbeadh Éire saor. Sa
deireadh, nuair a thuig Labhras Óg nach raibh seans aige léi, ghlac
sé páirt in Éirí Amach na Cásca agus maraíodh é—ar son a Dhá
Róisín, Róisín Dubh (an tír) agus Róisín Donn (a ghrá geal).
Feicimid ise ina seanbhean agus í fós á chaoineadh.

I gcreatlach an scéil seo feicimid tréithe uile Shéamais Uí Ghrianna
mar scríbhneoir. Tá an t-idéalú ar an áit agus an rómánsúlacht a
chonaiceamar cheana sna saothair dhírbheathaisnéisiúla le feiceáil
arís anseo ach i bhfad níos mó áibhéile déanta aige agus é ag cruthú
carachtair dúinn. I go leor áiteanna sa leabhar feicimid an meascán
den bholscaireacht, den mhaoithneachas agus den truamhéil a bhí
ina gcomharthaí sóirt dá stíl roimh i bhfad. Mar shampla:

A uaisle Gaedheal a léighfeas an sgéilín seo, cuimhnigidh, má tá go
bhfuil Éire saor anois, nar bh'amhlaidh bhí i gcomhnuidhe. Tháinig
sibh-se un t-saoghail i saorsacht. Bhí an Sasanach buailte agus tír
agus teanga slánuighthe réidh fa mur gcoinne ag teacht díbh. A
bhuachaillí beaga deasa Gaedhealacha, atá ag iomáin ar fháithche
Cheann-dubhrann, bhí an t-am ann a rabh mur gcanamhaint agus
mur gcluithche dá ndaoradh, agus b'éigin do mur sinsir troid ar son
an chamáin agus na liathróide agus na Gaedhilge atá agaibh anois.
(MDR:7)

Nuair a smaoinítear ar mheanma na bliana inar foilsíodh an
t-úrscéal seo is dóigh gur féidir cuid den bholscaireacht seo a
mhaitheamh do Ó Grianna.

In áiteanna eile sa leabhar labhraíonn sé go díreach leis an
léitheoir. Tarlaíonn sé seo go mór mór agus é ag cur síos ar rud
éigin a chuireann fearg air. Mar shampla, seo é ag gearán faoi
Ghaeilgeoirí na cathrach:

Bhí an Ghaedhealtacht maith go leor le teacht ar cuairt ann ins an
t-Samhradh. Bhí an cainnteóir dúthchais maith go leor le tamall

cuartaidheachta nó áirneáil a dhéanamh aige, ach i mBaile-átha-
cliath, ba dheacair gan gáire a dhéanamh faoi. (MDR:42)

Is téama an-láidir é téama an ghrá i saothair Uí Ghrianna agus
nasctar an truamhéil agus an tragóid leis go minic. Téama an ghrá
atá le fáil in CO, an dara húrscéal agus an t-úrscéal is clúití dá
chuid. Faightear téama an leabhair seo arís is arís eile i ngearr-
scéalta Uí Ghrianna. Séimí Phádraig Duibh an laoch sa leabhar agus
titeann sé i ngrá le Babaí, cailín idéalach de chuid na háite. Tá
tagairtí do na caisleáin óir—brionglóidí na hóige—le fáil tríd an
leabhar ar fad agus tá an scéal an-mhíréalaíoch mar léiriú ar
chaidreamh pearsanta idir beirt. Titeann Séimí agus Babaí i ngrá
lena chéile mar pháistí agus ní thagann forbairt dá laghad ar an
ngrá páistiúil sin.

Tá an charachtracht go dona sa leabhar. In ionad carachtar
Shéimí a léiriú dúinn ar bhealach inchreidte, a thréithe a fhorbairt
agus é a chur os ár gcomhair mar dhuine daonna, is amhlaidh a
chuirtear an íomhá de na caisleáin óir a chonaic sé féin agus Babaí
agus iad an-óg os ár gcomhair arís is arís eile. Níl i Séimí, dáiríre,
ach scáil de dhuine a chaitheann a shaol i ndomhan na fantaisíochta.
Bíonn Babaí agus Séimí le chéile go minic sa scéal ach tá a gcaid-
reamh bunaithe ar an aon ócáid amháin nuair a bhí siad óg. Níl an
grá le sonrú ar chor ar bith agus tá an chumarsáid eatarthu an-
mhíréalaíoch. Ní dhéantar aon fhorbairt ar an gcéad léiriú a
fhaighimid orthu agus arís tá an t-athrá le brath sa stíl. Is san
aimsir chaite i gcónaí atá a gcomhrá, iad ag cuimhneamh ar
laethanta a n-óige, mar a bheidís ag leanúint a gcinniúna gan aon
pháirt nó rogha acu féin i leagan amach na cinniúna sin. Tá maoith-
neachas ag baint leis an gcomhrá a bhíonn ag Babaí agus Séimí agus
caoineann siad imeacht a n-óige, fiú amháin nuair atá siad fós óg.
Déanann siad ionannú idir an óige agus brionglóidí díchéillí an
pháiste agus labhraíonn siad mar a labhródh beirt sheanduine. Mar
shampla: ' "Gura slán don am a rabhamar lán croí agus aignidh
agus díth céille. Aon uair amháin a gheibh duine ciall, tá deireadh
aige le haoibhneas an tsaoil" ' (CO:44).

Tá sé le tuiscint ó thús an leabhair go scriosfar brionglóidí na
beirte agus, ar ndóigh, sin mar a tharlaíonn sé. Ní féidir leo pósadh
mar níl teach ná feirm ag Séimí agus dá bhrí sin beartaíonn sé ar
imeacht ar shiúl ar feadh tamaill. Fillfidh sé abhaile chun Babaí a
phósadh. Téann sé go hAlbain ar dtús ach ní éiríonn go rómhaith

leis ansin agus sa deireadh socraíonn sé ar dhul go Meiriceá. Imíonn
sé leis ach, mar a tharlaíonn do go leor de charachtair Uí Ghrianna,
ní fhilleann sé abhaile go ceann ocht mbliana fichead ina dhiaidh
sin. Is mór an díol trua an bheirt acu nuair a chastar ar a chéile
arís iad. Tá an Babaí a bhí ina bhrionglóidí imithe agus ní aithníonn
sí é, tá seisean é féin athraithe chomh mór sin: 'D'éirigh sé ina
sheasamh agus stán sé go huafásach ar an mhnaoi. Ba í a bhí ann
gan bhréig. . . . Bhí an óige agus bláth na hóige ar shiúl' (CO:153).
Tá an dream a raibh aithne aige orthu scaipthe agus is geall le
liodán an liosta de na daoine a bhí ann sular imigh sé. Cé gur
chaith sé a shaol thar lear ag fanacht ar an lá seo nuair a d'fhillfeadh
sé ar a ghrá geal, anois tá an fhirinne róshearbh dó agus caithfidh sé
imeacht arís: 'Ní thiocfadh liom fanacht sna Rosa anois i m'Oisín i
ndiaidh na bhFiann. Bhrisfeadh sé mo chroí' (CO:155).
     Sin iad na príomhcharachtair agus is daoine iad a fheicimid i
mbeagnach gach saothar a scríobh Séamas Ó Grianna. Is daoine
truamhéileacha i gcónaí iad. Ní bhíonn aon phearsantacht ag an
gcailín. Léirítear í mar spéirbhean dhóighiúil gan cháim. Tá an fear
léirithe mar dhuine cróga atá dílis dá ghrá geal i gcónaí. Téann sé i
ngleic go fuarchúiseach lena chinniúint ach sáraítear ag an gcinniúint
chéanna go hiondúil é.
     Is ríspéisiúil an tsraith de mhioncharachtair a léirítear san úrscéal
seo chomh maith. Arís is carachtair réigiúnacha amach is amach iad.
Mar shampla, tugtar léargas an-mhaith dúinn ar fhear an ghaimbín,
Pádraig Ó Dálaigh. Is siopadóir é sa Chlochán Dubh agus léirítear
an chaoi a raibh greim docht aige ar mhná bochta na Rosann. Is
carachtar tipiciúil é, samhail den rachmasóir aítiúil a bhí le fáil i
mbeagnach gach aon sráidbhaile tuaithe in Éirinn ag an am:

> Fear a bhí i bPádraig Ó Dálaigh a raibh siopa agus teach biotáilte
> aige. Bhí sé ag cur amach mine buí ar cairde, agus gaimbín fada ina
> diaidh i ndeireadh na bliana. Is beag fear teaghlaigh san áit nach
> raibh ar mhullach a chinn i gcuid leabhar Phádraig an t-am seo.
> Agus ar an ábhar sin bhí eagla orthu uilig roimhe. (CO:46)

Is carachtar tipiciúil eile Cearrbhach Bheití, duine a d'fhág an
ceantar dúchais ina óige agus a chuaigh ar an drabhlás in Albain.
Is duine truamhéileach eisean chomh maith. Tá sé i ngrá le Babaí
ach tuigeann sé nach bhfuil aon seans aige léi. Breathnaíonn sé siar
le cumha ar an saol atá caite aige: ' "Is mairg nár casadh macasamh-
ail Bhabaí orm tá deich mbliana ó shin, a shábhólfadh mé ar a

ghábháil chun an drabhláis, agus a sheolfadh ar bhealach mo leasa
mé" ' (CO:65). Chomh maith leis sin, cuireann sé an locht air féin
nuair a éiríonn a mháthair tinn: 'Smaoinigh sé gur lig sé an baile ar
dearmad seal den tsaol agus go mb'fhéidir go raibh sin ina chiontaí
le breoiteacht na máthara' (CO:66).

Agus é in Albain casann Séimí ar Mhícheál Dubh agus tríd an
gcarachtar seo feicimid an cineál saoil a bhí ag na himirceoirí
Éireannacha in Albain. Níl Séimí sásta bheith páirteach i ngoid
chearc ach míníonn Mícheál Dubh an scéal dó: ' "... tá tú in Albain
anois. Tá an seachtú haithne ar shiúl glan as an tír seo" ' (CO:95).
Tá luachanna difriúla ag na Gaeil in Albain agus tá deacracht ag
Séimí na luachanna seo a thuiscint. Fearacht beagnach gach uile
dhuine eile sa scéal tá saol anróiteach ag Mícheál agus níl bealach
éalaithe aige: ' "... Is cosúil gur rugadh mise faoin chinniúint nár
bhaol domh só. Tá mé ar shiúl liom ar an drabhlás i m'éan bhocht
scoite" ' (CO:95). Scéal tragóideach is ea scéal Mhíchíl Dhuibh.
Nuair a d'fhill sé ó Albain tar éis dó dul sall i dtosach, bhí an cailín
a raibh sé i ngrá léi pósta leis an bhfear ba chúis lena imirce an
chéad lá. Dá bhrí sin d'fhág sé an baile arís agus chuaigh sé ar an
drabhlás in Albain. Bhí droch-chinniúint ag bagairt air agus ní
raibh neart aige uirthi.

Tá Babaí mar inspioráid ag Séimí chun é a choinneáil ón ól.
Bhíodh na hÉireannaigh uile ag ól agus ba dheacair a bheith ina
gcuideachta gan bheith mar dhuine acu. Ach bhí Babaí ina haingeal
coimhdeachta i súile Shéimí. Is samhail mhíréalaíoch í, áfach. Ní
fheicimid mar dhuine í nó ní fheicimid Séimí é féin mar dhuine ach
an oiread. Tá sé rófhoirfe: 'Ach ina dhiaidh sin, ba chuma goidé
chomh trom is a bhí an rud ag goillstin air, ní ghéillfeadh sé dóibh.
Bhí an tráthnóna deireanach a chaith sé i gcuideachta Bhabaí, bhí
sin ina shúile' (CO:98).

Tá i bhfad an iomarca den tseanmóireacht mhorálta sa leabhar
seo, dar liom. Bheadh sé níos éifeachtaí dá bhfaighimis léargas éigin
ar Shéimí ag géilleadh don bhrú a cuireadh air dul ag ól. Tá an-
chuntas sa leabhar, áfach, ar anró an tsaoil thar lear:

D'fhulaing sé fuacht agus anró agus ocras. Ba mhinic ab éigean dó
luí amuigh go maidin oícheanna geimhridh. Ba mhinic ab éigean dó
baint faoi i gcuideachta dreama a bhí ar maos go dtí an dá shúil in
an uile chineál oilc agus peacaidh. Ba mhinic a shiúil sé ag cuartú
oibre go mbeadh na ladhra ag gabháil fríd na bróga aige. (CO:114)

Ach ba dhuine mórtasach é: 'Ní thiocfadh leis a ghabháil chun an bhaile ar phócaí folmha.' Sa deireadh, chinn sé ar dhul go Meiriceá. Tá go leor máchailí stíle ag baint leis an leabhar seo ach is dóigh gurb é an láimhseáil a dhéanann sé ar an gcuid seo den scéal an sampla is measa. Ní mhínítear céard a thug air dul go Meiriceá go tobann ag lorg óir nó ní insítear dúinn cé hé 'Fear na Blagaide' Sílim go milltear an scéal go hiomlán nuair a chuirtear píosa isteach sa chéad phearsa ag an bpointe seo sa leabhar. Go dtí sin bhí an scéal sa tríú pearsa agus bhí an insint nádúrtha ó thaobh na stíle de. Cén fáth ar cuireadh an scéal i mbéal cailín óig nach mbeadh ábalta an cineál sin scéil a insint? Is cinnte nach mbeadh aon eolas aici ar an gcineál saoil a bhí ag muintir Rann na Feirste in Albain. D'fhéadfaí na máchailí seo a mhaitheamh don údar ach amháin go bhfaightear arís iad sna húrscéalta eile nuair a shánn Ó Grianna— i bhfoirm chailín óig—a ladhar isteach sa scéal, seachas ligean don reacaire neamhphearsanta an scéal a ríomh.

Tá go leor fothéamaí ag rith tríd an leabhar, téamaí a bhaineann le saol traidisiúnta atá faoi ionsaí ag luachanna nua. Baineann na luachanna seo le hairgead, le saol na heaglaise agus le saol an Bhéarla. Tá an-chuid tagairtí do chreideamh na ndaoine a bheith ag athrú agus do na sean-nósanna a bheith ag dul i léig, mar shampla. An rud is tábhachtaí faoin leabhar, áfach, ná gur mhúnlaigh sé, a bheag nó a mhór, dearcadh na scríbhneoirí Ultacha faoi chúrsaí scríbhneoireachta. Ba é Séamas Ó Grianna a chruthaigh an 'tUltachas' i scríbhneoireacht na Gaeilge:

> 'Sé Máire, ní Seosamh, is mó a bheir corp agus brí le 'litríocht Chúige Uladh'; gan é is ar éigin a bheadh sí ann. 'Sé is mó a thaispeáin an cheolmhaireacht agus an rithimiúlacht a d'fhéadfaí a chur ar fáil le prós ealaíonta na Gaeilge. (Mac Cana, 1956:51)

Tá na téamaí atá le fáil in CO—mar shampla, an imirce, an aisling bhréagach, agus an grá cásmhar rómánsúil—mar bhunsraith do bheagnach gach uile shaothar liteartha a tháinig ó Chúige Uladh ó shin. Is é a tharraing aird lucht léite na Gaeilge ar an tuaisceart mar fhoinse don litríocht. Mar a deir Mac Cana, áfach, glaonn Ó Grianna níos mó ar na mothúcháin éadroma ná ar an intinn: 'Greann gáiriúil soineannta, brón agus grá agus cumha nach dtiocfadh leo gan comhfhreagra a fháil ó mhaothnas an léitheora. Is é a leagan féin den fhírinne arb é saol na Rosann, a fhaighimíd i saothar Mháire' (1956:51). Luann Breandán Ó Doibhlin Séamas Ó Grianna

agus é ag cur síos ar an maoithneachas agus an rómánsúlacht atá le
brath chomh mór sin ar an litríocht ghrá sa nua-Ghaeilge:

> Is é an maoithneachas céanna, arb é an toradh é ar dheasca na
> gluaiseachta rómánsúla sa naoú aois déag, atá ina phríomhchomh-
> artha sóirt ar an iliomad gearrscéalta agus úrscéalta a scríodh faoi
> shaol na Gaeltachta sna fichidí agus sna tríochaidí. Muintir Mhic
> Ghrianna, agus Séamas go háirithe, is dócha a lansáil an scoil
> Ghaeltachta seo, agus tá an bunphatrún leagtha síos ins na leabhair
> *Caisleáin Óir* agus *Cioth is Dealán*. . . . Is é atá san fhoirmle sin
> pictiúr ídileach den Ghaeltacht agus dá mhuintir, dream uasal
> daoine á mbrú síos ag ansmacht a naimhde ach a bhfuil fiú amháin
> a gcuid duáilcí ina suáilcí. Tá an grá ina chuid aiceanta den phictiúr
> idéalach sin; mothú aoibhneasach neamhurchóideach nach dtagann
> smúid ar bith de pheaca an tsinsir trasna air. (1975:119)

Tá foinse na rómánsúlachta i stíl Uí Ghrianna le fáil i saothair na
n-údar Béarla a léigh sé, dar liom. Bhí an-suim aige i scríbhneoirí
an naoú haois déag, mar shampla:

> I measc údair an Bhéarla théigh a chroí le Burns thar aon duine eile.
> De na hÉireannaigh a scríobh i mBéarla, Mitchell is mó a chuaigh i
> bhfeidhm air agus bhí an Jail Journal mar chineál Bíobla aige.
> Chuaigh Swift, Mangan agus an Canónach Ó Síocháin i dtionchar
> air chomh maith agus d'aistrigh sé cuid de úrscéalta an Chanónaigh
> go Gaeilge. (Ó Fiaich, 1974:7-8)

Luann sé Burns agus Mitchell go minic ina shaothair dhírbheathais-
néisiúla agus is cinnte go ndeachaigh saothair na scríbhneoirí seo i
gcion go mór air. I dtaca le téama an ghrá de, déarfainn féin go
raibh an-tionchar ag filíocht Burns ar láimhseáil an téama sin i
saothair Uí Ghrianna.

Is fiú smaoineamh ar cé chomh láidir agus atá téama an ghrá i
litríocht Chúige Uladh i gcomparáid le teirce an téama i litríocht
Chorca Dhuibhne. B'fhéidir gurbh é an caidreamh idir scríbhneoirí
Thír Chonaill agus a bpobal léitheoireachta ba chúis leis. Dá mba
rud é gur rómánsúlacht neamhurchóideach Ghaeltachta a bhí ag
teastáil ó léitheoirí i mBéal Feirste agus sna cathracha eile, bhí sé
éasca go leor téama réigiúnach a dhéanamh de sin, tríd an ngrá a
fhí isteach i scéal truamhéileach faoi shaol na Rosann nó i scéal
bunaithe ar chúrsaí sóisialta nó polaitiúla na linne. Feictear dom
gurb shin go díreach an rud a rinne Séamas Ó Grianna. Don chuid
eile dá ábhar tarraingíonn sé a bheag nó a mhór as saol an cheantair
mar a chonacthas dó siúd é agus tá an léiriú a dhéanann sé ar an

saol sin an-ghar don léiriú a fhaighimid sna saothair dhírbheathais-néisiúla. Mar a deir Tomás Ó Fiaich: 'Níor gá dó, mar sin, mórán cumraíochta a dhéanamh ach an saol a bhí timpeall air a bhreacadh síos go mion le peann an ealaíontóra' (1974:30).

I ndiaidh don chéad dá úrscéal seo a bheith foilsithe bhí sampla ar fáil do scríbhneoirí Ultacha eile agus chomh maith leis sin thuig Ó Grianna go raibh pobal léitheoireachta aige. Breathnófar anois ar na húrscéalta eile dá chuid chun scrúdú a dhéanamh ar an gcaoi a ndeachaigh na nósmhaireachtaí a bunaíodh i MDR agus CO i gcion ar a chuid saothar ina dhiaidh sin.

(b) *Na húrscéalta eile*

Foilsíodh TM sa bhliain 1958. Scéal stairiúil le suíomh logánta atá ann arís agus an seanchas a chuala sé ó sheanchaí áirithe i Rann na Feirste mar dhúshraith aige. Tá cuid den scéal bunaithe ar tharngaireacht a bhí i mbéaloideas Thír Chonaill agus fíonn sé scéal grá isteach in imeachtaí stairiúla a linne. Ní fíorchumadóireacht atá sa scéal ar chor ar bith, dá bhrí sin. Tá an scéal roinnte i gcúig chuid. Sa chéad chuid tá an t-údar ag filleadh ar Ros Sgaite agus cuirimid aithne ar an mbeirt phríomhcharachtar—Síghle Nic Chearbhaill agus Conall Óg Ó Baoighill. Níl a fhios againn go fóill cén ceangal atá idir saol na beirte, ach tugtar le tuiscint go bhfuil ceantal éigin eatarthu. Is sa chuid seo a fheicimid gurb ón seanchas a fuair Ó Grianna an scéal agus tá an chuid is mó den leabhar scríofa i bhfoirm an chomhrá. Is é Conall Óg féin an príomh-reacaire anuas go dtí an dá chuid dheireanacha den leabhar. Insítear go neamhbhalbh don léitheoir gur scéal Chonaill Óig, go bunúsach, atá san úrscéal ar fad:

An lá ar n-a bhárach thug mé an dara cuairt ar Chonall Óg. Tháinig sé 'un béil do réir a chéile. Agus gach aon lá ar feadh cúpla mí i n-a dhiaidh sin d'innis sé cuid dá sgéal domh. Níor chuir mé ceist ar bith air, acht leigean dó innse leis ar a dhóigh féin. D'innis sé domh fá 'n tsaoghal a bhí aige nuair a bhí sé i n-a ghasúr. D'innis sé sgéaltaí domh fá dhaoinibh ba sine ná é féin. . . . Acht níor innis sé iomlán a sgéil domh. Bhí beárnacha móra ann agus gan a dhath le n-a líonadh acht leideadh. Bhí beárnacha eile ann nach raibh an leideadh féin ionnta. B'éigean domh sin a chuartugadh. Fuair mé é ó dhaoinibh eile. Cuid de ó shean-daoine Ros Sgaithte agus an chuid eile ó shean-daoinibh as Leitir Cuilinn. (TM:30)

Sa dara cuid den leabhar ansin faighimid scéal Chonaill Óig Uí Bhaoighill. Tarngaireacht Mhiseoige atá mar dhúshraith don scéal agus míníonn an tarngaireacht seo na hathruithe a bhí le teacht ar an saol traidisiúnta agus na fáthanna a bheadh leo.

Tá an-chuid tráchta ar an athrú saoil sa cheantar—go mór mór fás na himirce agus na hathruithe eacnamaíocha ba chúis leis. Casaimid ar thuismitheoirí Chonaill agus tá an choimhlint idir an sean agus an nua le feiceáil ina meon siúd. Tá an mháthair ag iarraidh léann a thabhairt dá mac ach tá dearcadh níos traidisiúnta ag an athair maidir le hoiliúint ghasúir. Deir an t-athair: ' ". . . Fear ar bith a dtig leis a leitir féin a léigheamh is a sgríobhadh agus a mhargadh a dhéanamh i n-Albain tá a sheacht sáith léighinn aige . . ." ' (TM:48). Ach ní raibh an mháthair sásta ligean do Chonall Óg dul go hAlbain agus fuair sí post dó mar bhuachaill siopa i Leitir Cuilinn. Bhí drochmheas ag cuid de mhuintir na háite ar phost dá leithéid agus arís feicimid a meon sa chomhrá ' ". . . B'fhearr liom mo dhuine cloinne sa taobh chúil de Mheiriceá, b'fhearr liom sin, ná a bheith ag filistíní Leitir Cuilinn" ' (TM:51). Ní raibh a leithéid de phost dúchasach do dhuine ó Ros Sgaite.

Ar chaoi ar bith, téann Conall go Leitir Cuilinn, castar náisiúntóirí an bhaile mhóir air agus bíonn an-tionchar acu air. Is rud é seo nach féidir leis an athair glacadh leis. Feicimid meon mhuintir na tuaithe i leith na gluaiseachta náisiúnta go soiléir i ráitis an athar: ' ". . . Bhí mo sháith de anródh an tsaoghail orm ó tháinig ann domh is gan bheith a' smaoineamh ar Éirinn. B'éigean domh mo chuid a shaothrughadh as allus mo mhalacha" ' (TM:64). Leanann an choimhlint seo idir an t-athair agus an mac ar aghaidh tríd an leabhar ar fad. Is léiriú é ar an gcoimhlint idir luachanna forásacha na mbailte móra—sa chás seo, an náisiúnachas—agus meon cúlráideach paróisteach mhuintir na tuaithe. Tá Ros Sgaite scoite amach ó imeachtaí polaitiúla na tíre ach tá an pholaitíocht go mór chun tosaigh i Leitir Cuilinn. Tá rún ag Conall Óg dul isteach sna hÓglaigh ach ní insíonn sé dada faoi seo dá mhuintir.

I gcuid a dó, chomh maith, casaimid ar Shíghle Nic Chearbhaill, iníon an dochtúra atá ina chónaí achar gearr ó Leitir Cuilinn. Feiceann sí Conall Óg agus titeann sí i ngrá leis. Tá a cuid samhlaíochta tógtha go hiomlán le haislingí faoi, ach cé go leanann a grá dó ar aghaidh tríd an scéal ar fad, arís is grá aislingeach míréalaíoch é, é ceangailte lena samhail de mar laoch ag seasamh cearta na tíre:

Bhí éachtaí móra déanta ag Conall Óg. Ba é a bhí i n-a cheannfeadhna ar arm na hÉireann. Nuair a cuireadh an Phoblacht i réim fuair sé luach saothair agus onóir. Bhí sé a' teacht isteach go Baile Átha Cliath a' marcaidheacht ar each shleamhain—mar thigeadh Caesar 'un na Róimhe nó Napoleon go Paris. . . . Agus bhí na mílte ainnir áluinn a' cathamh bláthann chuige. (TM:107)

Tá Conall Óg i ngrá le Síghle freisin ach is grá aislingeach atá aige siúd chomh maith. Feicimid an bheirt acu ag obair le chéile ar son na tíre, eisean sna hÓglaigh agus ise ag scríobh chuig na páipéir agus ag cabhrú leis na saighdiúirí. Ní nochtann ceachtar acu a gcroí dá chéile, áfach. Glaotar 'Eimear' ar Shíghle tar éis di litir fhrith-Shasanach a scríobh chuig páipéar éigin faoin ainm cleite sin. Léirítear Conall Óg mar laoch agus an t-idéalachas go smior ann. Mar a chonaiceamar i MDR faigheann grá tíre tús áite i gcónaí: 'Dá n-abradh Eimear leis rogha a dhéanamh eadar í féin is Éirinn dhéanfadh sé rogha de Éirinn. Strócfadh sin a chroidhe ar ndóighe. Acht i n-a dhiaidh sin ní thiocfadh leis a átharrach a dhéanamh' (TM:131).

Mar is gnách i scéalta Uí Ghrianna, titeann an lug ar an lag ar na príomhcharachtair. Agus é sna hÓglaigh faigheann Conall Óg 'deportation order'. Tá air imeacht as Leitir Cuilinn. Casann sé ar 'Eimear' ina dhiaidh sin ach níl sé de mhisneach aige a ghrá a chur in iúl di. Ní léiríonn sise mórán spéise ann ach an oiread. Agus í ag caint leis díríonn sí a haire ar an tsaighdiúireacht, rud a chuireann Conall Óg in ísle brí. Cé gur duine láidir cumasach é is truamhéileach an pictiúr a fhaighimid de agus é ar shiúl ó Shíghle. Ba mhaith leis scríobh chuici ach níl sé de mhisneach aige: 'Acht, cad fáth a gcuirfeadh sé sgéala chuici an iarraidh seo? Caidé a bheadh le rádh aige léithe? Ní bheadh a dhath acht an rud nach n-abóradh sé choidhche' (TM:181).

Tarlaíonn sé, áfach, go bhfuil Conall Óg le páirt a ghlacadh i bplean mór a bhí ag na hÓglaigh. Bheadh air bualadh le 'Eimear' roimhe sin agus chuir sé litir chuici chun coinne a dhéanamh. Tá an seanmhaoithneachas le feiceáil sa litir sin:

Mhaoidh sé go raibh gábhadh géar rompa. Go mbeadh dhá arm le troid aca—na fir bhuidhe agus saighdiúirí na Sasana. Annsin dubhairt sé—Bhail, níor dhubhairt go raibh a chroidhe agus a anam istuigh inntí. Acht is beag nár dhubhairt: thuigfidhe as. Dubhairt sé go mb'fhéidir nach bhfeicfeadh siad a chéile choidhche arís. Gur mhaith leis aon amharc amháin eile a fhagháil uirthí—aon uair

amháin sul a dtaradh báire na fola. 'Ere I go to meet my doom!'
(TM:219)

Arís titeann an lug ar an lag air. Agus Síghle ar a bealach go Leitir
Fraoich, an áit a raibh siad le castáil ar a chéile, chuir saighdiúirí
Shasana moill cúpla uair an chloig ar an ngluaisteán agus nuair a
shroich sí an áit bhí Conall Óg imithe cheana féin agus é ag ceapadh
nach raibh spéis dá laghad aici ann:

> Bhí sé a' meabhrughadh go brúighte ar a bhealach soir: Tá deireadh
> leis an aisling sin. Ní raibh inntí riamh acht aisling amaideach.
> Aisling bhréige. Nár chóir go mbeadh a fhios sin agam. . . . I n-a
> dhiaidh sin samhladh liom níos mó ná aon uair amháin is ná dhá
> uair go . . . An raibh ann acht a' samhladh? (TM:227)

Is mór an díol trua é Conall Óg agus é ar a bhealach chun na
troda. Chun cúrsaí a dhéanamh níos measa fós, goineadh agus
gabhadh in imreasán i nDoire é. Tógadh os comhair na cúirte agus
daoradh chun báis é. Rinne sé óráid sa chúirt, saoradh ón mbás é
ach cuireadh i bpríosún i Sasana é. Tá 'Eimear' sa bhaile agus
lionndubh uirthi, í ag smaoineamh ar Chonall agus imní uirthi mar
gheall ar an oíche a raibh sí le castáil air.

Is iad cúinsí seachtracha i gcónaí a threoraíonn saol na gcarachtar
i leabhair Uí Ghrianna. Léiríonn sé daoine mar Chonall Óg agus
'Eimear' atá eisceachtúil ar go leor bealaí ach fós nach n-eiríonn leo
rud chomh bunúsach lena ngrá dá chéile a chur i gcrích. Ligeann
siad do chúinsí an tsaoil a gcinniúint a leagan amach dóibh agus
cé gur daoine misniúla iad níl sé de mhisneach acu cor a chur ina
gcinniúint féin.

Thiar i Ros Sgaite tá cailín eile croíbhrúite mar gheall ar Chonall
Óg—is é sin Nóra, iníon Chathaoir Bháin. Faighimid pictiúr
truamhéileach chomh maith den tseanlánúin atá fágtha ina n-aonar
anois: 'Ní raibh aca acht iad féin, cé gur thóg siad cúigear de
theaghlach—ceathrar nighneach agus mac. Bhí bean de na nigh-
neacha pósta ar a' Lagán. Bhí an triúr eile i Meiriceá. Agus bhí an
mac i bpriosún Dartmoor i Sasana' (TM:294).

Sa deireadh filleann Conall Óg ar an mbaile tar éis dó trí bliana
a chaitheamh sa phríosún. Tá sé fós i ngrá le 'Eimear' ach faigheann
sé amach gur phós sí fear a raibh a hathair ag iarraidh go bpósfadh
sí—an t-aturnae meánaosta a bhí ina chónaí gar di. Tar éis tamaill
pósann Conall Óg Nóra Chathaoir Bháin ach feiceann sé 'Eimear'

fós ina bhrionglóidí. Ní dhéanann sise dearmad de Chonall ach an oiread. Ag deireadh an leabhair déanann Ó Grianna cur síos ar shochraid Chonaill Óig. Tá an comhtharlú áiféiseach anseo. Casann an t-údar ar 'Eimear' ag an tsochraid ach ní aithníonn sé í:

'Is dóighche go raibh aithne mhaith agat ar Chonall Óg Ó Baoighill', arsa mise agus cearthaigh orm.
'Bhí', ar sise. 'Aithne mhaith. Tá súil agam gur i measg na n-aingeal atá a lóistín. Ba é a bhí fíor. Ba gheall le fear é nuair a bhí fir gann, mar adubhairt mé leat a' lá fad ó shoin ar a' Riviera.' 'Is tú Síghle Nic Chearbhail?' arsa mise.
'Is mé Síghle Nic Chearbhail. Slán agat', ar sise a' síneadh a láimhe chugam.
Agus d'imthigh sí. (TM:376)

Ó thaobh téama agus carachtrachta de tá an t-úrscéal seo anchosúil le MDR. Arís loitear an plota leis an iomarca maoithneachais agus easpa tuisceana nuair atá na mothúcháin dhaonna á n-ionramháil ag an údar. Chomh maith leis sin, déanann sé iarracht dhá mhórthéama a láimhseáil sa leabhar—na hathruithe móra a bhí ag dul i gcion ar shaol traidisiúnta na tuaithe agus cúrsaí polaitiúla na linne. Dá gcloífeadh sé le haon cheann amháin de na téamaí seo b'fhéidir go n-éireodh níos fearr leis úrscéal sásúil a chur ar fáil. Ar ndóigh, tá gnáthlochtanna Uí Ghrianna mar scríbhneoir le feiceáil arís sa leabhar seo—an iomarca den athrá; stíl agus ábhar an tseanchais a bheith le feiceáil go róshoiléir tríd an scéal; an iomarca bolscaireachta; agus réimse na mothúchán a bheith i bhfad róchúng. Is léir nár tháinig forás ar bith ar a chuid scríbhneoireachta ó d'fhoilsigh sé CO.

Foilsíodh an chéad úrscéal eile dá chuid—D—sa bhliain 1959. Arís, déanann sé iarracht dhá mhórthéama a láimhseáil, rud a laghdaíonn éifeacht an leabhair. Go bunúsach is éard atá ann ná scéal faoi bhuachaill óg a raibh an leasainm 'Draoidín' air. Ós rud é nach raibh toirt rómhór ann, cheap a thuismitheoirí nach mbeadh neart ná cumas riamh ann agus ba é an dearcadh a bhí acu ná go mbeadh air a chuid a shaothrú trí mheán an léinn. Tá an scéal fite fuaite leis na seantéamaí is dual do na scríbhneoirí Ultacha—an scoil, déanamh an tae, an t-airneál etc.—agus arís déanann an t-údar an-chuid athrá tríd an scéal.

Feicimid meon mhuintir na Gaeltachta faoin nGaeilge i dtuairimí thuismitheoirí an Draoidín. Cheap siad go raibh sé ríthábhachtach dá mac Béarla a fhoghlaim agus mhol siad dó iarracht a dhéanamh é a phiocadh suas ó Shíghle Chatach, cailín beag a d'fhill as Albain lena tuismitheoirí. Tá meon diúltach ag muintir Rinn na bhFaoileann ('ionad' an scéil) i gcoitinne i leith na Gaeilge. Breathnaíonn siad uirthi mar chomhartha na cúlráide:

Cúpla seachtain i n-a dhiaidh sin tháinig fear Chonnradh na Gaedhilge gur labhair sé leis na daoinibh taobh amuigh de theach a' phobail i ndiaidh am Aifrinn. Acht ní thug muintir Rinn na bhFaoileann áird ar bith air. D'éist siad go múinte leis. Annsin tháinig siad 'un a' bhaile agus a' sean-phort aca a bhí riamh aca: 'Is réidh aige é. Acht dá gcaithfeadh a pháistí imtheacht i mbéal a gcinn agus gan aon fhocal Béarla aca.' (D:115)

Is téama é seo a ritheann tríd an leabhar ar fad agus is i mbéal na máthar is mó a chuirtear an frith-Ghaelachas. I dtaca le cumas an bhuachalla chun obair fir a dhéanamh, fuarthas amach roimh i bhfad gurbh ábhar maith oibrí a bhí ann agus níor bhac siad le léann a bhrú air ina dhiaidh sin. Ba mhó go mór an meas a bhí ag an bpobal ar an bhfear oibre ná ar an duine léannta. Léirítear ómós na ndaoine don fhear a raibh clisteacht láimhe ag baint leis. Feicimid Cormac Óg ag cuidiú lena athair ar an bhfarraige lá stoirme; feicimid é ag dul go hAlbain, ag caitheamh an gheimhridh ann agus ag dul ag náibhíocht, an obair ba dhuaisiúla a rinne na Gaeil in Albain ag an am. Sa deireadh beartaíonn sé ar imeacht go Meiriceá. Léirítear an chaoi ar tháinig athrú i nósanna na himirce ag an am agus na cúiseanna a bhí leis na hathruithe sin:

An bhliadhain i n-a dhiaidh sin mheath an iasgaireacht. An samh-radh a bhí chugainn chuaidh mé go h-Albain arís. Ní raibh mé sásta le bheith anonn is anall go h-Albain. Bhí Meiriceá in mo cheann. D'fhéadfadh fear comhthrom ar bith tamall a chathamh i n-Albain. Ach 'a' chuid a b'fhearr de na fir a théigheadh go Meiriceá' agus ba mhaith liom-sa bheith ar a' chuid a b'fhearr de na fir. Fear a chaith seal i n-a dhraoidín! (D:247)

Tá an-bhéim go deo ar an laochas sa leabhar seo. Bhí ar an Draoidín é féin a chruthú fiú amháin dá mbeadh air dul go Meiriceá chun é sin a dhéanamh. Ní fhéadfadh Ó Grianna scéal Chormaic a insint gan an seantéama grá a shá isteach sa scéal ar áis nó ar éigean. Fágann sé a chailín ina dhiaidh agus é ag dul go Meiriceá agus, ar ndóigh, tá sé le filleadh uirthi i gceann cúig bliana: 'Bhí an cleamhnas socair agam féin is ag Máire. Rachainn-se go Meiriceá an Fóghmhar sin a bhí chugainn. Thiocfainn arais i gcionn chúig

mbliadhan agus dornán maith airgid liom. Ansin phósfainn mo
ghrádh geal' (D:254). Tá an ghnáth-thruamhéil ag baint le deireadh
an leabhair. Phós Cormac cailín eile agus é i Meiriceá agus níor
fhill sé ar an mbaile dúchais go dtí i bhfad ina dhiaidh sin. Bhí
claochluithe móra tagtha ar an áit ó d'imigh sé:

> Ní raibh ann acht go dtáinig leis a' tseanduine a' chreidbheáil gur i
> Rinn na bhFaoileann a bhí sé ar chor ar bith. Bhí teach breágh ag
> Mághnus Eoghain, solus electric ann agus uisge, te agus fuar, agus
> seomra deismir ag an tsean-lánamhain dóbhtha féin. Bhí an uile
> chóir aca, comh maith is bheadh aca i dteach ósta. (D:277)

Tá iontas an domhain ar Chormac nuair a fheiceann sé na hath-
ruithe móra seo agus tá deireadh an leabhair áiféiseach ar fad—
Cormac ag cur tuairisc na n-áiteanna a raibh aithne aige orthu agus
é óg:

> Sheasuigh an Yankee ag ceann na caslach. D'amharc sé soir agus
> d'amharc sé siar. 'Cá h-áit fá seo a raibh an sgoil ag Plúicín?' ar
> seisean. 'Ní fheicim cloch dubh-shraithe féin.'
> 'Annsin ag do thaoibh, an áit a bhfuil teach na bpioctúireach', arsa
> Maghnus.
> 'Agus cá h-áit a raibh an siopa ag Micí na Brághad?' ars' an
> Yankee.
> 'Thall annsin an áit a bhfuil a' Hairdressing Saloon', arsa Maghnus.
> (D:282-3)

Téann Ó Grianna thar fóir i gcónaí agus é ag iarraidh pointe a
léiriú. Níl sé ábalta an srian sin a choinneáil air féin is gá chun
úrscéal fiúntach a chur ar fáil. Ní ligeann sé don léitheoir a shamh-
laíocht a úsáid ar chor ar bith agus loiteann sé an scéal dá bharr.

Is téama logánta arís atá á phlé sa leabhar OMS (1961). Pléann
an t-údar an t-athrú ó na hoileáin go dtí an mhórthír agus na
coimhlintí a ghabh leis an athrú sin. Tá macalla de shaothair
Peadar O'Donnell le brath ar ábhar an leabhair seo. Seo é ag cur
síos ar mheon na n-oileánach i dtaobh an athraithe go tír mór agus
tá sé an-chosúil le meon Susan sa leabhar *Proud island*:

> Comhmóradh cumhaidheamhail a bhí ann. Bhéarfadh sé in do
> cheann comhmóradh a bheadh le duine a bheadh ag imtheacht go
> Meiriceá. . . . Bídh súil le muir acht ní bhíonn súil le h-uaigh. Bídh
> súil le Meiriceá. An fear rachas go Meiriceá b'fhéidir go dtiocfadh
> sé arais lá éigin. Acht a' t-oileánach rachas a chómhnuidhe go tír
> mór nuair phósfar é sgaoil do bheannacht leis. (OMS:20)

Nuair a thit oileánach i ngrá le míntíreach bhí rogha le déanamh ag duine acu. Sa leabhar seo téann Síghle go dtí an t-oileán le Tuathal nuair a phóstar iad, ach sa deireadh tréigeann siad é tar éis timpiste a tharla d'fhoireann báid oíche amháin le linn stoirme. Arís leagtar béim ar na difríochtaí idir na hoileánaigh agus na míntírigh. Éiríonn go maith le Ó Grianna agus é ag rianadh na ndifríochtaí seo ach arís seinneann sé an port céanna go rómhinic. Ag tús an leabhair is iad Síghle agus Tuathal Mór atá faoi chaibidil. Ach níos deireanaí sa leabhar is iad a n-iníon, Neansaidh, agus a fear céile, Séimidh, atá á bplé. Ní hé an t-imeacht ón oileán atá ag déanamh buartha di siúd ach an saol ar an míntír féin:

> Lá amháin labhair Neansaidh ar a' rud a bhí ar a h-intinn. 'A mháthair', ar sise, 'b'fhéidir go gcuirfeadh sé iongantas ort, acht ba mhaith liom a ghabháil go Meiriceá. Ar ndóighe ní rachainn dá mbeadh neart agam air. Ar mhaithe leis a' leanbh atá mé. Ní fhuil a dhath ag aon duine annseo.' (OMS:315)

Nuair a thosaigh an imirce bhí sé deacair stop a chur léi:

> Má théighimid go Meiriceá beidh saothrughadh againn ó cheann go ceann na bliadhna. Tiocfaidh linn sgoil is léigheann a thabhairt do 'n leanbh, slán bhéas sé. B'fhéidir gur saoghal fir uasail a bheadh aige nuair thiocfadh ann dó. Ní fhuil a dhath i ndán dó annseo acht a' bhoichtíneacht is a' cruadhtan.
>
> Tá an saoghal mór ag imtheacht. Tá seachtmhain ó shoin d'imthigh cúigear as aon bhaile amháin taobh thall de Ghaoth Beara. (OMS: 322-3)

Ag deireadh an leabhair ceanglaíonn Ó Grianna an scéal atá inste aige le stair shóisialta na tíre. Tarraingíonn sé stíl theagascúil air féin anseo:

> Sin agat sgéal Shéimidh Aibhlíne is Neansaidh Mhalaidh agus sgéal a muinntire rómpa, ó mhuir go sliabh—ó Oileán Eala go Gleann Locha is go Carn na Madadh. An té a chuala an seanchas seo ó 'n muinntir tháinig roimhe, mar chuala mise é, tá a fhios aige gur fíor é. An té a léigh stair na h-Éireann tá a fhios aige nach sna ceanntair bhochta i n-Iar-Thír-chonaill amháin a bhí an ghorta mhór fad ó shoin. Tá a fhios aige go raibh sí gach aon áit ar fud na tíre. (OMS: 346)

Ansin ceanglaíonn sé an scéal lena shaol pearsanta féin: 'Acht tá uaigheannaí Ghleann Locha le feiceáil go fóill ag an té ar mian leis cuairt a thabhairt ortha. Is iomdha uair a chonnaic mise iad nuair a bhí mé 'mo mhaighistir sgoile i Leitir Feannáin' (OMS:346).

Deir sé linn ag an deireadh gur tháinig Séimidh ar ais go Gleann Locha ar cuairt níos deireanaí ina shaol agus gur inis sé scéal a bheatha don údar. Arís úsáideann Ó Grianna an seanchleas chun cur in iúl don léitheoir gur scéal fíor atá á ríomh aige. Ar an gcaoi seo tá an domhan de dhifríocht idir é féin agus Peadar O'Donnell a phléigh cuid de na téamaí céanna. Tá stíl an-rómánsúil ag O'Donnell ach mar sin féin léiríonn sé fírinne an tsaoil do phobal an chósta ó thuaidh ar bhealach dóichiúil. I gcás Uí Ghrianna níl a chuid carachtar réalaíoch ar chor ar bith ach déanann sé iarracht séala na fírinne a bhronnadh ar scéal trí fhoinsí an scéil a mhíniú don léitheoir.

Sa chéad úrscéal eile dá chuid—SI—faighimid léargas ar shaol Uí Ghrianna agus é ar an gcoláiste. Scéal faoi bheirt ghasúr as Ros na Searrach atá ann. Ba mhaith le duine amháin acu—Eoghan 'Ac Suibhne—bheith ina scríbhneoir. Cé go bhfuil a athair ina choinne sin tá an mháthair an-fhábhrach. Cuirtear chun an choláiste é chun oideachas iarbhunscoile a thabhairt dó agus ina dhiaidh sin téann sé go Baile Átha Cliath mar ceapann sé gurb ann is fearr a d'fhéadfadh sé a 'masterpiece' a scríobh. Tá an domhan de dhifríocht idir Eoghan agus an príomhcharachtar eile sa scéal—Murchadh Dubh. Níor éirigh go rómhaith le Murchadh ar scoil ach d'éirigh leis Béarla a fhoghlaim nuair a bhí gá leis agus é ar an Lagán. Nuair a bhí sé in Albain ina dhiaidh sin chuir sé spéis i bhfilíocht Burns agus bhí i bhfad níos mó tuisceana aige ar fhilíocht an fhile sin ná mar a bhí ag Eoghan 'Ac Suibhne.

Ní éiríonn le hEoghan aon ghaisce mór a dhéanamh i mBaile Átha Cliath. Teipeann air sna scrúduithe agus ní éiríonn leis aon mhóréacht liteartha a chur i gcrích. Sa deireadh cinneann sé ar dhul go Meiriceá agus bíonn air a ghrá geal, Síghle Ruadh, a fhágáil ina dhiaidh. I bhfad níos deireanaí ina shaol, filleann sé ar an áit dhúchais agus ceannaíonn sé Suipín an Iolair. Tagann sé i gcabhair ar lánúin óg de chuid na háite ionas nach dtarlóidh an rud céanna dóibh agus a tharla dó féin.

Arís sa leabhar seo faighimid léargas ar mheon na mban i leith oideachas a gclainne. In úrscéalta Uí Ghrianna is iad na mná i gcónaí atá i bhfábhar oideachas foirmiúil a thabhairt dá gclann. Tá meas ag máthair Eoghain ar thuairimí an chigire a mhol Eoghan go hard na spéire sa seomra ranga. Tá ardmhuinín ag Eoghan as féin agus é cinnte go n-éireoidh leis 'masterpiece' a scríobh díreach mar go bhfuil an fonn sin air. Is mór an díol trua é, áfach, agus é sa choláiste i Ros Dealgan agus caithfidh go bhfuil an t-údar ag tarraingt as a thaithí féin sa chuid seo den leabhar:

> Ní dhearn sé dearmad ariamh de na chéad laetha a chaith sé i gcoláiste Ros Dealgan. Bhí stócaigh ann arbh í sin an tríomhadh bliadhain aca. Stócaigh as na bailte móra agus an uile chineál eolais aca. Agus iad a' gáirí is a' gabháil cheoil mar nach mbeadh a dhath ar a' domhan a' cur bhuadhartha ortha. Agus Eoghan 'Ac Suibhne i n-a éan bhocht sgaithte as Ros na Searrach. (SI:63)

Ní raibh athair Eoghain ag iarraidh go mbeadh sé ina scríbhneoir. Bhí seisean ag iarraidh go dtógfadh a mhac cúram an tsiopa air féin. Fear a bhí ina shuí go te ba ea Micheál 'Ac Suibhne agus teach mór áirgiúil aige: 'Ní raibh aon teach sna Rosaibh ion-churtha leis lá de 'n tsaoghal. Bhí siopa agus táibheirne ann, agus le cois bheith mór feiceálach bhí dreach rathamhnasach air amuigh is istuigh' (SI:5). Bhí plean an-simplí aige dá chlann:

> Bhí an saoghal a bhí roimh an teaghlach aige socair i n-a intinn aige. Bhí dornán maith airgid do leath-taoibh aige le crudh a chur leis na mná óga nuair a phósfaidhe iad. Agus bheadh a' siopa agus a' táibheirne ag an mhac. Mar ba chóir a bheith: an mac i n-áit an athara. An sean-ghnás a bhí sna Rosaibh le cuimhne na ndaoine. (SI:161)

Ach ní ghlacann Eoghan le toil a athar agus tá an-chuid tuairimíochta faoin scríbhneoireacht chruthaitheach curtha i mbéal Eoghain sa leabhar. Ní fhéadfadh sé saothar mór a chur de i Ros na Searrach, de réir dealraimh:

> ba mhaith liom an rud atá a' cur le mo nádúir a dhéanamh—mo mhasterpiece a sgríobhadh. Tá fhios agam gurab é Baile Átha Cliath an áit is fearr fá n-a choinne sin. Casfar sgríbhneoirí agus lucht léighinn orm. Ní thiocfadh le duine masterpiece (ná rud a ba táire 'ná sin) a sgríobhadh annseo. (SI:85)

Faighimid pictiúr dearóil de shaol na cathrach sa leabhar seo chomh maith. Seo é an cur síos a dhéanann an t-údar ar an oíche sa chathair:

> Shochair a' chathair 'un ciúinis. Agus rud uaigneach cathair agus í n-a codladh. Corr-uair d'amharcadh Eoghan amach ar an fhuinneóig. Ní raibh a dhath le feiceáil aige acht na staideannaí soluis a bhí na lampannaí a chathamh ar bhrollach dhorcha na h-abhann. (SI:101)

Tá an charachtracht san úrscéal seo an-lochtach. Is geall le scigphictiúr an pictiúr a fhaighimid d'Eoghan 'Ac Suibhne, mar shampla. Is fearr go mór an charachtracht sa leabhar BRD a foilsíodh sa bhliain 1966. Is é mó thuairim gurb é seo an t-úrscéal is fearr a scríobh Séamas Ó Grianna, cé nach bhfuil sé saor ó locht ach oiread le saothar ar bith dá chuid.

Is é an téama atá faoi chaibidil aige in BRD ná an imirce bhuan ó Ros na bhFeannóg. Is í Róise an phearsa lárnach agus tá sé mar aidhm aici siúd mná Ros na bhFeannóg a fhuascailt ón drochbhail ina raibh siad. Is ina béal siúd a chuirtear na hargóintí ar fad i bhfábhar na himirce. Cailín idéalach atá inti ar go leor bealaí, tréith atá an-choitianta i gcarachtair Shéamais Uí Ghrianna: 'Bhí níos mó ná aon bhuaidh amháin ag Róise Chonaill Duibh Uí Dhomhnaill. Bhí sí dóigheamhail. Bhí sí maith a' tógáil léighinn. Bhí cluas de cheol aicí agus bhí sí maith a' damhsa' (BRD:31).

Tá Murchadh Óg agus í féin i ngrá lena chéile ach ní hionann an dearcadh atá ag an mbeirt. Tá seisean sásta glacadh leis an saol traidisiúnta, an obair throm agus an imirce shéasúrach. Ach níl sise sásta cruatan an tsaoil sin a fhulaingt agus breathnaíonn sí uirthi féin mar fhuascailteoir thar ceann mná na Rosann.[54] Fiú amháin agus iad an-bheag tá an difríocht meoin eatarthu le brath:

'Nach méanair do pháistí na h-Alban', arsa Róise, mar bheadh sí a' cainnt léithe féin.

'Cad chuige a n-abair tú sin?' arsa Murchadh Óg.

'Tá', ar sise, 'bíonn a gcuid aithreach sa bhaile ar fad aca. Nár mhéanair dúinne dá mbeadh ár gcuid aithreach sa bhaile againn rith na bliadhna. Nár mhéanair dár gcuid máithreach. . . . A Mhurchaidh, ar mhaith leat a ghabháil go h-Albain agus fanacht ann, nuair bhéas tú mór?'

'Ba mhaith liom a ghabháil go hAlbain—beidh mé anonn le m'athair fá chionn chúpla bliadhain eile—acht níor mhaith liom fanacht thall. Dar m'athair gur droch-thír Albain le fanacht 'rith do shaoghail inntí.' (BRD:51)

Sa leabhar seo tugtar an-léargas go deo ar shaol na mban sna Rosa agus bhí sé níos measa ar go leor bealaí ná saol na bhfear. Ar a laghad bhí comhluadar acu siúd agus iad ar shiúl in Albain rud nach raibh ag na cailíní agus iad ar fostú ar an Lagán. Seo é Murchadh Óg ag déanamh comparáide idir saol an dá dhream:

Níor mhaith liom féin bheith mo ghirsigh. Chaithfinn a ghabháil 'un a' Lagáin. Ar a' bhliadhain s' chugainn beidh mé le m'athair go h-Albain. Ní bheidh cumhaidh ar bith orm i n-Albain. Beidh m'athair in mo chuideachta. Ní bhíonn cumhaidh ar aon duine i n-Albain. Ar a' Lagán bíos a' chumhaidh ar na daoinibh, deir siad. Gan aon duine 'á do chóir a bhfuil aithne agat air. Agus annsin a' Béarla. (BRD:103-4)

Feictear an Lagán trí shúile Róise sa leabhar. Nuair a fhilleann sí abhaile ón gceantar sin airíonn sí go bhfuil an áit athraithe go mór:

Caidé tháinig ar a' bhaile ó d'imthigh sí fá Bhealtaine roimhe sin? D'éirigh na cuibhrinn beag. D'éirigh an teach beag agus d'éirigh sé dorcha agus tháinig dreach fíor-bhocht air. Agus bhí Ros na bhFeannóg ní ba loime agus ní b'fhuaire ná bhí sé aon gheimhreadh ó tháinig cuimhne chuicí. (BRD:125)

Tá sí an-chriticiúil faoi shaol na Rosann. Mar shampla, nuair a fheiceann sí na mná cosnochta ag gabháil go Baile an Ghleanna leis na stocaí a bhí cniotáilte acu d'fhear a' ghaimbín ansin, tá trua an domhain aici dóibh:

Ba é a bhí i gcinneamhaint aca dar leo. Ba é an saoghal é a bhí ag a máithreachaí rompa agus a bheadh ag a gcuid nighneach i n-a ndiaidh. Ní raibh seachnadh le déanamh air acht oiread is bhí seachnadh le déanamh ar a' bhás. (BRD:131)

Níl Róise sásta géilleadh don chinniúint seo, áfach: 'Acht bhí dóchas aicí nach gcaithfeadh sí a saoghal mar chaith a máthair agus na mná tháinig roimpí a saoghal féin' (BRD:133).

Beartaíonn sí ar dhul go hAlbain le cailíní as Árainn agus 'bheadh a thrí oiread airgid aicí is bheadh aicí ar a' Lagán' (BRD:141). Ach níl a máthair sásta leis an gcinneadh seo atá déanta aici. Níl sé dúchasach ag bean dul go hAlbain:

'. . . Ní dheachaidh aon bhean ariamh as a' bhaile seo go h-Albain; agus ní rachaidh. Tá Albain maith go leor ag na fir. Sin a' saoghal atá fá n-a gcoinne. Acht ní tír ar bith ag mná í . . . . tá a n-áit féin ag na fir ar a' tsaoghal seo agus a n-áit féin ag na mná . . . . mná fiúntacha mná an bhaile seo. Agus ba eadh sin i gcómhnuidhe iad. Tuigeann siad an rud is dual dóbhtha agus tá siad sásta leis.' (BRD: 143)

Téann Róise i gcoinne na cinniúna, áfach. Téann sí go hAlbain agus cuireann sí tús le próiséas a leanann ar aghaidh agus a scaipeann ar fud na dúiche ina dhiaidh sin. Ba ise an ceannródaí agus níorbh

fhada gur lean na mná eile a lorg go mór mór nuair a chonaic siad
an saothrú a bhí le déanamh ag bean in Albain.

Tá Róise ag iarraidh cur fúithi in Albain ach sin rud nach ndéan-
fadh Murchadh Óg. Bheadh sé i gcoinne ghnás an cheantair a
leithéid a dhéanamh. Tríd an leabhar seo ar fad feicimid Róise mar
chailín nach nglacann le saol agus nósmhaireachtaí an bhaile. Tá
Murchadh Óg dall ar a cuid tuairimí, áfach:

> Thug sí fiche leideadh dó fá 'n tsaoghal a bhí ag mná Ros na
> bhFeannóg. Agus ba é an chuma a bhí air gur shaoil sé gurbh 'é sin
> a' saoghal d'órduigh Dia dobhtha—agus gan ann acht saoghal a
> chum siad féin dóbhtha féin. Bhí mná Ros na bhFeannóg faoi
> chrann smola. Thuigfeadh Murchadh Óg sin mur' beith nach raibh
> ann acht muiltín. Muiltín mar gach muiltín eile! (BRD:173)

Cheap seisean go raibh Róise 'A' brath náire a thabhairt do 'n
bhaile!' (BRD:183) trí imeacht go hAlbain leis na fir. Ní thuigeann
sé fírinne an tsaoil do na mná ar chor ar bith. D'imigh Róise, áfach,
d'éirigh go maith léi thall, agus níorbh fhada gur glacadh leis an
seal in Albain mar chuid de shaol na mban freisin.

Tá Murchadh Óg go mór i ngrá le Róise. Tá sí éagsúil ar fad le
mná eile na Rosann:

> B'iongantach a' cailín Róise, dar le Murchadh Óg. Do réir chosamh-
> lachta ní raibh beinn aicí ar aon ghnás ná ar aon riaghail dá raibh
> riamh i Ros na bhFeannóg. Rachadh sí fá n-a choinne agus bhéarfadh
> sí léithe go teach na sgoile chuig an damhsa é. Bheithidhe a' cainnt
> uirthí ar fud a' bhaile go cionn seachtmhaine i n-a dhiaidh. Déarfadh
> cuid de na mná gur dhána an mhaise díthe é. Déarfadh cuid eile
> nach dána a bhí sí acht dínáireach. Acht do réir chosamhlachta ba
> chuma léithe caidé adéarfaidhe. (BRD:241)

Roimh dheireadh an scéil ní hé amháin go n-éiríonn léi meon
Mhurchaidh ina leith a athrú ach éiríonn léi é a mhealladh léi go
Meiriceá. Ní raibh todhchaí ar bith i ndán do shaol na Rosann,
agus ní raibh fágtha ann ach na fágálaigh.

Casaimid ar chúpla duine eile sa leabhar atá ar aon intinn le
Róise faoi shaol na mban sna Rosa. Casadh fear darb ainm Eoin
Ruadh uirthi agus í in Albain agus míníonn seisean cúinsí a shaoil di:

> ní rachainn i gcionn a' tsaoghail sa bhaile. Agus a' bhean a bhí me
> ag iarraidh a shábháil ar a' mhasla agus ar an anródh agus ar a'
> bhriseadh croidhe a bhí ar mo mháthair ní thiocfadh sí liom 'un
> na tíre seo. (BRD:269)

Chas Murchadh ar fhear eile a bhí ar an tuairim chéanna: ' "Tá
saoghal maith go leor ag na fir", arsa Pádruig. "Acht ní fhuil
saoghal ar bith ag na mná. Ní phósfainn-se agus bean a fhágáil a'
streachailt leis a' tsaoghal i Ros na bhFeannóg . . ." ' (BRD:282).
Thug Róise an dea-shampla agus seasann sí do chearta na mban
i gcónaí. Nuair a bhí sí in Albain labhair sí amach nuair a chuala
sí nach raibh cead ag bean shingil amhrán a chanadh i dteach
cuideachta:

> 'Saoileann a' mhór-chuid de fhearaibh an bhaile seo', arsa Róise,
> 'nár chóir do mhnaoi amhrán a rádh i dteach cuideachta, ná i n-áit
> ar bith eile, go raibh sí pósta is leanbh le cealgadh aicí. Annsin tá
> cead aicí má's mian léithe é, a bheith a' crónán ós cionn a' chliabháin.
> Acht is cuma duit-se caidé shaoilfeas siad . . .' (BDR:301-2)

D'imigh Róise go Meiriceá ina dhiaidh sin agus chuaigh Murchadh
sall ina diaidh. Pósadh i Nua-Eabhrac iad agus chuir siad fúthu
ansin: 'Sin mar rinne an bhean ruadh de Dhálach an rud a mheas
sí a bheith i n-a dhualgas uirthí' (BRD:337).

Is mór an difríocht idir an t-úrscéal seo agus na húrscéalta eile de
chuid Uí Ghrianna, dar liom. Is iad na claochluithe a bhí ag dul i
gcion ar an saol traidisiúnta atá faoi chaibidil aige anseo agus ní
hiad na cineálacha céanna carachtair atá le feiceáil ann. Is í Róise
an carachtar is suaithinsí mar is réabhlóidí í i bpobal a bhí sásta
roimhe sin glacadh go foighneach lena gcinniúint chrua gan aon
chuid den chinniúint sin a cheistiú. Chomh maith leis sin, tá léargas
maith le fáil sa leabhar ar an bpróiséas a tharla ar fud na tíre nuair
a thosaigh daonra na tuaithe ag laghdú mar thoradh ar an imirce.
I dTír Chonaill is amhlaidh a ghlac an bhuanimirce ionad na
himirce séasúraí i saol na n-áitritheoirí. Ar ndóigh, ba ionann saol
nua phobal na Rosann agus meath an cheantair féin, rud nach
bhféadfaí a sheachaint. Seo í Róise ag deireadh an leabhair agus
í ar ais ar cuairt sna Rosa: ' "A Rannaigh is áilne ar dhruim a'
domhain", ar sise, "is mairg a mb'éigean domh do bhánughadh,
acht ní raibh neart air" ' (BRD:344).

Is téama an-logánta ar fad a fhaighimid san úrscéal deireanach
de chuid Uí Ghrianna—ST (1968). Ceantar iargúlta atá ag fáil bháis
de bharr na himirce atá faoi chaibidil aige ann. Rinn na bhFaoil-
eann an t-ionad arís an uair seo ach tá an áit beagnach tréigthe.
Níl ann ach dhá theaghlach—Proinnsíos 'Ac Grianna, a bhean agus
a mhac, Micheál; agus Maghnus Ó Domhnaill, a bhean agus a

iníon, Róise. Tá dóchas ag Proinnsíos agus a bhean go bpósfaidh an mac Róise, iníon Mhaghnuis, agus nach bhfaighidh Lag a' tSeantoighe (ainm an bhaile fearainn) bás lena linn féin. Tá an chuid eile den dá chlann bailithe leo go Meiriceá cheana féin.

Tar éis scéal mór fada a dhéanamh den chumann a bhí idir Micheál agus Róise, ní phóstar ar chor ar bith iad! Imíonn clann Ui Dhomhnaill go Meiriceá agus tar éis tamaill pósann Róise fear eile. Idir an dá linn titeann Micheál i ngrá le Síghle Ní Chanainn, cailín a casadh air ag na rásaí i Ros Darach agus é ina stócach. Tá sé go mór i ngrá léi agus déanann sé feall ar Róise dá barr. Sa deireadh pósann sé Síghle ach tá air teach mór galánta a thógáil di mar níl sí sásta dul chun cónaithe sa seanteach. Ina dhiaidh sin tá sí fós míshocair mar tá an baile ró-uaigneach di. Níl ach an t-aon chónaí amháin ann anois agus dá bhrí sin cuireann Síghle iallach ar Mhicheál í féin agus an seanphéire a bhreith leis go Meiriceá.

Rianaítear próiséas mheath an bhaile dhúchais go héifeachtach sa leabhar. Tá faitíos an domhain ar na seandaoine go dtréigfí go hiomlán an áit sula bhfaigheann siad féin bás. Chomh maith leis sin, tá siad thar a bheith paróisteach ina ndearcadh. B'fhearr leo mura n-imeodh a bpáistí taobh amuigh den pharóiste agus iad ag lorg céile, mar shampla. Seo Proinnsias 'Ac Grianna ag léiriú dhrochstaid na dúiche:

> 'Ní fhuil aon teach ar a' bhaile anois a bhfuil ádhbhar céile mná ann acht teach Mhághnuis Uí Dhomhnaill thoir annseo. Tá súil as an Athair Shíorruidhe agam nach n-imtheócha siad-san. Sin an áit a mbeadh a' tubaiste. Nuair a bheadh aois a phósta ag Micheál s' againne go gcaithfeadh sé a ghabháil ar baile amach dh'iarraidh mná. Sin rud nár mhaith liom. Níor thuig aon bhean as baile coimhightheach ariamh seanchas Rinn na bhFaoileann mar ba cheart . . .' (ST:32)

Tá an-chuid athruithe tagtha ar an gceantar i gcoitinne áfach. Ní fhanann daoine taobh istigh de na seanteorainneacha a thuilleadh. Is mór an t-athrú é sin ó aimsir an tseansaoil:

> 'Sam am sin ní rachadh aon duine chuig damhsa taobh amuigh de chrígh na parráiste, go pobal a' Chlocháin Léith ná go pobal Ghaoth Dobhair. An glún a bhí roimhe sin ann ní rachadh siad taobh amach de chrígh an bhaile. . . . Acht cá bith fáth atá leis ní thug a' seansaoghal acht a sheal. Agus a' saoghal atá anois ann ní thabharfa sé acht a sheal. Fá chionn chúpla sgór eile bliadhain ní chuirfear iongantas ionnat fad is dhéanfas tú do chuid damhsa taobh istuigh

de chladach na h-Éireann. Beidh aos óg na Rosann a' gabháil go Baile Átha Cliath chuig damhsa. Slán bheas mise is tusa beimid beo go bhfeicimid a' lá a mbeadh na h-aeroplanes ag éirghe ó'n Tráigh Bháin tráthnóna agus iad ag imtheacht amach ós cionn Chnoc Mhín na Gaoithe, luchtuighthe le daimhsoirí ar a mbealach go Baile Átha Cliath.' (ST:68-9)

Léirítear an difríocht bhunúsach idir an seansaol agus an saol nua-aimseartha: ' "Ní h-ionann a' dá ré", arsa Róise. "Isteach a bhí aghaidh na ndaoine san am sin. Amach atá a n-aghaidh anois" ' (ST:104). Arís san úrscéal seo is í an bhean an duine a chinneann ar imeacht go Meiriceá. Cuireann saol uaigneach na Rosann isteach níos mó uirthi siúd ná mar a chuireann sé ar an bhfear. Seo í Síghle ag áiteamh ar Mhicheál gur chóir dóibh imeacht go Meiriceá:

'Tá mé marbh ag an uaigneas. Tá sé a mo chlaoidhe agus a mo chathamh. Ní thuigeann tusa mo bhrón. Ní thuigeann tú an t-uaigneas atá orm. Tá d'athair is do mháthair sa doras agat. Tá ádhbhar cómhráidh agaibh, mur' mbeadh ann acht na mairbh. Ní fhuil aon duine agam-sa. Ní fhuil cómharsa ar bith agam. Ní fhuil in mo thimcheall ach leacacha loma is ballógaí.' (ST:232)

Tá truamhéil ag baint le deireadh an leabhair. Imíonn an dá lánúin— Micheál agus a bhean chéile agus a thuismitheoirí. Tá cloch as ballaí an tseantí á hiompar ag Proinnsíos agus é ag imeacht.

Ón scagadh atá déanta ar úrscéalta Shéamais Uí Ghrianna sa chaibidil seo feicimid go gcaithfear na húrscéalta seo a mheas mar litríocht réigiúnach, litríocht a bhfuil an léiriú ar shaol ceantair mar *raison d'être* aici. Is cineálacha réigiúnacha iad na daoine a fheicimid iontu ar fad agus tarraingítear plota agus téama na leabhar as eispéireas phobal Rann na Feirste agus iad i gcoimhlint le cúinsí a saoil. Tá an stíl féin logánta. Is é an cur síos liriciúil céanna a fhaighimid ar an timpeallacht sna leabhair ar fad agus ní féidir le Ó Grianna bean óg a tharraingt isteach sa scéal gan cur síos rómánsúil áibhéalta a dhéanamh uirthi. Is minic breischéim na haidiachta in úsáid aige agus é ag cur síos ar mhná agus ní bhíonn drochthréithe acu riamh.

Ós rud é gurb é Ó Grianna an scríbhneoir is mó saothar i measc scríbhneoirí Thír Chonaill bhí an-tionchar go deo aige ar na scríbhneoirí eile. Ní gá ach úrscéal nó dhó ó údair eile ón gcontae a léamh chun tuiscint a fháil ar cé chomh calcaithe agus a d'éirigh an stíl 'Ultach' a chleacht seisean. Agus sinn ag breathnú ar an litríocht seo is fiú go mór dúinn smaoineamh arís ar an rud a dúirt Patrick Sheeran agus é ar tí úrscéalta réigiúnacha Liam Uí Fhlaithearta a mheas:

> The works, when related to the time and place of their subject matter, gather an added resonance and interest which is lost by a purely aesthetic approach. Experience of life in Galway and Connemara shows us that here there are certain situations, for instance the transfer of a schoolteacher or of a village post office— where the characters are as firmly established as the characters in a morality play and the plot as formalized as that of the Japanese Noh. Gombeen Men, Grabbers, Greed and Politics act out their accustomed roles. O'Flaherty is writing about such near-stylized incidents in the regional romances. We must seek to understand both the artist's and regional societies' principle of selection and emphasis. (1976:125)

Gan an cúlra ama agus áite a thuiscint is beag taitneamh is féidir a bhaint as saothair mar úrscéalta Shéamais Uí Ghrianna. Má tá tuiscint againn don chúlra sin, áfach, maille le heolas faoin údar féin, cé nach féidir lochtanna liteartha na leabhar a mhaitheamh dó, is féidir linn a dhéantúis a mheas ar bhealach níos íogaire agus níos tuisceanaí. Mar a deir Tomás Ó Fiaich:

> Ní hé an scríbhneoir mór i gcónaí is fairsinge a thugann léargas ar an saol inar mhair sé, agus measaim nach raibh aon scríbhneoir sa tír seo le céad bliain anuas, cibé acu i nGaeilge nó i mBéarla a scríobh sé, is glinne d'fhág cuntas ina dhiaidh ar an limistéir tíre agus ar an tréimhse ama inar tógadh é ná Séamas Ó Grianna. (1974:8)

Mar fhocal scoir caithfimid cuimhneamh gurb i saothair Shéamais Uí Ghrianna is mó a fhaighimid na foirmlí liteartha a samhlaíodh roimh i bhfad le litríocht Thír Chonaill. Ba eisean an ceannródaí a mhúnlaigh na foirmeacha a raibh litríocht Thír Chonaill le tarraingt uirthi féin ina dhiaidh sin. Roghnaigh Myles na gCopaleen cuid de na téamaí sin a fhaightear i saothair Uí Ghrianna agus a bhí mar shainchomharthaí den litríocht Ultach. Sa chéad chaibidil eile breathnófar ar an gcaoi ar phléigh Myles na téamaí sin ina leabhar BB.

AG SEILG SNA ROSA

Bhí an-chuid leabhar ó Thír Chonaill ar an margadh cheana féin nuair a foilsíodh BB sa bhliain 1941. Bhí an íomhá de Ghaeltacht Thír Chonaill in aigne léitheoirí na Gaeilge agus ba í an íomhá seo an rud a raibh súil acu léi i litríocht an cheantair sin. Tá sé feicthe againn cheana féin gur tharraing Myles na gCopaleen go díreach as leabhair an Bhlascaoid Mhóir agus é ag déanamh scigmhagadh ar an bpictiúr den fhíor-Ghael. Ach níorbh ionann Gaelachas Chúige Mumhan agus Gaelachas an tuaiscirt. Ní hionann an pictiúr den saol a fhaighimid ón dá cheantar agus is rud é seo a chonaic Myles go soiléir agus a léirigh sé go beacht ina shaothar féin. Breathnófar anseo ar na Rosa mar atá siad le feiceáil in BB, ag cuimhneamh i rith an ama ar an bpictiúr atá tarraingthe ag Myles d'ainnise Chorca Dhuibhne sa leabhar céanna.

Tá an scéal féin suite i gCorca Dorcha agus ní dhéantar aon tagairt dhíreach do na Rosa go dtí go n-éiríonn an saol i gCorca Dorcha chomh dearóil sin go dtéann Bónapárt agus an Seanduine Liath ag seilg sna Rosa. Ní raibh aon chur amach ag Bónapárt ar an taobh sin tíre go dtí gur chuir an seanduine ar a shúile dó gurbh ann a bhí an tseilg is fearr: ' "A mhic bhig bhigín bhig" ar seisean, ins na Rosaibh i dTír Chonaill atá an tseilg is fearr, agus tá gach ní eile sa cheanntar san ar fheabhas mar an gcéana" ' (53). Tá áthas an domhain ar Bhónapárt nuair a chloiseann sé é seo:

> Is beag nár tógadh an ghruaim díom nuair chualas gur ar na Rosa a bhéadh ár dtriall. Ní rabhas riamh ar an dtaobh san tíre acht bhí oiread closta agam fúithí ón Seanduine go raibh fonn láidir le fada orm dul ann; dá mbéadh a rogha agam nílim cinnte ciaca ar na flaithis nó ar na Rosa a bhéarfain cuaird. (53-4)

Is tír fhoirfe a shamhlaítear leis na Rosa ón méid atá cloiste aige faoi ón seanduine. Ba sna Rosa a rugadh an seanduine é féin agus dá bhrí sin ní iontas ar bith é go dtabharfadh sé ardmholadh don cheantar. Ba laoch pobail é sna Rosa le linn a óige agus tá áibhéil sa chur síos a dhéantar ar an tráth sin dá shaol:

> Do réir mar bhí closta agam uaidh, eisean an fear ab fhearr ins na Rosa le linn a óige. Maidir le léimnigh, polltóracht, iascaireacht, suirghe, ól, gadaíocht, troid, leonadh-eallaí, rith, eascanaí, cearuthas,

siúl-oíche, seilg, damhsa, maíodh agus tarraingt—a' bhata, ní raibh éinne sa dúthaí ionchurtha leis. (54)

Is scigmhagadh é seo ar an mbéim a chuirtear ar an laochas i scríbhneoireacht Chúige Uladh. Bíonn an príomhcharachtar sna leabhair ó thuaidh foirfe ar gach dóigh. Déantar cur síos áibhéalta ar óige an tSeanduine. Tá Myles ag tarraingt ar na saothair dhírbheathaisnéisiúla ón gceantar anseo, go mór mór an leabhar N:

Eisean féin 'na aonar a mharbh an Mairtíneach i nGaoth Dobhair sa bhliain 1889 nuair bhí an duine réamhráite sin ag íarai an Sagart 'ac Pháidín a bhreith leis mar phriosúnach go Doire; eisean 'na aonar a mharbh an Tiarna Liadroma i n-aice leis an Chratlach sa bhliain 1875; eisean féin 'na aonar a chuir a ainm i nGaeilge den chéad uair ar aon chárr, agus is air-sin a cuireadh an dlí ar an ócáid stairiúil sin; eisean féin 'na aonar a bhunaigh Cumann an Talaimh, na Fianna, agus Conra na Gaeilge . . . acht amháin gur rugadh é an t-am rugadh agus gur chaith sé a shaol mar chaith taréis a bhreithe, bhéadh ábhar chórái gann iniu sa tír seo. (54)

Nuair a shroicheann an Seanduine agus Bónapárt na Rosa casann siad ar fhear de chuid na háite—Jams O'Donnell. Beannaíonn siad dó:

Stad sé rómhain, d'aithris Laoi na mBuaidhean, thug sé trí choiscéim na trócaire, fuair maide-briste ón a phóca agus chaith 'nár ndiaidh é. Co maith le sin, bhí a chuma air go raibh buidéal chúig náigín 'na phóca aige agus go raibh focal agus lámh eadar é féin agus ainnir as Gleann Domhain. Chónaigh sé i n-ascal a' ghleanna ar do láimh dheis agus tú ag tabhairt an bhóthair siar. Ba léir go raibh sé Ultach do réir mar tá sé luaite ins na deá-leabhair. (55)

Tá scigmhagadh anseo ar an gcaoi a bhfuil an béaloideas agus an piseogacht fite fuaite i bpróslitríocht Thír Chonaill. Chomh maith leis sin, ós rud é gurb Ultach an fear seo caithfidh na tréithe atá luaite leis sna dea-leabhair a bheith aige.

Tosaíonn Jams agus an Seanduine ag comhrá agus ag cur síos ar an drochshaol. Tá cluas le héisteacht ag Bónapárt agus foghlaimíonn sé go leor faoi shaol na Rosann. Cloiseann sé faoi na carachtair éagsúla atá le fáil i ngach teach:

I ngach bothán bhí (1) fear óg amháin ar a laighead ar a dtugtaoi 'an Cearrbhach', duine drabhlasach a chaith seal maith dá shaol ar an drabhlas i nAlbain, ag imirt cartaí agus billirdíní, agus ag ól tobac

agus biotáilte i dtithe tábhairne; (2) seanfhear críona a chaith an lá
i leabaidh an chlúdaigh, agus a d'éirigh tráth áirneáil achan oíche
lena dhá spág a chur fá 'n ghríosaigh, a sceadamán a réiteach, a
phíopa a dheargadh, agus scéal a innsint ar an droch-shaol; (3)
giorsach dhathamhail ar a dtugtaoi Nuala, nó Babaí nó Nábla nó
Róise a rabh fir ag teacht fá n-a coinne i lár achan oíche, buidéal
chúig náigín leo agus duine aca a h-iarraidh i gcleamhnas. Ní fios
cad chuige acht sin mar bhí. (56)

Tá sé deacair a chreidiúint go mbeadh daoine mar seo i ngach aon
teaghlach sa cheantar ach, mar a deir Myles: 'An té sílean ná fuil
an fhírine á rá agam, léigheadh sé na deá-leabhair' (56). Thóg sé na
carachtair atá luaite aige anseo díreach ó phróslitríocht Chúige
Uladh agus go mór mór ó shaothair Shéamais Uí Ghrianna. Is
carachtair réigiúnacha amach is amach iad agus níl a macasamhail
le fáil ar chor ar bith i gCorca Dhuibhne.

Nuair a fheiceann Bónapárt an áit féin tagann iontas an domhain
air. Tá difríocht mhór idir é agus Corca Dorcha:

Den chéad uair ó rugadh mé chonnac tír nach raibh báite ó líofacht
na fearthana. I ngach áird bhí olldhathanna na formaiminte ag
déanamh aoibhnis don tsúil. Bhí gaoth bhog bhinn ag teacht ins na
sála orainn agus ag cuidiú linn sa tsiúl. I n-áirde ins na spéarthaí bhí
lampa mór buí ar a dtugtaoi an ghrian ag sileadh teasa agus solais
anuas orainn. Abhfad i gcéin bhí cruacha árda gorma 'na seasamh
go seasmhach thoir agus thiar ag faire orainn. Bhí sruthán glic ag
comóradh an bhealaigh-mhóir. Bhí sé i bhfolach go rúnda i dtóin na
díoga ach bhí fhios againn go raibh sé ann ón monabar mín a bhronn
sé ar ár gcluasa. Bhí portach donn-dubh ar gach taobh, breac le
carraigreacha. Ní raibh aon locht le fáil agam ar na Rosa . . . (56)

Arís is macalla é an cuntas seo den chur síos idéalach ar an dreach
tíre a fhaightear i litríocht Thír Chonaill. Is beag trácht ar dhroch-
aimsir a fhaighimid inti agus leagtar béim i gcónaí ar aoibhneas na
beatha san áit.

Nuair a shroicheann siad ceann cúrsa sa deireadh níl duine ná
deoraí le feiceáil acu. Fiafraíonn Bónapárt den Seanduine an
amhlaidh go bhfuil na daoine ar fad bailithe leo go dtí an tOileán
Úr. Míníonn an Seanduine an scéal dó:

'Is folus, a mhicín bhig Ó', arsa 'n Seanduine, 'nach bhfuil na deá-
leabhair léite agat. Tá an tránóna anois ann agus do réir na cinniúna
liteartha, tá stuirm ann béal cladaigh, tá na h-iascairí ar an anás
amuí ar an uisce, tá na daoine bailithe ar an dtrái, tá mná ag caoine,
agus tá máthair bhocht amháin ag screadadh "Cé bhéarfhas tartháil

ar mo Mhicí"? Sin mar bhí an scéal riamh ag na Gaeil le teacht na
h-oíche ins na Rosa.' (58)

Tá muintir na Rosann faoi chrann smola ag an gcinniúint liteartha
atá cumtha ag scríbhneoirí na háite dóibh. Is mór an difríocht idir
an chinniúint seo agus cinniúint chrua mhuintir Chorca Dhuibhne.
Tá an pictiúr a fhaightear i litríocht Chorca Dhuibhne níos realaíche
ar fad ná an pictiúr de na Rosa. Déantar áibhéil ar ghnéithe éagsúla
den saol sa litríocht ón dá cheantar, áfach. Tá i bhfad níos mó den
idéalú déanta ar shaol na Rosann. Níl an t-anró céanna ag baint
léi agus a bhaineann le saol Chorca Dhuibhne agus dá bhrí sin níl
an cruas céanna sna daoine ann. Ina ionad sin tá siad bog maoith-
neach, iad lán le haislingí rómánsúla nach dtagann i gcrích riamh.
Tá truamhéil ag baint lena saol, áit a bhfuil tragóid ag baint leis an
saol Duibhneach.

Téann Bónapárt agus an Seanduine go teach Fheardanaind Uí
Rúnasa. Feicimid na cineálacha carachtair arís sa teaghlach seo:

Bhí Feardanand 'na sheanfhear críona, gan 'na cónaí leis acht a iníon
Nábla, cailín beag deá-chumtha dathúil, agus seanbhean (ní fios ciaca
a bhean nó a mháthair í) a bhí ag fáil bháis le fiche blian i leaba an
chlúdaí agus a bhí go fóil ar an dtaobh so den Mhór-Bháire. Bhí mac
ann darb ainm Micí ('An Cearrbhach' a bhí mar leas-ainm air) acht
bí seisean thall ar an drabhlas i nAlbain. (59)

Is seanchaí é Feardanand agus insíonn sé scéal seanchais do na
cuairteoirí. Sular féidir leis é sin a dhéanamh, áfach, caithfidh sé na
gnásanna a chomhlíonadh:

'D'innseochainn scéal go fonmhar', arsa Feardanand, 'acht nach
bhfuil sé ionraice ag seanchaí scéal a innsint 'toigh airneáil gan é
féin a réiteach go seascair cois na teineadh agus a dhá spág a chur
fán ghríosaí; acht tá mise abhfad ar shiúl ón teinidh san áit a bhfuil
mé 'mo shuidhe agus ní leigfeadh na scoilteacha damh éirghe agus
mo chathaoir a bhogadh isteach chuig an teallach . . .'. (59)

Chuir an Seanduine in aice na tine é agus ansin: 'Shocraigh sé a
cholann go beadaí sa chathaoir, chóirigh sé a thóin faoi go cúramach,
chuir sé dhá spág fá'n ghríosaí, dhearg a phíopa agus nuair bhí sé
ar a sháimhín sóa, réitigh sé a sceadamán agus thosaigh ag stealladh
na cainte chugainn' (60).

Ina dhiaidh sin téann Bónapárt abhaile go Corca Dorcha agus ní
fhilleann sé ar na Rosa go dtí go mbíonn sé ag lorg mná dó féin.

210   LITRÍOCHT RÉIGIÚNACH THÍR CHONAILL

Ar ndóigh, cá háit a rachadh sé chun bean a fháil ach go dtí an áit
ina raibh na mná is deise ar domhan, más fíor an cur síos a dhéantar
orthu sna 'deá-leabhair'. An Seanduine a luann na Rosa leis:
' "... c'áit dar leat bhfuil na cailíní is fearr le fáil ann?" "Ins na
Rosa gan amhras" ' (71). Tá cailín oiriúnach ina aigne ag an Sean-
duine do Bhónapárt:

> Dúirt an Seanduine go raibh aithne aige ar fhear i nGaoth Dobhair
> a raibh iníon dheas ceann-chatach aige a bhí go fóil gan pósadh, cé
> go raibh fir óga ón 'dá fhearsaid' ar mire le fuadar pósta 'na timpeal.
> Jams O'Donnell ainm an athar agus Nábla ainm na giorsaí. Dúras
> go mbéinn sásta í ghlacadh. An chéad lá eile chuir an Seanduine
> buidéal chúig náigín 'na phóca agus chun siúil leis an mbeirt againn
> ag tarraingt ar Ghaoth Dobhair. (71-2)

Nuair a phóstar Nábla agus Bónapárt filleann siad ar Chorca
Dorcha ach is léir nach bhfuil saol Chorca Dorcha oiriúnach ar
chor ar bith do chailín a tógadh in áit chomh sultmhar leis na Rosa:
'Bhí Nábla ins an am so thiar i dtóin an tighe, mo mháthair ar a
mullach. Bhí an cailín bocht ag iaraí éaló arais go tigh a h-athar
agus mo mháthair-se ag cur céille inti agus á rá leithi gur éigin
umhlú don gcinniúin nGaelaí' (73). Níor mhair Nábla bhocht ró-
fhada le bréantas na muice sa chró ina raibh sí féin agus Bónapart
ag cur fúthu.

Chomh maith leis na téamaí réigiúnacha seo a phioc Myles ó na
saothair Ultacha déanann sé scigmhagadh freisin ar an róchanún-
achas sna saothair sin. Tarraingíonn sé an chanúint Ultach air féin
in áiteanna sa scéal agus déanann sé áibhéil ar na nathanna sean-
chaite a bhí á n-úsáid chomh flúirseach sin ag na húdair Ultacha.
Mar shampla, insíonn an Seanduine do Bhónapárt faoina óige féin.
Arís is scigaithris dhíreach ar na dírbheathaisnéisí Ultacha an píosa
seo, rud a admhaíonn Myles go hoscailte:

> 'Tá', arsa 'n Seanduine, 'nuair bhí mise ag éirí aníos im ghlas-stocach,
> bhíos (mar is léir d'éinne léigheas na deá-leabhair Gaeilge) im
> thachrán ag imeacht fá 'n ghríosaigh. Tá gríosach go léir an tighe seo
> anois curtha siar sa teine agat nó scuabtha amach fá' n tsráid agus
> níl aon ghreim di ag an dtachrán bhocht ar an urlár'—dhírigh sé
> méar orm—'lena bheith ag imeacht fúithi agus is neá-rialta mínádúra
> an oiliúint agus an tabhairt-suas a bhéas air gan aon taithí aige ar an
> ngríosaigh ...'. (13)

Cuireann a mháthair an ghríosach ar ais ar an urlár mar caithfear

an rud atá Gaelach a dhéanamh. Ansin déanann Bónapárt aithris
ar na páistí Ultacha: 'Nuair bhí gach ní socair aici, bhogas anonn
le h-ais na teineadh agus go cionn cúig uaire bhíos im thachrán ag
imeacht fá'n ghríosaigh—im ghlas-stócach ag éirí aníos ar an tsean-
nós Gaelach' (13).

Is téama an-láidir an scolaíocht i litríocht Thír Chonaill agus dá
bhrí sin is ainm Ultach a bhronntar ar Bhónapárt nuair a théann
sé ar scoil den chéad uair. Nuair a chasann siad ar Jams O'Donnell
agus iad ag seilg sna Rosa deir Jams nach bhfuil Gaeilge ar bith
aige ach Gaeilge Chúige Uladh. Leanann Bónapárt agus é féin ag
caint le chéile ansin agus béim á cur ag an mbeirt acu ar leaganacha
canúnacha. Ní féidir leis an Muimhneach nó an tUltach éalú ó na
sean-*chlichés* a bhfuil an dá dhream chomh cleachtaithe sin orthu:

'An bhfuilir go rí-mhaith?' arsa'n Seanduine leis.
'Níl mé ach go measardha', arsa Jams, 'agus níl Gaeilg ar bith agam
ach Gaeilg Chúige Uladh'.
'Ar rabhair riamh ar an bhfeis i gCorca Dorcha, a dhuine uasail?'
arsa mise. 'Cha rabh, ach bhí mé ar an drabhlas i nAlbain'.
'Cheapas', arsa mise, 'go bhfacas thú ar an scata daoine abhí bailithe
ag geata páirc na feise'.
'Ní rabh mé imeasc an scaifte ag an gheafta, a Chaiftín', ar seisean.
'Ar léighis *Seadna* riamh?' arsa'n Seanduine go múinte. (55)

Tá Myles ag díriú anseo ar an gcanúnachas, an cúigeachas, agus an
easpa nuachta a bhaineann leis an bpróslitríocht i gcoitinne. Bheadh
ar na hUltaigh teanga nua a fhoghlaim ionas go mbeidís ábalta
Séadna a léamh má tá aon bhlas den fhírinne sa phíosa seo ag Myles.

Níor chuir foilsiú BB deireadh leis an réigiúnachas i litríocht Thír
Chonaill. Scríobhadh dírbheathaisnéisí, cnuasaigh ghearrscéalta,
agus úrscéalta i bhfad ina dhiaidh sin a bhí díreach cosúil leis na
'deá-leabhair' atá á n-aoradh ag Myles in BB. Arís, léiríonn sé seo
nár lucht litríochta formhór na scríbhneoirí Gaeilge ón taobh seo
tíre ach an oiread le scríbhneoirí Chorca Dhuibhne. Níor léigh siad
BB agus níor spéis leo teoiricí liteartha a bhí á scaipeadh ag scríbh-
neoirí eile ag an am. Bhí siad gaibhnithe ina réigiúnachas féin agus
chomh fada agus a bhí pobal acu a bhí sásta glacadh leis an réigiún-
achas sin, lean siad ar aghaidh á shaothrú.

IARFHOCAL

Sa leabhar seo bhí mé ag plé le sruth amháin scríbhneoireachta a d'eascair as an athbheochan liteartha. I gCuid a hAon den taighde pléadh na cúiseanna a raibh an cineál seo scríbhneoireachta chomh leitheadach sin agus a bhí agus léiríodh cé chomh deacair agus a bhí sé cosc a chur leis nuair a bhí cúinsí na linne inar scríobhadh é ag cuidiú ar gach dóigh le é a chur chun cinn.

Taobh le taobh leis an litríocht réigiúnach seo, áfach, bhí an litríocht chruthaitheach nua-aoiseach á saothrú freisin, cé go raibh sé i bhfad níos deacra do na scríbhneoirí cruthaitheacha aitheantas a fháil ón bpobal. Ba iad na léitheoirí a d'éiligh an réigiúnachas agus an tuatachas. Ní raibh a bhformhór sách sofaisticiúil le litríocht nua-aoiseach a aithint, gan trácht ar í a thuiscint nó a mheas.

Má bhreathnaímid ar an litríocht chruthaitheach feicimid ar an bpointe go raibh an dá shruth beag beann go hiomlán ar a chéile. Bhí fealsúnacht liteartha dá gcuid féin ag na scríbhneoirí cruthaitheacha, rud a bhí in easnamh ar na scríbhneoirí réigiúnacha. Smaoiním ar na hailt ar fad faoin litríocht a d'fhoilsigh scríbhneoirí mar Phádraic Ó Conaire, Seosamh Mac Grianna, Máirtín Ó Cadhain agus, níos deireanaí, Diarmaid Ó Súilleabháin agus Breandán Ó Doibhlin. Rinne siad iarracht choinsiasach tréithe an duine a nochtadh agus a chíoradh, an rud is cionsiocair leis an litríocht nua-aoiseach. Ní raibh siad ag brath ar cheantar, ar phobal nó ar a gcuid Gaeilge féin chun cáilíochtaí liteartha a bhronnadh ar a ndéantúis. Ar bhealach, feicimid cúlú iomlán ón logántacht in iarrachtaí na scríbhneoirí seo. Níl aon tábhacht leis an timpeallacht i gcuid mhaith den nuaphrós cruthaitheach, mar shampla scríbhneoireacht osréalach Dhiarmada Uí Shúilleabháin nó scríbhneoireacht mhachnamhach Bhreandáin Uí Dhoibhlin. Ní dhéanann na scríbhneoirí seo aon iarracht dathanna na timpeallachta fisiciúla a chur isteach ina gcuid saothar. Chuaigh Pádraic Ó Conaire leis an osréalachas freisin ina úrscéal *Deoraíocht* a foilsíodh sa bhliain 1910 agus i *Mo bhealach féin* le Seosamh Mac Grianna is mó den aigneolaíocht a fhaighimid ná den chur síos ar áiteanna. Is cineál éalú ó fhadhb an réigiúnachais an claonadh seo atá ag na scríbhneoirí cruthaitheacha chun saothair theibí a chur ar fáil.

Bhí scríbhneoirí eile ann a rinne iarracht choinsiasach cúl a thabhairt don suíomh tuatúil Gaeltachta agus iad ag iarraidh litríocht nua-aoiseach a sholáthar. Smaoiním go háirithe ar Shéamas

Ó Néill a scríobh an-chuid alt faoin litríocht agus a rinne sáriarracht saol na cathrach a léiriú ina chuid scríbhneoireachta féin. Tá a chuid aidhmeanna róshoiléir le brath ar a shaothar, áfach, rud a loiteann an stíl. Chomh maith leis sin, cé gur éirigh leis an tsnaidhm leis an suíomh Gaeltachta a scaoileadh ina chuid scríbhneoireachta, níor éirigh leis laincisí na dírbheathaisnéise a chur de. Is saothar dírbheathaisnéisiúil, a bheag nó a mhór, an leabhar is clúiti dá chuid, *Tonn tuile.* Is fadhb uafásach ag an scríbhneoir Gaeilge é saol na cathrach a léiriú trí mheán na Gaeilge ach ós rud é gur scríbhneoirí cathrach is mó atá againn anois ba spéisiúil an rud é breathnú ar an gcaoi a ndéileáileann siad leis an bhfadhb seo. Is ábhar é seo ar fiú go mór taighde ceart a dhéanamh air. Ábhar eile is fiú a iniúchadh ná forbairt an úrscéil sa nua-Ghaeilge. Tá sé seo ceangailte go mór leis an ábhar a bhí faoi chaibidil sa leabhar seo. Is cinnte gur chuir na cineálacha litríochta a bhí i bhfaisean isteach ar scríbhneoirí a bhí ag iarraidh foirmeacha nua-aoiseacha próis a láimhseáil. Ní raibh an pobal sásta glacadh leis na foirmeacha nua sin nuair a cuireadh ar fáil i dtosach iad. Bhain na léitheoirí taitneamh as na saothair réigiúnacha agus ghlac siad leo mar litríocht. Tá sé léirithe agam i gCuid a Dó agus a Trí den saothar seo gur féidir taitneamh a bhaint as na leabhair sin ach nach mbaineann an taitneamh sin, ar bhealach ar bith, lena gcáilíochtaí liteartha. Is idirdhealú é seo nár deineadh ar chor ar bith sna daichidí nuair a bhí dírbheathaisnéisí agus saothair Ghaeltachta á saothrú go tiubh.

Mar fhocal scoir, ba mhaith liom a rá nach cóir go gcuirfeadh an réigiúnachas cosc iomlán ar an gcruthaitheacht. D'fhéadfadh an scríbhneoir tuisceanach ceantar nó pobal a léiriú ina shaothar agus ag an am céanna a aidhmeanna liteartha a chur i gcrích. Is beag scríbhneoir Gaeilge ar éirigh leis é sin a dhéanamh. D'éalaigh a bhformhór ón bhfadhb—cuid acu le sruth an réigiúnachais, an chuid eile leis an teibíocht. Ba é Máirtín Ó Cadhain an t-aon scríbhneoir ar éirigh leis litríocht nua-aoiseach den chéad scoth a chur ar fáil gan cúl iomlán a thabhairt don réigiúnachas. Caithfear idirdhealú a dhéanamh idir aidhmeanna an scríbhneora agus a chuid modhanna. Ní raibh sé mar aidhm ag Ó Cadhain pobal Chois Fharraige a léiriú in *Cré na cille,* mar shampla, ach bhain sé úsáid as an bpobal sin chun a aidhmeanna liteartha a chur i gcrích. Chuir sé seo mearbhall ar na léirmheastóirí a scríobh faoin leabhar seo nuair a céadfhoilsíodh é. Phléigh siad an leabhar mar léiriú ar shaol na Gaeltachta agus nuair nár oir an íomhá a chruthaigh Ó Cadhain don tsamhail a bhí ina n-aigne siúd roimhe sin—samhail bhréagach mar a chonaiceamar cheana—mhaslaigh siad an leabhar agus an t-údar. Is fíor go bhfuil pobal ceantair le feiceáil in *Cré na cille* ach is iad tréithe an duine dhaonna atá á léiriú ag an údar ann. An t-aon fáth gur phioc Ó Cadhain an pobal áirithe sin chun a aidhmeanna a chur i gcrích ná gur phobal iad a raibh dlúthaithne aige féin orthu. Ba mheán iad i lámha Uí Chadhain agus ba mheán í an Ghaeilge aige freisin. Ní sheasann gradam a chuid leabhar ar cheachtar den dá rud seo.

NÓTAÍ

[1] Glacaim mar litríocht nua-aoiseach litríocht ar bith a bhfuil sé mar phríomhaidhm ag an údar tréithe nó fadhbanna an duine aonair a nochtadh agus a chíoradh inti.

[2] Seo roinnt samplaí de na cineálacha seo leabhair: *Le linn m'óige* (1944), le Mícheál Mag Ruaidhrí; *Sgéal mo bheatha* (1940), le Domhnall Bán Ó Céileachair; *An gleann agus a raibh ann* (1963), le Séamas Ó Maolchathaigh; *Gan baisteadh* (1972), le Tomás Bairéad; *Cois Fharraige le mo linnse* (1974), le Seán Ó Conghaile; *Obair is luadhainn nó saoghal sa nGaedhealtacht* (1937), le Colm Ó Gaora; *Timcheall Chinn Sléibhe* (1933), le Seán Ó Dálaigh. Tá na saothair réigiúnacha a bhaineann le Corca Dhuibhne agus Tír Chonaill le fáil sna haguisíní agus tá na leabhair a bhaineann leis na ceantair eile Ghaeltachta luaite sa liosta ag deireadh an leabhair.

[3] Is spéisiúil an rud é breathnú ar an leabhar *The pleasures of Gaelic literature* a chuir John Jordan in eagar sa bhliain 1977. Naoi léacht faoin nualitríocht atá cnuasaithe ann agus is dírbheathaisnéisí cúig cinn de na naoi leabhar a phléitear. Fiú amháin in alt a scríobh Seán Ó Tuama faoi úrscéalaíocht na Gaeilge don leabhar *The Irish novel in our time* (1976) pléann sé le dírbheathaisnéisí na Gaeilge gan na bundifríochtaí idir an dá chineál saothair a aibhsiú.

[4] Mar shampla: *Gura slán le m'óige* (1967) le Fionn Mac Cumhaill; *Toraigh na dtonn* (1971) le hEoghan Ó Colm; *Lá dár saol* (1969) le Seán Ó Criomhthain; *An toileán a tréigeadh* (1974) le Seán Sheáin Í Chearnaigh; *Na haird ó thuaidh* (1960) le Pádraig Ua Maoileoin. Is soiléir ó na haguisíní a bhaineann le saothair ó dhá cheantar Gaeltachta nár thráigh tobar na litríochta réigiúnaí ar bhealach ar bith leis an Dara Cogadh Domhanda.

[5] Luaite ag Donal McCartney (1973:82).

[6] Luaite ag Tim Pat Coogan (1966:72).

[7] I *Clár na gComórtas* do Oireachtas na bliana 1932, tá an méid seo leanas le fáil i measc na gcoinníollacha: 'Bronntar an chéad duais de réir na marcanna a mholfaidh na breitheamhain. 'Sé an Coiste Gnótha a thoghfaidh na breitheamhain' (1932:1). Is amhlaidh atá sé i gcónaí ach amháin go ndéantar iarracht níos mó anois ar dhaoine a bhfuil eolas acu ar an litríocht a cheapadh mar mholtóirí.

[8] Is é sin slánú na Gaeilge.

[9] Is iad sin lonnú agus cónaí; cúrsaí gnó agus taistil; an pobal, tionscail, ceirdeanna agus gnóthaí beatha, caitheamh aimsire rl.

[10] Ba bhall den Chumann le Béaloideas Éireann an Máire Ní Chinnéide seo agus thug sí an-chúnamh go deo do Pheig agus í i mbun a dírbheathaisnéise.

[11] Aistriúchán ar *Abhráin grádh chúige Connacht* (1895).

[12] Déanann an feiniméaneolaí iarracht cur síos ar eisintí an eispéiris dhaonna: 'The phenomenologist attempts to suspend or "place in brackets" all metaphysical and epistemological presuppositions, to identify and describe the essences of experience as they are intuitively apprehended. . . . Phenomenology is thus empirical in its insistence on a continuous and unbiased scrutiny of experience.' (*Encyclopedia of the Social Sciences XII*, 1968:68).

Is mór an difríocht idir an chaoi a mbreathnaíonn an feiniméaneolaí ar an litríocht agus an chaoi a mbreathnaíonn an léirmheastóir liteartha uirthi: 'Here the phenomenologist has nothing in common with the literary critic who, as has frequently been noted, judges a work that he could not create and, if we are to believe certain facile condemnations, would not want to create.' (Bachelard, 1964:xxi).

[13] 'Topophilia is the affective bond between people and place or setting' (Yi-Fu Tuan, 1974a:4).

[14] Féach ar Aguisín a haon do liosta iomlán de na leabhair a d'fhoilsigh scríbhneoirí Chorca Dhuibhne.

[15] Is fiú a thabhairt faoi deara go bhfuil an mhóitíf den chailín saibhir atá i ngrá leis an bhfear oibre le fáil sa saothar seo chomh maith, agus is cinnte go raibh an t-úrscéal seo léite ag Nóra Ní Shéaghdha.

[16] Pléann Brody (1974) agus Nancy Scheper-Hughes (1979) na fadhbanna seo ina leabhair faoin saol in iarthar na hÉireann.

[17] Ba chóir dom roinnt téarmaí a shoiléiriú ag an bpointe seo mar beidh siad in úsáid go minic agam as seo amach. Bainfidh mé an chiall chéanna as na focail 'braistint' (perception), 'dearcadh' (attitude), 'luach' (value) agus 'radharc domhanda' (world view) agus a bhaineann an tíreolaí Yi-Fu Tuan: 'Perception is both the response of the senses to external stimuli and purposeful activity in which certain phenomena are clearly registered while others recede in the shade or are blocked out. . . . Attitude is primarily a cultural stance, a position one takes vis-à-vis the world. It has greater stability than perception and is formed of a long succession of perceptions, that is of experience. Attitudes imply experience and a certain firmness of interest and value. . . . World view is conceptualized experience. It is partly personal, largely social. It is an attitude or belief system' (1974a:4).

[18] Beidh mé ag baint úsáide as na noda atá mínithe agam ar leathanach 8 as seo amach sa leabhar. I dtaca le Al, O agus P is iad na heagráin i deireanaí de na leabhair sin a bheidh i gceist agam.

[19] Faighimid léargas difriúil ar shaol an oileáin sna leabhair seo seachas mar a fhaighimid sna cuntais a scríobh Synge agus Robin Flower ar an mBlascaod. Is mar chuairteoirí a chonaic siadsan é agus mar gheall air sin is cinnte go raibh an-chuid rudaí a bhaineann le saol an oileáin ceilte orthu.

[20] Tá an rud ceannann céanna le feiceáil sa leabhar Proud island le Peadar O'Donnell. Úsáidtear an focal 'island' tríd síos nuair is iad muintir an oileáin atá i gceist. Mar shampla: 'The island was going to scatter like a barrel that had shed its hoops unless the herring came back' (1975:22).

[21] Caithfimid é a mheabhrú agus sinn ag breathnú ar na leabhair seo go léir. Ní hamháin nach raibh mórán cur amach acu ar na rudaí a bhí ag tarlú i mBaile Átha Cliath, Sasana nó san Eoraip, ach ba theoranta a gcuid eolais freisin ar áiteanna níos gaire don bhaile. Féach mar a léiríonn Eric Cross in The Tailor and Ansty an domhan mar ab eol do Ansty é: 'Ansty's world is very limited and personal. Bantry and Macroom come within the compass of it. Cork is a strain upon her imagination. Beyond Cork lies the rest of the world, and Heaven and Hell' (1942:14-5).

[22] Deir Lawrence Millman (1977) faoi cheantair bheaga san iarthar: 'Once these lands were so far from the centre of things, they were the centre of things' (4).

Nuair a d'iarr Brian Ó Ceallaigh i dtosach ar Thomás Ó Criomhthain rud éigin a scríobh faoi shaol an oileáin ionas go mbeadh eolas ag daoine taobh amuigh ar an saol sin, is éard a dúirt Tomás ná: 'Tá a fhios ag gach aoine cad tá ar siúl san Oileán.' Is feiniméan é seo a bhaineann ní hamháin le comhluadar daoine atá scoite amach ó na lárionaid dhomhanda, ach leis an gcine daonna i gcoitinne: 'People everywhere tend to regard their own homeland as the "middle place" or the centre of the world' (Yi-Fu Tuan, 1977:38). Bíonn an neamhthuiscint ar áiteanna taobh amuigh den bhaile dúchais níos measa i gcás an oileánaigh, áfach. Bíonn a thuiscint ar chúrsaí spáis an-chlaonta ar fad: 'Physical environment can influence a people's sense of size and spaciousness. On the small Melanesian island of Tikopia, which is only three miles long, the islanders have little conception of landmass size' (Yi-Fu Tuan, 1977:54).

[23] Ba fheiniméan é seo a bhain le han-chuid áiteanna a bhí scoite amach ar bhealach éigin ón gcuid eile den tír. Ní fios go baileach cén bunús atá leis. An amhlaidh go ndeachaigh an nós siar go haimsir na págántachta agus nár éirigh le rialtas lár na Sasanach deireadh a chur leis, nó ar eascair sé ón iarracht a rinneadh chun daorsmacht dhlí Shasana a bhriseadh? Rud amháin a chuidigh le caomhnú an nóis ná iargúltacht na n-oileán agus na gceantar eile ar an gcósta thiar a raibh dlíthe dá gcuid féin acu ag tús na haoise seo. Níl mórán eolais bheacht againn go fóill ar an gcaoi ar ceapadh na 'ríthe' ach is cinnte gurbh iad na daoine féin a phioc iad. Tá Caoimhín Ó Danachair ó Roinn an Bhéaloidis, Coláiste na hOllscoile, Baile Átha Cliath, tar éis taighde ar an ábhar seo a fhoilsiú: 'An Rí (The King): an example of traditional social organisation'. Tá neart tagairtí don Rí in A1 agus ie léir ón leabhar sin gur dhuine tábhachtach sa chomhluadar ba ea é.

[24] Pléann Peadar O'Donnell an téama seo chomh maith san úrscéal a luaigh mé thuas, *Proud island*. Nuair a fuair a fear céile bás ar an bhfarraige bhí ar Susan Duffy rogha a dhéanamh—dul chun cónaithe ar an mórthír nó imeacht go Boston, áit a raibh daoine muinteartha léi. Sa deireadh beartaíonn sí ar dhul go Boston mar b'fhearr léi bheith ansin i measc a gaolta seachas bheith ina cónaí níos gaire don bhaile i gcomhluadar 'strainséirí'! (116).

[25] Is tréith é seo a bhaineann le daoine i bpobal beag. Roinneann siad a gcuid eispéireas ar fad agus nasctar le chéile ar an gcaoi sin iad. Seo mar a chuireann Gwyn Jones síos ar an bhfeiniméan céanna mar a chonacthas dó siúd é i ngleannta iargúlta na Breataine Bige: 'In those parts of Wales where I have spent most of my life, in the Valleys and on Cardigan Bay, people are unmistakably themselves, and yet limbs one of the other, so that in human terms you live a life of great riches there. In small communities you are a full sharer. You belong' (1972:870).

[26] De réir mar a leath a gcuid eolais ar an saol seachtrach amach thuig siad cé chomh scoite amach agus a bhí siad agus ní raibh siad sásta a thuilleadh leis an saol traidisiúnta: 'The illusion of superiority and centrality is probably necessary to the sustenance of culture. When rude encounters with reality shatter that illusion the culture itself is liable to decline. In the modern world of rapid communications, it is difficult for small communities to believe that they are at the centre of things, and yet some such faith is necessary if they are to prosper' (Yi-Fu Tuan, 1974a:31-2).

[27] Seo mar a thagraíonn Yi-Fu Tuan don mheon atá léirithe ag Peig anseo: 'The island seems to have a tenacious hold on the human imagination. . . . Its importance lies in the imaginative realm. Above all, it symbolizes a state of prelapsarian innocence and bliss, quarantined by the sea from the ills of the continent' (1974a:118).

[28] Tá léarscáil den cheantar taobh istigh den chlúdach, díreach mar atá sé sa dírbheathaisneis AT.

[29] Tá socheolaithe tar éis an-chuid a scríobh faoi phróiséas na himirce agus faoi na fáthanna a bhíonn leis. Rinne Hugh Brody a thaighde socheolaíoch in iarthar na hÉireann agus pléann sé cuid de na hathruithe a tháinig i dtír sna caogaidí ann: 'And as the 1950s advanced, the opportunities—social, financial and sexual—with which urban life tends to be identified were forced deeper and deeper into the consciousness of the community: tourists, the new films, television and ever glossier magazines brought their message into every country home. The consequence was that Inishkillane began to feel itself to be a peripheral part of a single culture. More important, it began to see the relative disadvantage and inadequacy in traditional rural life. It was the girls of the parish who came

more quickly and implacably to feel the disadvantages of staying in the country-side' (1973:99).

Ba í an tuiscint seo go raibh siad ar 'imeall' an tsaoil mhóir an rud a chuir iallach ar na hoileánaigh bogadh isteach sa mhíntír. Ach bhí an próiséas céanna ag dul i bhfeidhm ar shaol na míntíre féin, rud atá soiléir sna leabhair a tháinig chugainn ó Chorca Dhuibhne. Ba rud é seo a tharla sna ceantair iartharacha ar fad chomh luath agus a thosaigh siad á gcur féin i gcomparáid le háiteanna eile Seo mar a fheiceann Caoimhín Ó Danachair an próiséas mar a chuaigh sé i bhfeidhm ar na ceantair Ghaeltachta: 'Comparison between the depressed Gaeltacht areas and the materially richer world outside produced the inevitable psychological reaction. The traditional way of life came to be seen as old-fashioned, poor, unworthy, while that of the outside world, known to the Gaeltacht dwellers only from their visits to the towns and from the coming among them of officials and summer visitors, appeared modern, affluent, desirable' (1969:120).

[30] Dúirt Nancy Scheper-Hughes faoin gcothú ón rialtas a fuair muintir Chorca Dhuibhne: 'Virtually every member of the community is supported by one of the following welfare programmes: Widow's Pensions; Old Age Pensions; Unemployment Assistance ('the dole'); Children's Allowances; Disabled Persons Maintenance; and Gaeltacht housing and language subsidies' (1979:50).

[31] B'fhiú é a chur i gcomparáid le Máirtín Ó Cadhain sa chaoi a dtugann sé faoi mheon pobail a léiriú. B'fhéidir gur chuidigh a n-imeacht ón áit dhúchais leis an mbeirt scríbhneoirí seo agus iad ag iarraidh dul faoi screamh shaol na Gaeltachta. Caithfimid a bheith scoite amach, a bheag nó a mhór, ó áit chun íomhá na háite sin a thabhairt linn go cruinn: 'Long residence enables us to know a place intimately, yet its image may lack sharpness unless we can also see it from the outside and reflect upon our experience' (Yi-Fu Tuan, 1977:18).

[32] Is léir go mbraitheann Ua Maoileoin uaidh a cheantar dúchais agus é thuas i mBaile Átha Cliath. Ar ndóigh, is tar éis do dhuine imeacht ó áit a thuigeann sé a tábhacht. Deir Yi-Fu Tuan: ' "Home" has no meaning apart from the journey which takes one outside the home' (1971:188). In AT tá Ua Maoileoin ag filleadh ar an áit dhúchais sin agus tuiscint úrnua aige ar an bpáirt a ghlac sí ina fhorbairt féin mar dhuine.

[33] Labhraíonn sé faoi 'éisc' agus faoi 'chúrsaí slataíochta' in ionad an cheist a phlé go hoscailte. Is gné í seo den chosc atá ar fhir sa chomhluadar a gcuid mothúchán pearsanta a léiriú agus is rud é atá le brath go láidir in B. Is éalú ó chúinsí an tsaoil an chaint mheafarach acu go minic, agus is rud é a phléann Nancy Scheper-Hughes faoin teideal 'Double-speak, double think, communication patterns and schizophrenia' (1979:82). Cé go bhfuil dearcadh na mná seo thar a bheith diúltach agus beagán claonta, dar liom, fós is spéisiúil an rud é go bhfeiceann sise ceangal chomh maith idir an chaint dhéibhríoch agus nósmhaireacht na bhfear i leith na mban, go mór mór an cosc atá orthu srian a ligean lena gcuid mothúchán. B'fhiú go mór níos mó taighde a dhéanamh ar an gceist seo.

[34] Bíonn an carachtar atá 'cineálach' do cheantar áirithe le fáil i gcónaí i saothair réigiúnacha. Seo mar a chuireann Patrick Sheeran síos ar a leithéid in úrscéalta réigiúnacha Liam Uí Fhlaithearta: 'Local, traditional character types are the dominant personages in all the romances and these O'Flaherty views most commonly with the sardonic eye of one who has inside information. Some are drawn from life and can be identified even at this distance in time' (1976: 124). D'fhéadfaí an rud céanna a rá faoi charactair Phádraig Uí Mhaoileoin.

[35] Luann Yi-Fu Tuan tábhacht an tí chónaithe i saol an duine agus an chaoi a nglacann pobail neamhliteartha páirt ghníomhach i dtógáil na dtithe: 'To a nonliterate people the house may be not only a shelter but also a ritual place

and the locus of economic activity. Such a house can communicate ideas even more effectively than can ritual' (1977:112). Léiríonn Ua Maoileoin feidhm an tí thraidisiúnta go beacht sa chuid seo de AT, agus tá aiféala air go bhfuil ré an tí sin thart anois.

[36] Féach mar a chuireann Nancy Scheper-Hughes síos ar an rud céanna: 'Villagers are painfully aware that it is their "quaintness" which attracts tourists and their money. Hence, during July and August the pubs and the main street are fairly buzzing with "fairy stories", old piseogas (superstitions), and homely, devout expressions' (1979:50). Tá saorgacht ag baint leis an nósmhaireacht seo, áfach.

[37] Féach cé chomh cosúil agus atá braistintí seo an údair le tuairimí E. Relph faoi dhaoine dá leithéid: 'It seems that for many people the purpose of travel is less to experience unique and different places than to collect those places (especially on film)' (1971:85). Luann Lawrence Millman an nasc idir na tithe nua agus an turasóireacht agus caitheann sé drochmheas ar an turasóireacht mar shlí bheatha: 'The new house, a two-floor bungalow with a tile roof, somewhat resembles a glassed-over army barracks. What it sacrifices in the way of harmony with the landscape, it will bring back with crowds of tourists. There will be plenty of people here once again. Once again congestion, yet this time at the expense of history: under the foot of the tourist, all custom is trampled . . (1977:69-70).

[38] Cuireann Yi-Fu Tuan síos ar an múnlú céanna. Ní hamháin go dtéann an timpeallacht i bhfeidhm ar phearsantacht an duine, téann sé i bhfeidhm ar a fhiseolaíocht chomh maith: 'The feel of a place is registered in one's muscles and bones. A sailor has a recognizable style of walking because his posture is adapted to the plunging deck of a boat in high sea. Likewise, though less visibly, a peasant who lives in a mountain village may develop a different set of muscles and perhaps a slightly different manner of walking from a plains man who has never climbed. Knowing a place, in the above senses, clearly takes time. It is a subconscious kind of knowing' (1977:184).

Ní féidir liom é seo a léamh gan smaoineamh ar an gcur síos a dhéanann Ua Maoileoin ar mhuintir an Bhlascaoid Mhóir ag siúl i líne, duine i ndiaidh duine, tríd an Daingean: 'Ní fearr leo so rud de. Is air a bhí a dtaithí ar oileáinín mhara an Bhlascaoid a bhí fágtha ina ndiaidh acu, agus gan de bhóithre acu ann ach cosáin chaeireach siar fén gcnoc agus iad á siúl in aghaidh an lae ar an gcuma chéanna toisc ná raibh ach slí d'éinne amháin sa turas orthu' (AT:28).

[39] Dearann Nancy Scheper-Hughes pictiúr an-ghruama den saol i gCorca Dhuibhne agus luann sí an fhadhb seo mar cheann de phríomhfhadhbanna an cheantair: 'The flight of young people—especially women—from the desolate parishes of the west coast, drinking patterns among the stay-at-home class of bachelor farmers, and the general disinterest of the local populace in sexuality, marriage and procreation are further signs of cultural stagnation' (1979:4).

In B imíonn bean óg ó Dhún Chaoin mar nach féidir léi an rud atá ag teastáil uaithi a fháil san áit dhúchais. Ní leagann Ua Maoileoin béim ar bith ar tharraingt na cathrach, rud a luann na heolaithe i gcónaí agus iad ag caint faoi phróiséas na himirce. Níl fonn uirthi imeacht ach caithfidh sí mar tá sí róréabhlóideach glacadh le toil Dé, mar a rinne a máthair roimpi. Ní hé saol an cheantair a chuireann isteach uirthi, áfach, ach leimhe agus marbhántacht na bhfear. B'fhéidir go raibh na heolaithe ag breathnú ar an bhfadhb seo ar bhealach róshimplí. Chreid siadsan go léir go raibh na cailíní míshásta le saol na tuaithe i gcoitinne. Le líon na mban laghdaithe go mór thart faoin tuath d'éirigh na fir ar nós cuma liom faoin ngnéasúlacht agus faoin bpósadh, dar leo. Léiríonn Ua Maoileoin sa leabhar B gurbh é a mhalairt ar fad a bhí i gceist. Is ceist í seo nach bhfuil aon fhreagra deifinéideach faighte air go fóill.

[40] Do liosta iomlán de na saothair phróis a chuir scríbhneoirí Thír Chonaill ar fáil dúinn, féach ar Aguisín a dó.

[41] Bhí scríbhneoirí eile ó Thír Chonaill ag foilsiú leabhar i mBéarla thart ar an am céanna, leabhair a bhí bunaithe, cuid mhaith, ar na téamaí céanna a fhaighimid sna leabhair Ghaeilge. Mar shampla, scríobh Séamas Mac Manus *The rocky road to Dublin* (1938), scéal faoina óige i dTír Chonaill, a chéad phost agus a imeacht go Meiriceá. Scríobh Patrick Gallagher an leabhar clúiteach *My story—Paddy the Cope* (1946) ina gcuireann sé síos ar Chomharchumann Teampaill Chróin agus an pháirt a ghlac sé féin ann agus d'fhoilsigh W. Haughton Crowe leabhar a bhí bunaithe ar a chuimhní cinn féin—*Beyond the hills: an Ulster headmaster remembers* (g.d.).

[42] Tá saothair na scríbhneoirí seo luaite in Aguisin a dó.

[43] Nóta ar chlúdach an leabhair *Proud island* (1975) le Peadar O'Donnell.

[44] Is fiú a thabhairt faoi deara nach bhfuil Roinn Antraipeolaíochta in aon cheann de na hollscoileanna sa tír seo. Sasanach is ea Brody agus Meiriceánaigh iad an bheirt eile a luaitear anseo. Ní fhéadfadh daoine mar iad anailís thuisceanach a dhéanamh ar phobal na n-oileán gan a bheag nó a mhór de chlaonadh cultúrtha a bheith i gceist.

[45] Níl éinne ina chónaí ar Ghabhla anois. Thréig an duine deireanach é sa bhliain 1969 ach tagann roinnt de na hoileánaigh féin, maille le daoine ó na cathracha, ar ais ann i rith an tsamhraidh. Cé go bhfuil pobal Thoraí laghdaithe go mór fós bhí 273 ina gcónaí ann sa bhliain 1971.

[46] Thug Pádraig Ua Maoileoin an rud céanna faoi deara .i. go bhfuil an teanga múnlaithe, a bheag nó a mhór, ar ghnéithe den timpeallacht. Is ábhar spéisiúil é seo agus is ábhar é atá an-chasta chomh maith mar, ní hé amháin go gcuidíonn an timpeallacht le forbairt teanga, ach bíonn an-tionchar ag nós-mhaireachtaí teanga ar an gcaoi a mbreathnaímid ar an saol. Treoraíonn siad ár mbraistintí faoin timpeallacht go minic. Seo mar a chuireann Benjamin Lee Whorf síos ar an bhfeiniméan seo: 'We dissect nature along lines laid down by our native languages. . . . We cut nature up, organize it into concepts, and ascribe significances as we do, largely because we are participants to an agreement to organise it in this way—an agreement that holds throughout our speech community' (1956:213).

[47] Léiríonn Peadar O'Donnell an rud céanna ina leabhar *The islanders*. Sa réamhrá leis an leabhar sin deir Robert Lynd: *'Islanders* would be worth reading merely as a description of the lives of the poor on a wild barren and beautiful coast, on which two bucketfuls of winkels may be a considerable addition to the wealth of the home. It is also a piece of heroic literature, however, and as we read it we positively rejoice in the heroism of human beings who can force a living from the rocks and live in charity with one another among the uncharitable stones' (1927:6).

[48] In *Proud island* pléann Peadar O'Donnell polasaí an rialtais chomh maith. Léiríonn sé na drochthréithe a chothaigh sé sna daoine. Glaonn sé 'Dublin's solution' ar an 'dole' agus seo iad na tuairimí faoin 'dole' céanna a chuireann sé i mbéal duine dá charachtair: ' "I'll tell you what it puts me in mind of—the jail on the day when the shout was raised 'parcels up'. To be sure the parcels were a Godsend. When we had our feed we were still in jail!" ' (1975:30).

[49] In *The living landscape* le Ó Catháin agus Flanagan léiríonn na húdair an chaoi a n-eascraíonn logainmneacha as an dlúthchaidreamh atá ag comhluadar daoine lena n-áit dhúchais: 'The close relationship between man and the land in Kilgalligan is vividly illustrated in the placenames and lore which follow' (1975:13).

NÓTAÍ 221

⁵⁰ Fad is nach raibh aon slat tomhais acu taobh amuigh dá n-eispéireas féin ar an saol bhí suaimhneas intinne acu. Seo mar a thráchtann Yi-Fu Tuan ar an bhfeiniméan seo: 'Contentment is a warm positive feeling, but it is most easily described as incuriousity towards the outside world and as absence of desire for a change of scene' (1977:159).

⁵¹ Arís is fiú do na síceolaithe agus do na socheolaithe an fhianaise seo a iniúchadh agus iad ag déanamh taighde ar nósanna pósta mhuintir na hÉireann agus ar an mbaint atá ag an ngnéasúlacht le galair intinne.

⁵² Is rud é seo atá pléite go han-mhaith ag Patrick Gallagher ina dhírbheathaisnéis My story: Paddy the Cope (1947).

⁵³ I léacht a thug Aindrias Ó Gallchóir i Roinn na Gaeilge, Coláiste na hOllscoile Baile Átha Cliath, ar 11 Eanáir 1979, dúirt sé go raibh Ó Grianna ag déanamh áibhéile thar na beartaibh nuair a thug sé le tuiscint anseo nár thuig na hUltaigh an chanúint Mhuimhneach a bhí ag an sagart an lá sin.

⁵⁴ Ó scríobhadh an méid seo tá alt an-spéisiúil dár teideal 'Saoirse na mBan in "Bean Ruadh de Dhálach" ' foilsithe ag an Dr. Damien Ó Muirí, Coláiste Phádraig, Maigh Nuad. Tagann an scríbhneoir seo go hiomlán leis na tuairimí atá nochta ag ó Muirí ansin.

AGUISÍN I

Liosta de shaothair scríbhneoirí Chorca Dhuibhne. Fuair mé an chuid is mó den liosta seo ón alt a scríobh Pádraig Ó hÉalaí faoi phróslitríocht Chorca Dhuibhne don leabhar *Céad bliain 1871–1971* (Eag. Mícheál Ó Ciosáin, 1973).

Luibhéid, Tomás. *Daidí na Nollag.* BAC: Brún agus Ó Nualláin, 1936.
—— *Búiream Béiceam.* BÁC: Brún agus Ó Nualláin, 1936.
—— *An biorán suain.* BÁC: Oifig an tSoláthair, 1937.
—— *An treoraidhe nuadh 1, 11, 111.* BÁC: Ó Fallamhain Tta., 1944.
—— *Cois cnoic is cuain.* BÁC: Oifig an tSoláthair, 1946.
Mac Síthigh, Tomás. *Cortha cainnte na Gaedhilge.* BÁC: An Preas Náisiúnta, 1940.
—— *An saoghal mór.* BÁC: Mac an Ghoill, g.d.
Ní Ghaoithín, Máire. *An t-oileán a bhí.* BÁC: An Clóchomhar Tta., 1978.
Ní Mhurchú, Eibhlín. *Siúlach scéalach.* BÁC: Cló Grianréime, 1968.
Ní Shéaghdha, Nóra. *Thar bealach isteach.* BÁC: Oifig an tSoláthair, 1940.
—— *Peats na baintreabhaighe.* BÁC: Oifig an tSoláthair, 1945.
Ní Shúilleabháin, Siobhán. *Triúr againn.* BÁC: Sáirséal agus Dill, 1955.
—— *Cúrsaí Randolf.* BÁC: Sáirséal agus Dill, 1957.
—— *Dúinne an samhradh.* BÁC: An Preas Talbóideach, 1957.
Ó Caomhánaigh, Seán Óg. *Fánaí.* BÁC: Oifig an tSoláthair, 1928.
Ó Catháin, Diarmuid. *Eachtra sa Bhlascaod.* BÁC: Foilseacháin Náisiúnta Tta., 1975.
Ó Catháin, Muiris agus Tomás Ó Raghallaigh. *Guth na Gaodhaltachta nó cómhrádh do chách.* BÁC: Comhlucht Oideachais na hÉireann, 1925.
Ó Cearnaigh, Seán Sheáin. *An t-oileán a tréigeadh.* BÁC: Sáirséal agus Dill, 1974.
—— *Iarbhlascaodach ina dheoraí.* BÁC: Sáirséal agus Dill, 1978.
Ó Cinnéide, Tomás. *Ar seachrán.* Baile an Fhirtéaraigh: Cló Dhuibhne, 1981.
Ó Ciosáin, Mícheál, eag. *Céad bliain 1871–1971.* Baile an Fhirtéaraigh: Muintir Phiarais, 1973.
Ó Conchúir, Donncha. *Marú Dhún an Óir.* Baile an Fhirtéaraigh: Muintir Phiarais, 1958.
Ó Criomhthain, Tomás. *Allagar na hinise.* Eag. Pádraig Ó Siochfhradha. BÁC: Oifig an tSoláthair, 1928.
—— *An t-oileánach.* Eag. Pádraig Ó Siochfhradha. BÁC: An Preas Talbóideach, 1929.
—— *Dinnsheanchas na mBlascaodaí.* BÁC: Oifig an tSoláthair, 1928.
—— *Seanchas ón Oileán Tiar.* Eag. Séamas Ó Duilearga. BÁC: Comhlucht Oideachais na hÉireann, 1956.
Ó Criomhthain, Seán. *Lá dár saol.* BÁC: Oifig an tSoláthair, 1969.
Ó Dálaigh, Seán. *Clocha Sgáil.* BÁC: Oifig an tSoláthair, 1930.
—— *Timcheall Chinn Sléibhe.* BÁC: Oifig an tSoláthair, 1933.
Ó Dubhda, Seán, eag. *Duanaire Duibhneach.* BÁC: Oifig an tSoláthair, 1933.
Ó Gaoithín, Mícheál. *Is truagh ná fanann an óige.* BÁC: Oifig an tSoláthair, 1953.
—— *Coinnle corra.* BÁC: An Clóchomhar, 1968.
—— *Beatha Pheig Sayers.* BÁC: Foilseacháin Náisiúnta Tta., 1970.
Ó hUallacháin, Breandán. *An bhinn bhreac.* BÁC: Oifig an tSoláthair, 1966.
—— *Seal thall, seal abhus.* BÁC: Oifig an tSoláthair, 1973.
Ó Lúing, Seán. *Art Ó Gríofa.* BÁC: Sáirséal agus Dill, 1953.
—— *John Devoy.* BÁC: Cló Mórainn, 1961.
—— *Freemantle Mission.* Trá Lí: Anvil Books, 1965.
—— *Ó Donnabháin Rosa 1.* BÁC: Sáirséal agus Dill, 1969.
—— *I die in a good cause.* Trá Lí: Anvil Books, 1970.

Ua Maoileoin, Pádraig. *Na haird ó thuaidh.* BÁC: Sáirséal agus Dill, 1960.
—— *Bríde bhán.* BÁC: Sáirséal agus Dill, 1967.
—— *An bóna óir.* BÁC: Sáirséal agus Dill, 1969.
—— *Dé réir uimhreacha.* BÁC: Muintir an Dúna, 1969.
—— *Fonn a níos fiach.* BÁC: Carbad, 1978.
—— *Ár leithéidí arís.* BÁC: Clódhanna Tta., 1978.
Ó Murchú, Seán. *Pluais na niongantas.* BÁC: Oifig an tSoláthair, g.d.
Ó Sé, Mícheál. *Dánta.* Trá Lí: Anvil Books, 1968.
Ó Siochfhradha, Mícheál. *An ball dubh.* BÁC: Ó Fallamhain Tta., 1929.
—— *Seo mar bhí.* BÁC: Oifig an tSoláthair, 1930.
—— *Deire an chunntais.* BÁC: Oifig an tSoláthair, 1933.
—— *Stair-sheanchas Éireann, I, II.* BÁC: Comhlucht Oideachais na hÉireann, 1933.
—— *Soineann is doineann.* BÁC: Oifig an tSoláthair, 1953.
—— *Nuafhoclóir Gaeilge—Béarla.* BÁC: Comhlucht Oideachais na hÉireann, 1968.
Ó Siochfhradha, Pádraig. *An baile seo gainn-ne.* BÁC: Conradh na Gaeilge, 1913.
—— *Bruidhean Eochaidh bhig dheirg.* BÁC: Comhlucht Oideachais na hÉireann, g.d.
—— *An císte lán.* BÁC: Comhlucht Oideachais na hÉireann, g.d.
—— *Jimín Mháire Thaidhg.* BÁC: Maunsel, 1921.
—— *Seáinín, nó eachtra mic mí-rialta.* BÁC: Maunsel and Roberts, 1922.
—— eag. *An seanchaidhe Muimhneach.* BÁC: Institiúid Béaloidis Éireann, 1930.
—— *Caibidlí as leabhar Mhóirín.* BÁC: Comhlucht Oideachais na hÉireann, 1934.
—— *Rí na mbradán agus an strainséir.* BÁC: Comhlucht Oideachais na hÉireann, 1935.
—— *Triocha-céad Chorca Dhuibhne.* BÁC: Comhlucht Oideachais na hÉireann (do An Cumann le Béaloideas Éireann), 1939.
—— *Muir, tuath agus cathair.* BÁC: Comhlucht Oideachais na hÉireann, 1951.
—— *Ridire na gealaí.* BÁC: Oifig an tSoláthair, 1956.
—— *Mí in Éirinn.* BÁC: Comhlucht Oideachais na hÉireann, 1960.
—— *Carraig an aifrinn.* BÁC: Oifig an tSoláthair, 1962.
Ó Súilleabháin, Mícheál. *An fear aduaidh.* BÁC: Foilseacháin Náisiúnta Tta., 1978.
Ó Súilleabháin, Muiris. *Fiche blian ag fás.* Eag. Seoirse Mac Tomáis. BÁC: An Preas Talbóideach, 1933.
Sayers, Peig. *Peig.* Eag. Máire Ní Chinnéide. BÁC: An Preas Talbóideach, 1936.
—— *Scéalta ón mBlascaod.* Eag. Kenneth Jackson. BÁC: Oifig an tSoláthair, 1938.
—— *Machtnamh seana-mhná.* Eag. Máire Ní Chinnéide. BÁC: Oifig an tSoláthair, 1939.
Stac, Bríghid. *Mí dem shaoghal.* BÁC agus Corcaigh: An Lóchrann, 1918.

Chomh maith leis na saothair atá luaite anseo rinne Nóra Ní Shéaghdha agus Muiris Ó Catháin an-chuid aistriúchán ón mBéarla don Ghúm. Scríobh Nóra Ní Shúilleabháin drámaí, scríobh Seán Óg Ó Caomhánaigh foclóir agus scríobh Mícheál Ó Sé úrscéal, ach níor foilsíodh na saothair sin ar chor ar bith. Bhailigh Seán Ó Dálaigh agus Seán Ó Dubhda béaloideas sa cheantar agus tá na leathanaigh lámhscríofa le fáil i Leabharlann Roinn an Bhéaloidis i gColáiste na hOllscoile, Baile Átha Cliath. D'fhoilsigh Pádraig Ó Siochfhradha i bhfad níos mó ná mar atá luaite anseo freisin. Scríobh sé an-chuid leabhar scoile, athinsintí ar sheanscéalta, cnuasaigh dánta do na scoileanna, foclóirí agus bailiúcháin bhéaloidis.

AGUISÍN II

Liosta de shaothair phróis ó scríbhneoirí Thír Chonaill. Chuidigh Seosamh Watson ó Roinn na Gaeilge, Coláiste na hOllscoile, Baile Átha Cliath, liom agus mé ag cur an liosta seo le chéile.

Craig, James P. *Iasgaireacht Shéamuis Bhig.* BÁC: Modern Irish Texts Society, 1904.
—— *Teagasg na máthara.* Doire: Craig, 1921.
—— *Gramar agus cumú cainnte.* BÁC: Craig, 1929.
D'fhoilsigh an duine seo cúpla cnuasach amhrán freisin.
Mac an Bhaird, Séamus. *Troid Bhaile an Droichid.* BÁC: Conradh na Gaeilge, 1907.
Mac Cumhaill, Fionn. *An Dochartach.* Dún Dealgan: Preas Dún Dealgan, g.d.
—— *Tusa, a mhaicín.* Doire: McCool and Green, 1922.
—— *'Sé Dia an fear is fearr.* BÁC: Oifig an tSoláthair, 1928.
—— *Na Rosa go bráthach.* BÁC: Oifig an tSoláthair, 1939.
—— *Gleann na coille uaignighe.* BÁC: Oifig an tSoláthair, 1946.
—— *Iascaire na gciabhfholt fionn.* BÁC: Oifig an tSoláthair, 1955.
—— *Gura slán le m'óige.* BÁC: Oifig an tSoláthair, 1967.
—— *An sean-fhód.* BÁC: Foilseacháin Náisiúnta Tta., 1969.
Mac Fhionnlaoich, Peadar. *An pléidhseam.* BÁC: An Cló-chumann, 1903.
—— *Eachtra Aodh Ruaidh Uí Dhomhnaill.* BÁC: Dáil Uladh, 1911.
—— *An cogadh deirg agus scéalta eile.* BÁC: Cú Uladh, g.d.
—— *Ciall na seanráidhte.* Béal Feirste: Irish News, 1914.
—— *Tá na Francaigh ar an muir.* BÁC: Mac an Ghoill, g.d.
—— *Conchubhar Mac Neasa.* BÁC: Conradh na Gaeilge, 1924.
—— *Scríobhnóirí móra Chúige Uladh.* BÁC: Cú Uladh, 1925.
Mac Fhionnlaoich, Seán. *Ó rabharta go mallmhuir.* BÁC: Foilseacháin Náisiúnta Tta., 1975.
—— *Is glas na cnoic.* BÁC: Foilseacháin Náisiúnta Tta., 1977.
Mac Gabhann, Micí. *Rotha mór an tsaoil.* BÁC: Foilseacháin Náisiúnta Tta., 1959.
Mac Giolla Bhríde, Niall. *Niall Mac Giolla Bhríde.* BÁC: Brún agus Ó Nualláin, 1939.
Mac Grianna, Seosamh. *Dochartach Dhuibhlionna agus scéalta eile.* BÁC: Cú Uladh, g.d.
—— *Filí gan iomrá.* BÁC: Oifig an tSoláthair, 1926.
—— *An grádh agus an ghruaim.* BÁC: Oifig an tSoláthair, 1929.
—— *Eoghan Ruadh Ó Néill.* BÁC: Oifig an tSoláthair, 1931.
—— *An Bhreatain Bheag.* BÁC: Oifig an tSoláthair, 1933.
—— *An druma mór.* BÁC: Oifig an tSoláthair, 1935.
—— *Pádraig Ó Conaire agus aistí eile.* BÁC: Oifig an tSoláthair, 1936.
—— *Na Lochlannaigh.* BÁC: Oifig an tSoláthair, 1938.
—— *Mo bhealach féin.* BÁC: Oifig an tSoláthair, 1940.
—— *Dá mbeadh ruball ar an éan.* BÁC: Oifig an tSoláthair, 1940.
Tá lámhscríbhinn de shaothar Béarla dá chuid—*The Miracle at Cashelmore*—le fáil i Leabharlann Ollscoil Nua Uladh i gCúl Rathain. Chomh maith leis na saothair atá luaite anseo rinne Mac Grianna an-chuid aistriúchán don Ghúm.
Mac Meanman, Seaghán. *Scéalta goiride geimhridh.* BÁC: Conradh na Gaeilge, 1915.
—— *Indé agus indiu.* BÁC: Oifig an tSoláthair, 1929.
—— *Fear siubhail a's a chuid comharsanach agus daoine eile.* BÁC: Oifig an tSoláthair, 1931.

224

—— *Trí mhion-dráma.* BÁC: Oifig an tSoláthair, 1936.
—— *Crann an eolais.* BÁC: Brún agus Ó Nualláin, 1939.
—— *Ó chamhaoir go clapsholus.* BÁC: Oifig an tSoláthair, 1940.
—— *Mám as mo mhála.* BÁC: Oifig an tSoláthair, 1940.
—— *An margadh dubh.* BÁC: Oifig an tSoláthair, 1952.
—— *Mám eile as mo mhála chéadna.* BÁC: Oifig an tSoláthair, 1954.
—— *Rácáil agus scuabadh.* BÁC: Oifig an tSoláthair, 1955.
—— *Crathadh an phocáin.* BÁC: Oifig an tSoláthair, 1955.
—— *Stair na hÉireann.* BÁC: Oifig an tSoláthair, 1956.
Ó Baoighill, Aindrias. *An dílidhe.* BÁC: Comhlucht Oideachais na hÉireann, 1930.
—— *Sgéilíní na Finne.* BÁC: Muintir Ó Fallamhain, 1928.
—— *An tairidheach.* BÁC: Oifig an tSoláthair, 1939.
Ó Colm, Eoghan. *Toraigh na dtonn.* BÁC: Foilseacháin Náisiúnta Tta., 1971.
Ó Dochartaigh, Mícheál. *Scéalta beaga.* BÁC: Mac an Ghoill, 1910.
—— *Creach Bhaile an Teampaill.* BÁC: Oifig an tSoláthair, 1930.
Ó Domhnaill, Eoghan. *Na laetha a bhí.* BÁC: Oifig an tSoláthair, 1953.
Ó Domhnaill, Hiúdaí Sheáinín. *Scéal Hiúdaí Sheáinín.* BÁC: Oifig an tSoláthair, 1940.
Ó Dómhnaill, Niall. *Na glúnta Rosannacha.* BÁC: Oifig an tSoláthair, 1952.
—— *Forbairt na Gaeilge.* BÁC: Sáirséal agus Dill, 1951.
Ó Grianna, Séamas. *Mo dhá Róisín.* Dún Dealgan: Preas Dún Dealgan, 1921.
—— *Caisleáin óir.* Dún Dealgan: Preas Dún Dealgan, 1924.
—— *Feara Fáil.* Dún Dealgan: Clólucht an Scrúdaightheoir, 1933.
——*Cith is dealán.* Dún Dealgan: Preas Dún Dealgan, 1936.
—— *Thiar i dTír Chonaill.* BÁC: Oifig an tSoláthair, 1936.
—— *Nuair a bhí mé óg.* BÁC: An Preas Talbóideach, 1942.
—— *Scéal úr agus seanscéal.* BÁC: Oifig an tSoláthair, 1945.
—— *Saoghal corrach.* BÁC: An Preas Náisiúnta, 1945.
—— *An teach nár tógadh agus scéalta eile.* BÁC: Oifig an tSoláthair, 1948.
—— *Ó neamh go hÁrainn.* BÁC: Oifig an tSoláthair, 1953.
—— *An clár is an fhoireann.* BÁC: Oifig an tSoláthair, 1955.
—— *Fód an bháis.* BÁC: Oifig an tSoláthair, 1955.
—— *Fallaing shíoda.* BÁC: Oifig an tSoláthair, 1955.
—— *Tarngaireacht Mhiseoige.* BÁC: Oifig an tSoláthair, 1958.
—— *An bhratach.* BÁC: Oifig an tSoláthair, 1959.
—— *An Draoidín.* BÁC: Oifig an tSoláthair, 1959.
—— *Ó mhuir go sliabh.* BÁC: Oifig an tSoláthair, 1961.
—— *Suipín an iolair.* BÁC: Oifig an tSoláthair, 1962.
—— *Úna bhán agus scéalta eile.* BÁC: Oifig an tSoláthair, 1962.
—— *Cúl le muir agus scéalta eile.* BÁC: Oifig an tSoláthair, 1961.
—— *Bean ruadh de Dhálach.* BÁC: Oifig an tSoláthair, 1966.
—— *Le clap-sholus.* BÁC: Oifig an tSoláthair, 1967.
—— *Oíche shamhraidh agus scéalta eile.* BÁC: Oifig an tSoláthair, 1968.
—— *An sean-teach.* BÁC: Oifig an tSoláthair, 1968.
—— *Mícheál Ruadh.* Dún Dealgan: Preas Dún Dealgan, g.d.
—— *Rann na Feirste.* BÁC: An Preas Náisiúnta, g.d.
Rinne Séamas Ó Grianna an-chuid aistriúchán don Ghúm freisin.
Ó Searcaigh, Séamas. *Cloich Cheann-fhaolaidh.* BÁC: Mac an Ghoill, 1911.
—— *Faire Phaidí Mhóir.* BÁC: Conradh na Gaeilge, 1914.
—— *Ceol na n-éan agus sgéalta eile.* Dún Dealgan: Tempest, 1919.
—— *Foghraidheacht Ghaedhilge an Tuaiscirt.* Béal Feirste: Brún agus Ó Nuallain, 1925.

—— *Nua-sgríbhneoirí na Gaeilge*. BÁC: Brún agus Ó Nualláin, 1933.
—— *Fé'n sgeich sidhe*. BÁC: Ó Fallamháin, 1935.
—— *Pádraig Mac Piarais.* BÁC: Oifig an tSoláthair, 1938.
—— *Comhréir Ghaedhilg an Tuaiscirt*. BÁC: Oifig an tSoláthair, 1939.
—— *Buaidh na tuigse*. BÁC: Oifig an tSoláthair, 1940.
—— *Sgéalta as an tsean-litridheacht*. BÁC: Oifig an tSoláthair, 1945.
—— *Beatha Cholm Cille*. BÁC: Oifig an tSoláthair, 1967.

LIOSTA LEABHAR AGUS FOILSEACHÁN

(a) NA LEABHAIR AGUS NA HAILT A CEADAÍODH

Aalen, F. H. A. and Hugh Brody. *Gola: the life and last days of an island community*. Cork: Mercier Press, 1969.

Allen, Michael. 'Provincialism and recent Irish poetry: the importance of Patrick Kavanagh' in *Two decades of Irish writing* (ed. Douglas Dunn) 23-36.

Bachelard, Gaston. *The poetics of space*. New York: Orion Press, 1964.

Bairéad, Tomás. *Gan baisteadh*. BÁC: Sáirséal agus Dill, 1972.

Barrington, Thomas. 'Telescope and microscope' in *Bonaventura* 1, 1 (1973) 114-23.

Béaslaí, Piaras. 'This 'native speaker'' humbug' in *The Leader* LXXXII, 18 (1941) 420-3.

Beckett, James Camlin. *The study of Irish history*. Belfast: Queens University, 1963.

Bieler, Ludwig. *Ireland—harbinger of the Middle Ages*. New York and London: Oxford University Press, 1963.

Binchy, D. A. 'Two Blasket autobiographies' in *Studies* XXIII (1934) 545-60.

Breathnach, Mícheál. *Sliocht de sgríbhinníbh Mhíchíl Bhreathnach* (Tomás Mac Domhnaill, eag.). BÁC: Mac an Ghoill, 1913.

Breathnach, Mícheál. *Cuimhne an tseanpháiste*. BÁC: Oifig an tSoláthair, 1966.

Breatnach, Pádraig A. 'Séadna: saothar ealaíne' in *Studia Hibernica* 9 (1969) 109-24.

Brody, Hugh. *Inishkillane: change and decline in the West of Ireland*. Harmondsworth: Penguin, 1974.

Byrne, F. J. 'Mac Neill the historian' in *The scholar revolutionary* (eds. Martin and Byrne) 15-36.

Carpenter, Andrew (ed.). *Place, personality and the Irish writer*. London: Colin Smyth Ltd., 1977.

Casey, Daniel J. and Robert E. Rhodes (eds.). *Views of the Irish peasantry*. Hamden, Connecticut: Archon Books, 1977.

Conradh na Gaeilge. *Clár na gComórtas* (don Oireachtas 1932). BÁC: Conradh na Gaeilge, 1932.

Coogan, Timothy Patrick. *Ireland since the Rising*. London: Pall Mall Press, 1966.

—— *The Irish—a personal view*. London: Phaidon Press, 1975.

Corkery, Daniel. *The philosophy of the Gaelic League*. BÁC: Conradh na Gaeilge, 1948.

Cronin, Anthony. 'A province once again' in *The Bell* XIX, 7 (1954) 5-8.

—— 'Time to grow up' in *The Irish Times* (3 November 1976) 12.

Cross, Eric. *The tailor and Ansty*. London: Chapman and Hall, 1942.

Cruise O'Brien, Máire. 'An t-Oileánach' in *The pleasures of Gaelic literature* (ed. John Jordan) 25-38.

Danaher, Kevin. 'Folk tradition and literature' in the *Journal of Irish Literature* 1, 2 (1972) 67-76.

—— *Ireland's vernacular architecture*. Dublin and Cork: Mercier Press, 1975.

Darby, H. C. 'The regional geography of Thomas Hardy' in the *Geographical Journal* XVII (1941) 641-91.

Deane, Séamus. 'Irish poetry and Irish nationalism: a survey' in *Two decades of Irish writing* (ed. Douglas Dunn) 4-22.

—— 'Mo bhealach féin' in *The pleasures of Gaelic literature* (ed. John Jordan) 39-52.

227

—— 'The literary myths of the revival: a case for their abandonment' in *Myth and reality in Irish literature* (ed. Joseph Ronsley) 317-29.

de Bhaldraithe, Tomás (eag.). *Seanchas Thomáis Laighléis*. BÁC: An Clóchomhar Tta., 1977.

de Blácam, Aodh. *Gentle Ireland*. Milwaukee: Bruce Publishing Co., 1935.

—— 'How our forbears lived: books about the land' in the *Irish Monthly* LXXV (1947) 383-7.

de hÍde, Dubhghlas. *Leabhar Sgéulaidheachta*. BÁC: Mac an Ghoill, 1889.

—— *Abhráin grádh chúige Connacht*. BÁC: Mac an Ghoill, 1895.

—— *Cois na teineadh*. BÁC: Mac an Ghoill, g.d.

—— *An sgéulaidhe Gaedhealach*. BÁC: Institiút Béaloideas Éireann, 1933.

Denvir, Gearóid (eag.). *Aistí Phádraic Uí Chonaire*. Indreabhán: Cló Chois Fharraige, 1978.

de Paor, Risteard. *Úll i mbarr an ghéagáin*. BÁC: Sáirséal agus Dill, 1959.

Dinneen, Rev. P. S. *Lectures on the Irish language movement*. Dublin: Gill and son, 1904.

Drew, Fraser. 'Next parish to Boston: the Blasket islands and their literature' in *Éire: Ireland* 111, 1 (1968) 6-12.

Duffy, Charles Gavan, George Sigerson and Douglas Hyde (eds.). *The revival of Irish literature*. London: Unwin, 1894.

Duffy, Charles Gavan. 'What Irishmen may do for Irish literature' in *The revival of Irish literature* (eds. Charles Gavan Duffy *et al.*) 9-33.

—— 'Books for the Irish people' in *The revival of Irish literature* (eds. Charles Gavan Duffy *et al.*) 35-60.

Duffy, P. 'Patrick Kavanagh's rural landscape' in *Baile* (1968) 3-5.

Dunn, Douglas. *Two decades of Irish writing*. Cheshire: Carcanet Press, 1975.

Edwards, Evans, Rhys and Mac Diarmid (eds.). *Celtic Nationalism*. London: Routledge and Kegan Paul, 1968.

Evans, E. Estyn. 'Donegal survivals' in *Antiquity* L (1939) 207-22.

—— *Irish heritage*. Dundalk: Tempest, 1942.

—— *Irish folk ways*. London: Routledge and Kegan Paul, 1957.

—— *The Irishness of the Irish*. Belfast: The Irish Association for cultural, economic and social relations, 1968.

—— *The personality of Ireland*. London: Cambridge University Press, 1973.

Feder, Alison and Bernice Schrank (eds.). *Literature and folk culture: Ireland and Newfoundland*. Newfoundland: Memorial University of Newfoundland, 1977.

'File an Chonnartha' Fo-nóta in *Irisleabhar na Gaedhilge* XVII, 17 (1907) 345.

Flower, Robin. *The western island*. Oxford: Oxford University Press, 1944.

Fox, Robin. 'The vanishing Gael' in *New Society* 11 (1962) 17-19.

—— *The Tory islanders*. Cambridge: Cambridge University Press, 1978.

Francis, E. K. 'The adjustment of a peasant minority to a capitalistic economy: the Manitoba Mennonites' in *Rural Sociology* XVII (1952) 215-26.

Gallagher, Patrick. *My story—Paddy the Cope*. Dungloe: Templecrone Cooperative Society (1947).

Greene, David. 'The background to modern writing in Irish' in *International PEN Bulletin of selected books* 111 (1952-53) 37-9.

—— *Writing in Irish today*. Cork: Mercier Press, 1972.

Grigson, G. 'The writer and his territory' in the *Times Literary Supplement* (28 July 1972) 859-60.

Harmon, Maurice (ed.). *J. M. Synge centenary papers 1971*. Dublin: Dolmen Press, 1972.

—— 'Cobwebs before the wind: aspects of the peasantry in Irish literature from

1800 to 1916' in *Views of the Irish peasantry* (eds. Casey and Rhodes) 129-59.

Haughton Crowe, W. *Beyond the hills: an Ulster head-master remembers.* Dundalk: Dundalk Press, n.d.

Hayes, Richard J. agus Brighid Ní Dhonnchadha. *Clár litridheacht na nua-Ghaedhilge 1850-1936.* BÁC: Oifig an tSoláthair, 1938.

Hedderman, B. N. *Glimpses of my life in Aran.* Bristol: J. Wright, 1917.

Hogan, Thomas. 'Myles na gCopaleen' in *The Bell* XIII, 2 (1946) 129-40.

Horan, Malachi. *Malachi Horan remembers* (Dr. George A. Little ed.). Dublin: Gill and son, 1943.

Hutchinson, Pearse. 'Rotha mór an tsaoil' in *The pleasures of Gaelic literature* (ed. John Jordan) 39-51.

Hyde, Douglas. 'The necessity for de-anglicising Ireland' in *The revival of Irish literature* (eds. Charles Gavan Duffy et al.) 115-16.

Jay, L. J. 'The Black Country of Francis Brett Young' in *Transactions of the Institute of British Geographers* LXVI (1975) 57-72.

Jones, Gwyn. 'Writing for Wales and the Welsh' in the *Times Literary Supplement* (28 July 1972) 869-70.

Jordan, John (ed.). *The pleasures of Gaelic literature.* Dublin: Mercier Press, 1977.

Kennelly, Brendan. 'An béal bocht' in *The pleasures of Gaelic literature* (ed. John Jordan) 85-96.

Kiberd, Declan. 'Idir dhá cheann na himní' in *Comhar* XXXVIII, 4 (1979) 18-20 agus *Comhar* XXXVIII, 5 (1979) 17-19.

—— 'John Millington Synge agus athbheochan na Gaeilge' in *Scríobh* 4 (eag. Seán Ó Mórdha) 221-33.

Kohn, Hans. *The idea of Nationalism.* New York: Macmillan, 1945.

—— *Prophets and peoples.* New York: Macmillan, 1946.

Laoide, Seosamh. *Sgealaidhe Fearnmhaighe.* BÁC: Conradh na Gaeilge, 1901.

—— *Sgealaidhe Oirghiall.* BÁC: Conradh na Gaeilge, 1905.

—— *Measgán Músgraighe.* BÁC: Conradh na Gaeilge, 1907.

—— *Tonn Tóime.* BÁC: Conradh na Gaeilge, 1915.

Lawrence, D. H. *Studies in Classical American Literature.* London: Redwood Press, 1924.

Lennon, Michael J. 'Douglas Hyde' in *The Bell* XVI, 6 (1951) 46-54.

Linton, Ralph. 'Nativistic movements' in *American Anthropologist* XXXXV (1943) 230-40.

Lowenthal, D. 'Past time and present place, landscape and meaning' in *Geographic Review* LXV (1965) 1-36.

Lynam, E. W. 'The O'Flaherty country' in *Studies* III, 10 (1914) 13-40.

Lynch, Kevin. *The image of a city.* Cambridge, Mass.: MIT Press, 1960.

Martin, F. X. and F. J. Byrne (eds.). *The scholar revolutionary: Eoin Mac Neill 1867-1945 and the making of the New Ireland.* Shannon: Irish University Press, 1973.

Mason, Thomas H. *The islands of Ireland.* London: B. T. Batsford, 1936.

Messenger, John C. 'Literary vs. scientific interpretations of cultural reality in the Aran islands of Éire' in *Ethnohistory* 11, 1 (1964) 41-55.

—— *Inis Beag: Isle of Ireland.* New York: Holt, Rinehart and Winston, 1969.

Millman, Lawrence. *Our like will not be there again: Notes from the West of Ireland.* Boston and Toronto: Little, Brown and Co., 1977.

Moran, D. P. (ed.). *The philosophy of Irish Ireland.* Dublin: James Duffy and Co., *The Leader,* 1905.

Morgan, Edwin. 'The resources of Scotland' in the *Times Literary Supplement* (28 July 1972) 885-86.

Murphy, Maureen. 'The short story in Irish' in *Mosaic* XII, 1 (1979) 81-90.

Murphy, R. C. 'The timeless Arans' in *National Geographic* LIX (1931) 747-75.

Mac. 'Mo dhá Róisín' in the *Irish Rosary* XXVI, 2 (1922) 10.

Mac Amhlaigh, Dónall. *Dialann Deoraí*. BÁC: An Clóchomhar Tta., 1960.

—— 'Scríbhneoireacht na Gaeilge' in *Feasta* XXIX, 10 (1976) 5-7.

Mac an Bheatha, Proinsias. 'Leabhair, léirmheasanna agus léitheoirí' in an *tUltach* XXXXVII, 1 (1970) 7-8.

—— 'Comhairle don scríbhneoir óg' in *An tUltach* XXXXVII, 12 (1970) 12.

—— *Seosamh Mac Grianna agus cúrsaí eile*. BÁC: Foilseacháin Náisiúnta Tta., 1970.

Mhac an tSaoi, Máire. 'Scríbhneoireacht sa Ghaeilge inniu' in *Studies* XXXXIV (1955) 86-91.

Mac an tSaoir, Flann. 'Próslitríocht na Gaeilge' in *Comhar* XXII 6 (1963) 19-24.

Mac Aonghusa, Criostóir. 'Mar a chuaigh an Conradh i bhfeidhm ar an nGaeltacht' in *The Gaelic League idea* (ed. Seán Ó Tuama) 76-78.

Mac Cana, Proinsias. 'Stracfhéachaint ar nualitríocht Ghaeilge Uladh'· in *Fearsaid* (1956) 47-53.

McCartney, Donal. 'Mac Neill and Irish-Ireland' in *The scholar revolutionary* (eds. Martin and Byrne) 75-98.

Mac Coistealbha, Liam (eag.). *Seanchas ó Iorrus*. BÁC: An Coimisiún le Béaloideas Éireann, g.d.

Mac Congáil, Nollaig (eag). *Saothar Sheosaimh Mhic Grianna cuid a dó: ailt*. Béal Feirste: Coiste Foilsitheoireachta Chomhaltas Uladh, 1977.

—— 'Foinsí béaloidis i ngearrscéalta Sheosaimh Mhic Ghrianna' in *Comhar* XXXCIII, 1 (1978) 17-19.

Mac Conghail, Muiris. 'Mo bhealach féin' in *Feasta* XXIII, 4 (1966) 23, 25.

Mac Con Iomaire, Séamas. *Cladaigh Chonamara*. BÁC: Oifig an tSoláthair, 1938.

Mac E. D. 'Mo dhá Róisín: léirmheas' in *Irisghleabhar Mhaighe-Nuaghad* (1922) 67-68.

Mac Eoin, Gearóid S. 'Twentieth-century Irish literature' in *A view of the Irish language* (ed. Brian Ó Cuív) 57-69.

Mac Giollarnáth, Seán. *Peadar Chois Fharraige*. BÁC: Oifig an tSoláthair, 1934.

—— *Loinnir Mac Leabhar*. BÁC: Oifig an tSoláthair, 1936.

—— *Annála beaga ó Iorrus Aithneach*. BÁC: Oifig an tSoláthair, 1941.

—— *Mo dhúthaigh fhiáin*. BÁC: Brún agus Ó Nualláin, 1949.

—— *Conamara*. Dublin at the Sign of the Three Candles, 1954.

Mac Grianna, Seosamh. 'Goidé tá dh' easbhaidh orainn?' in *An tUltach* 1, 5 (1924) 1, 5.

—— 'Comhrá as an Ghaeltacht' in *An tUltach* 111, 4 (1926) 2.

—— 'Rátaí díolaíochta an Ghúim' in *United Irishman* (13 Lúnasa 1932) 3.

—— 'Scríbhneoirí Gaeilge agus an Gúm' in *United Irishman* (10 Meán Fómhair 1932) 8.

Mac Leod, Robert B. 'Phenomenology' in *International Encyclopedia of the Social Sciences* XII (1968) 68-71.

Mac Lochlainn, Alf. 'Gael and peasant—a case of mistaken identity' in *Views of the Irish peasantry* (eds. Casey and Rhodes) 17-36.

Mac Mahon, Bryan. 'Peig Sayers and the vernacular of the story-teller' in *Literature and folk culture* (eds. Feder and Schrank) 83-109.

Mac Manus, Séamus. *The rocky road to Dublin*. New York: Macmillan, 1938.

Mac Maoláin, Seán. 'Mo dhá Róisín' in *Misneach* (11 Feabhra 1922) 3.

Mac Nally, Kenneth. *The islands of Ireland*. London: B. T. Batsford, 1978.

Mac Néill, Eoin. 'Toghairm agus gléus oibre chum gluasachta na Gaedhilge do chur ar aghaidh i nÉirinn' in *Irisleabhar na Gaedhilge* IV, 44 (1893) 177-79.

Mac Piarais, Pádraig. 'Here, at last, is literature' in *An Claidheamh Soluis* (24 Meán Fómhair, 1904) 1.

—— 'Léirmheas' in *An Claidheamh Soluis* (21 Deireadh Fómhair 1905) 5.

—— 'Nua-litridheacht' in *An Claidheamh Soluis* (19 Bealtaine 1906) 1.

—— 'About literature' in *An Claidheamh Soluis* (26 Bealtaine 1906) 1.

—— 'Literature, life and the Oireachtas competitions' in *An Claidheamh Soluis* (2 Meitheamh 1906) 1.

—— *Collected works of Padraic H. Pearse: Political writings and speeches*. Dublin, Cork and Belfast: The Phoenix Publishing Co., n.d.

Mag Ruaidhrí, Mícheál. *Le linn m'óige*. BÁC: Oifig an tSoláthair, 1944.

Mac Tomáis, Seoirse. *An Blascaod mar a bhí*. Má Nuad: An Sagart, 1977.

Mag Uidhir, Séamus. *Fánaidheacht i gconndae Mhuigheo*. BÁC: Oifig an tSoláthair, 1944.

Mac Uistín, Liam. 'Scríbhneoireacht in Éirinn inniu' in *Agus* XII, 10 (1972) 15-18.

Ní Mhuirgheasa, Máirín. 'Na comórtais liteartha' in *Feasta* XVI, 12 (1964) 14-16.

Nowlan, Kevin B. 'The Gaelic League and other national movements' in *The Gaelic League idea* (ed. Seán Ó Tuama) 41-51.

O'Brien, John A. (ed.). *The vanishing Irish*. London: W. H. Allen, 1954.

Ó Cadhain, Máirtín. 'Tuige nach bhfuil litríocht na Gaeilge ag fás?' in *Feasta* 11, 8 (1949) 8-12, 20-22.

—— *Cré na Cille*. BÁC: Sáirséal agus Dill, 1949.

—— *Páipéir bhána agus páipéir bhreaca*. BÁC: An Clóchomhar Tta., 1969.

—— 'Irish prose in the twentieth century' in *Literature in Celtic countries* (ed. Caerwyn Williams) 139-51.

—— 'Conradh na Gaeilge agus an litríocht' in *The Gaelic League idea* (ed. Seán Ó Tuama) 52-62.

—— 'Saothar an scríbhneora' in *Scríobh 3* (eag. Seán Ó Mórdha) 73-82.

Ó Catháin, Séamas agus Patrick Flanagan. *The living landscape*. BÁC: Comhairle Bhéaloideas Éireann, 1975.

Ó Ceallaigh, Eoghan. *An dá thaobh*. BÁC: An Clóchomhar Tta., 1968.

Ó Céileachair, Domhnall Bán. *Sgéal mo bheatha*. BÁC: Oifig an tSoláthair, 1940.

Ó Ciosáin, Mícheál. *Céad bliain 1871-1971*. Baile an Fhirtéaraigh: Muintir Phiarais, 1973.

Ua Cnáimhsigh, P. 'An saol atá thart ins na Rosaibh' in *Donegal Annual* III, 3 (1957) 117-22.

Ó Coileáin, Pádraig. 'Scríbhneoirí móra is beaga Chorca Dhuibhne' in *Agus* XIV, 6 (1974) 18-22.

Ó Coileáin, Seán. 'Tomás Ó Criomhthain, Brian Ó Ceallaigh agus an Seabhac' in *Scríobh 4* (eag. Seán Ó Mórdha) 159-87.

Ó Conaire, Breandán. 'Ómós do Thomás Ó Criomhthain 1' in *Comhar* XXXVII, 3 (1977) 15-15.

—— 'Ómós do Thomás Ó Criomhthain 2: *An tOileánach* agus na léirmheastóirí' in *Comhar* XXXVII, 4 (1977) 19-23.

—— 'Tomás an Bhlascaeid' in *Comhar* XXXVII, 9 (1977) 18-21.

—— 'Myles na Gaeilge' in *Scríobh* 5 (eag. Seán Ó Mórdha) 62-79.

Ó Conaire, Pádraic. *Deoraíocht.* BÁC: Conradh na Gaeilge, 1910.

—— 'Lucht leabhar agus lucht peann: cén donas atá orthu?' in *Old Ireland* (21 Feabhra 1920) 41-42.

—— 'Lucht peann faoin saorstát' in *The Free State* (8 Aibreán 1922) 4.

—— 'An fhírinne agus an bhréag sa litridheacht' in *Fáinne an Lae* (12 Bealtaine 1923) 1, 6.

Ó Conaire, Pádraic Óg. *Déirce an díomhaointis.* BÁC: Sáirséal agus Dill, 1972.

Ó Conaola, Dara. 'Leabhair nach léitear' in *Comhar* XXXVI, 2 (1978) 16.

Ó Concheanainn, Peadar. *Inismeadhon.* BÁC: Roinn an Oideachais, 1929.

Ua Concheanainn, Tomás. 'Mo dhá Róisín' in *Studies* XI, 43 (1922) 276-78.

Ó Conchubhair, Pádraig. 'An béal bocht' in *Irisleabhar Muighe Nuadhat* (1966) 25-33.

Ó Conghaile, Seán. *Cois Fharraige le mo linnse.* BÁC: Clódhanna Tta., 1974.

Ó Conluain, Proinsias agus Donncha Ó Céileachair. *An Duinníneach.* BÁC: Sáirséal agus Dill, 1958.

Ó Corcora, Donncha. 'An Mhumhain i litríocht na Gaeilge' in *An tUltach* L, 1 (1973) 6.

Ó Corcora, Domhnall. 'Litridheacht nua-aimseardha a sholáthar' in *Éire* (1940) 74-77.

Ó Croiligh, Oilibhéar. 'And gash gold-vermilion' in *Irisleabhar Muighe Nuadhat* (1962) 59-64.

—— 'Idir dhá cheann na himní' in *Irisleabhar Muighe Nuadhat* (1967) 12-24.

Ó Cruadhlaoich, Pádraig. *Cuimhne sean-leinbh.* BÁC: Oifig an tSoláthair, 1946.

Ó Cuirrín, Seán. *Psaltair na Rinne.* BÁC: Oifig an tSoláthair, 1934.

Ó Cuív, Brian. 'Mac Neill and the Irish language' in *The scholar revolutionary* (eds. Martin and Byrne) 1-10.

—— (ed.). *A view of the Irish language.* Dublin: Stationary Office, 1969.

Ó Cuív, Shán. *Prós na haoise seo.* BÁC: Brún agus Ó Nualláin, 1940.

Ó Danachair, Caoimhín. 'The Gaeltacht' in *A view of the Irish language* (ed. Brian Ó Cuív) 112-21.

—— *A bibliography of Irish ethnology and folk tradition.* Dublin and Cork: Mercier Press, 1978.

—— 'An Rí (The King): An example of traditional social organisation' in *Journal of the Royal Society of Antiquaries of Ireland* 111 (1981) 14-28.

Ó Direáin, Máirtín. *Feamainn Bhealtaine.* BÁC: An Clóchomhar Tta., 1961.

Ó Direáin, Peadar. *Sgéalaidhe Leitir Mealláin.* BÁC: Comhlucht Oideachais na hÉireann, 1926.

—— *Sgéalta na n-oileán.* BÁC: Oifig an tSoláthair, 1929.

Ó Doibhlin, Breandán. 'Litríocht agus cultúr' in *Irisleabhar Muighe Nuadhat* (1968) 7-13.

—— *Aistí critice agus cultúir.* BÁC: Foilseacháin Náisiúnta Tta., (1974).

—— 'Irish literature in the contemporary situation' in *Léachtaí Cholm Cille* 1 (1970) 5-11.

—— 'An grá sa nuaphrós' in *Léachtaí Cholm Cille* VI (1975) 117-25.

Ó Doibhlinn, Diarmuid. 'Aigne na Gaeltachta' in *Irisleabhar Muighe Nuadhat* (1966) 19-24.

Ó Doibhlinn, E. 'Seán Mac Meanman' in *An tUltach* XXXX, 11 (1963) 5-6, 18.

Ó Domhnaill, An tAth. M. *Oileáin Árann.* BÁC: Oifig an tSoláthair, 1945.

Ó Domhnaill, Niall. *Forbairt na Gaeilge.* BÁC: Sáirséal agus Dill, 1951.

Ó Domhnalláin, Padhraic. *Conamara.* BÁC: Mac an Ghoill, 1934.

O'Donnell, George. *Reminiscences of a country boy.* Dublin: Monument Press, 1949.

O'Donnell, Peadar. *Islanders*. London: Jonathan Cape, 1927.
—— *Proud island*. Dublin: O'Brien Press, 1975.
O'Donnell, Rev. T. 'Other days in Donegal' in *Donegal Annual* 11, 3 (1956) 114-19.
O'Driscoll, Robert. 'Return to the hearthstone' in *Place, personality and the Irish writer* (ed. Andrew Carpenter) 41-68.
Ó Droighneáin, Muiris. *Taighde i gcomhair stair litridheachta na nua-Ghaedhilge ó 1886 anuas*. BÁC: Oifig an tSoláthair, 1936.
—— 'Saoirse agus só do na scríbhneoirí' in *Agus* 111, 4 (1963) 23-4.
Ó Dubhghaill, Séamas. *Beirt fhear ón dtuaith*. BÁC: Conradh na Gaeilge, 1903.
—— *Cathair Conroí agus sgéalta eile*. BÁC: Conradh na Gaeilge, 1904.
—— *Prátaí Mhichíl Taidhg*. BÁC: Cló-chumann 1904.
—— *Cléibhín móna*. BÁC: Mac an Ghoill, 1907.
—— *Muinntear na tuatha*. BÁC: Mac an Ghoill, 1910.
—— *Beartín luachra*. BÁC: Mac an Ghoill, 1927.
Ó Duibhginn,Seosamh. *Ag scaoileadh sceoil*. BÁC: An Clóchomhar Tta., 1962.
—— *An Muircheartach: grianghrafanna*. BÁC: Clódhanna Tta., 1970.
Ó Duilearga, Séamas. 'Ó 'n bhfear eagair' in *Béaloideas* 1 (1927/28) 3-6.
—— (eag.) *Leabhar Sheáin Í Chonaill*. BÁC: An Cumann le Béaloideas Éireann, 1948.
Ua Duinnín, An tAth. Pádraig. *Cormac Ua Conaill*. BÁC: Conradh na Gaeilge, 1901.
—— *Cill Áirne*. BÁC: Conradh na Gaeilge, 1902.
—— *Saoghal in Éirinn*. BÁC: Mac an Ghoill, 1903.
Ó Dúshláine, Tadhg. 'Litríocht as ithir an dúchais' in *Léachtaí Cholm Cille* V (1974) 54-68.
Ó Faoláin, Seán. 'Provincialism' in *The Bell* 11, 2 (1941) 5-8.
—— 'Fifty years of Irish literature' in *The Bell* 111, 5 (1942) 327-34.
—— 'Ireland and the modern world' in *The Bell* V 6 (1943) 423-27.
—— 'The death of nationalism' in *The Bell* XVII, 2 (1951) 44-52.
—— *The Irish*. London: Pelican, 1947.
Ó Faracháin, Roibeárd. 'Regarding an Gúm' in *Bonaventura* 1, 1 (1937) 170-78.
—— 'Seosamh Mac Grianna' in *The Bell* 1, 2 (1940) 64-68.
—— 'Teastuigheann léirmheastóireacht uainn' in *Éire* (1940) 70-73.
Ó Fiaich, Tomás. 'Saothar Mháire mar fhoinse don stair shóisialta' in *Leachtaí Cholm Cille* V (1974) 5-30.
Ó Floinn, An tAthair Donnchadh. 'An béaloideas agus saoghal an duine' in *Éire* (1940) 118-26.
Ó Floinn, Tomás. 'Saothrú an dúchais' in *Comhar* XI, 9 (1952) 9-12, 23-26.
—— 'Úrscéalaíocht na Gaeilge' in *Comhar* XIV 4 (1955) 6-18.
—— 'Féachaint romhainn' in *Comhar* XIV, 8 (1955) 7-13.
Ó Gaora, Colm. *Obair is luadhainn nó saoghal sa nGaedhealtacht*. BÁC: Oifig an tSoláthair, 1937.
—— *Mise*. BÁC: Oifig an tSoláthair, 1943.
Ó Glaisne, Risteárd. 'Litríocht na nua-Ghaeilge' in *Feasta* XVI, 4 (1963) 23-24.
—— 'Tuarascáil Risteard Uí Ghlaisne ar na hirisí Gaeilge' in *Feasta* XVI, 12 (1963) 31-34.
—— 'Ní fada ó bhí' in *An tUltach* XXXXI, 12 ;1964) 6-8 agus *An tUltach* 11, 1 (1965) 3-5.
—— 'Niall Ó Dónaill: scríbhneoir Ultach' in *An tUltach* XXXXVIII, 12 (1971) 3-4 agus *An tUltach* XXXXIX, 1f;1972) 2-3.
—— *Scríbhneoirí na nua-ré 1: ceannródaithe*. BÁC: Foilseacháin Náisiúnta Tta., 1974.

Ó Grianna, Séamas. 'Sgríbhneoirí Gaedhilge—go ndearcaidh Dia ortha' in *An tUltach* XVIII, 1 (1941) 1-2.

—— 'Ba mhaith leat bheith do scríbhneoir' in *An Iris* 1, 4 (1946) 28-34.

Ó hAnluain, Eoghan. 'Scríbhneoireacht Ghaeilge faoi láthair—tuairisc phearsanta' san *Irish Times* (2 Aibreán 1975) 5.

—— 'Baile Átha Cliath i nualitríocht na Gaeilge' in *Scríobh 4* (eag. Seán Ó Mórdha) 25-46.

Ó hÉalaí, Pádraig. 'Na hoileánaigh agus a dtréithe' in *Irisleabhar Muighe Nuadhat* (1966) 7-19.

—— 'An bheathaisnéis mar litríocht' in *Léachtaí Cholm Cille* II (1970) 34-40.

—— 'An béal bocht agus údair Ghaeltachta' san *Maynooth Review* 1, 1 (1975) 36-50.

O'Hegarty, P. S. 'Pádraic Ó Conaire' in *The Bell* VIII, 3 (1944) 233-9.

Ó hÉigeartaigh, Diarmuid. *Tadhg Ciallmhar*. BÁC: Oifig an tSoláthair, 1934.

—— *Is uasal ceird*. BÁC: Foilseacháin Náisiúnta Tta., 1969.

O'Hickey, Rev. Michael P. *Language and nationality*. Waterford: Waterford News, 1918.

Ó hUaithne, Dáithí. 'Foinsí na litríochta' in *Scríobh 3* (eag. Seán Ó Mórdha) 32-36.

Ó hUid, Tarlach. 'Ní ceart do scríbhneoir dlúth-aithris a dhéanamh ar chainteoirí dúchais' in *An tUltach* XXV, 9 (1949) 5.

Ó Laoghaire, An tAthair Peadar. *Séadna*. BÁC: Muintir na leabhar Gaeilge, 1904.

—— *Niamh*. BÁC: Muintir na leabhar Gaeilge, 1907.

—— *Mo sgéal féin*. BÁC: Brún agus Ó Nualláin, 1915.

Ó Loingsigh, Peadar. *Dorn mine*. BÁC: An Clóchomhar Tta., 1976.

Ua Maoileoin, Pádraig. 'Leabhar eile ón mBlascaod' in *Comhar* XXXVI, 8 (1973) 22.

—— 'Scríbhneoirí Chorca Dhuibhne' in *Comhar* XXXV, 1 (1975) 14-18 agus *Comhar* XXXV, 2 (1975) 4-6.

Ó Maolchathaigh, Séamus. *An gleann agus a raibh ann*. BÁC: An Clóchomhar Tta., 1963.

Ó Mórdha, Séamas. 'Beart leabhar adtuaidh' in *An tUltach* XVII, II ;1940) 1-2.

—— 'Tuilleadh faoi sgríbhneoirí na Gaedhilge' in *An tUltach* XVIII, 2 (1941) 4.

Ó Mórdha, Seán (eag.). *Scríobh 3*. BÁC: An Clóchomhar Tta., 1978.

—— (eag.). *Scríobh 4*. BÁC: An Clóchomhar Tta., 1979.

—— (eag.). *Scríobh 5*. BÁC: An Clóchomhar Tta., 1981.

Ó Muimhneacháin, Aindrias (eag.). *Seanchas an táilliúra*. BÁC agus Corcaigh: Cló Mercier, 1978.

Ó Muimhneacháin, Conchubhar (eag.). *Béaloideas Bhéal Átha an Ghaorthaidh*. BÁC: Oifig an tSoláthair, 1935.

Ó Muirí, Damien. 'Structúr agus téamaí in úrscéalta "Mháire" ' in *Irisleabhar Mhá Nuad* (1977/78) 49-73.

—— 'Saoirse na mban in "Bean Ruadh de Dhálach" ' in *Léachtaí Cholm Cille* XII (1982) 112-44.

Ó Murchú, Máirtín. *Urlabhra agus pobal*. BÁC: Oifig an tSoláthair, 1970.

Ó Néill, Séamas. 'Cuspóir' san *Iris* 1, 4 (1946) 1-4.

—— 'The Gúm' sa *Bell* XII, 2 (1946) 136-40.

—— *Tonn tuile*. BÁC: Sáirséal agus Dill, 1947.

Ó Nualláin, Ciarán. *Óige an dearthár*. BÁC: Foilseacháin Náisiúnta Tta., 1973.

O'Reilly, Rev. J. M. *The native speaker examined home*. Dublin: Gill and son, 1925.

Ó Ruairc, Maolmhaodhóg. 'Feabhsú ar stíl na Gaeilge' in *Irisleabhar Muighe Nuadhat* (1965) 49-55.

—— 'Cumhacht na farraige: stíl Niall Ó Domhnaill' in *Irisleabhar Muighe Nuadhat* (1968) 37-48.

—— 'An aisling a théann ar strae: nóta ar *Chaisleáin Óir*' in *Irisleabhar Mhá Nuad* (1977/78) 92-100.

Ó Séaghdha, Mícheál. 'The Gúm and translations' in *The Leader* LXXXVI, 4 (1943) 69-72.

Ó Séaghdha, Pádraig. ('Conán Maol'). *An Buaiceas*. BÁC: Conradh na Gaeilge, 1903.

—— ('Gruagach an Tobair'). *Annála na tuaithe*. BÁC: Conradh na Gaeilge, 1905.

Ó Searcaigh, Séamas. *Nua-sgríbhneoirí na Gaedhilge*. BÁC: Brún agus Ó Nualláin, (1933).

Ó Síocháin, Conchúr, *Seanchas Chléire* (Ciarán agus Mícheál Ó Síocháin a scríobh síos). BÁC: Oifig an tSoláthair, 1940.

Ó Siochfhradha, Pádraig. 'Tomás Ó Criomhthain, iascaire agus ughdar' in *Bonaventura* 1, 1 (1937) 24-31.

Ó Snodaigh, Pádraig. 'Conradh na Gaeilge agus an fhoilsitheoireacht' in *Comhar* XXXIX, 4 (1980) 52-53.

Ó Súilleabháin, Diarmaid. 'Bí tú féin, a úrscéalaí' in *Comhar* XXIV, 7 (1965) 19-22.

Ó Súilleabháin, Domhnall. *Seanchas na Deasmhumhan*. BÁC: Oifig an tSoláthair, 1940.

Ó Súilleabháin, Donnchadh. 'Foilseacháin agus foilsitheoireacht na Gaeilge' in *Feasta* XXIII, 12 (1971) 15-17; *Feasta* XXIV, 1 (1971) 13-16 agus *Feasta* XXIV, 2 (1971) 13-15.

Ó Súilleabháin, Seán. *Láimhleabhar béaloideasa*. BÁC: Comhlucht Oideachais na hÉireann, 1937.

—— 'Litríocht Chorca Dhuibhne agus an béaloideas' in *Éire: Ireland* VI, 2 (1971) 66-75.

Ó Táilliúir, Pádraig. 'Ceartliosta de leabhair, paimfléid etc. foilsithe in Éirinn ag Connradh na Gaedhilge 1893–1918' in *Comhar* XXIII, 7 (1964) 1-26.

Ó Tuairisc, Eoghan. 'Dialann deoraí' in *The Pleasures of Gaelic literature* (ed. John Jordan) 62-71.

Ó Tuama, Seán. 'Fáistine na litríochta' in *Feasta* XIV, 12 (1961) 10-14, 30-34.

—— 'Synge and the idea of a national literature' in *J M Synge centenary papers 1971* (ed. Maurice Harmon) 1-17.

—— (ed.). *The Gaelic League idea*. Dublin and Cork: Mercier Press, 1972.

—— 'The other tradition: some highlights of modern fiction in Irish' in *The Irish novel in our time* (eds. Rafroidi and Harmon) 31-45.

Ó Tuathail, Éamonn. *Seanchas Ghleann Ghaibhle*. BÁC: Institiút Béaloideasa Éireann, 1934.

Paterson, J. H. 'The regional geography of Walter Scott's novels' in the *Scottish Geographical Magazine* LXXXXVII (1971) 86-98.

—— 'The poet and the metropolis' in *American environment, perception and policies* (eds. Wreford-Watson and O'Riordan) 93-108.

Porteaus, J. D. 'Home: the territorial core' in *Geographical Review* LXVI, 4 (1976) 383-90.

Rafroidi, Patrick and Maurice Harmon (eds.). *The Irish novel in our time*. Lille: Publications de L'Université de Lille, 1976.

Rafroidi, Patrick and Pierre Joannon (eds.). *Ireland at the crossroads*. Lille: Publications de L'Université de Lille, 1978.

Rafroidi, Patrick. 'Literature in Ireland: a new birth of freedom' in *Ireland at the crossroads* (eds. Rafroidi and Joannon) 101-12.

Relph, E. *Place and placelessness*. London: Pion, 1976.

Rivers, Elizabeth. *Stranger in Aran*. Dublin: Cuala Press, 1946.

Roinn an Oideachais. 'An Gúm—foilsitheoir stáit' in *Comhar* XXXVIII, 4 (1980) 18-19.

Ronsley, Joseph (ed.). *Myth and reality in Irish literature*. Ontario: Wilfrid Laurier University Press, 1977.

Russell, George W. (Æ). *Co-operation and nationality*. Dublin: Maunsel, 1912.

—— (Æ). *Imaginations and reveries*. London: Macmillan, 1925.

—— (Æ). *The candle of vision*. London: Macmillan, 1928.

Ryan, W. P. *The Irish literary revival*. London: W. P. Ryan, 1894.

—— *The Pope's green island*. London: James Nisbet, 1912.

Sage, Lorna. 'Flann O'Brien' in *Two decades of Irish writing* (ed. Douglas Dunn) 197-206.

Scheper-Hughes, Nancy. *Saints, scholars and schizophrenics*. Berkeley: University of California Press, 1979.

Seanachaidhe. 'Culture push at U.C.D.: Seamus Delargy on the Irish folktale' in *The Leader* LXXXIII, 18 (1941) 421-3.

Sheeran, Patrick F. *The novels of Liam O'Flaherty*. Dublin: Wolfhound Press, 1976.

Skelton, Robin and David R. Clark (eds.). *Irish Renaissance*. Dublin: Dolmen Press, 1965.

Skelton, Robin. 'Twentieth-century Irish literature and the private press tradition' in *Irish Renaissance* (eds. Skelton and Clarke) 158-68.

Spolton, L. 'The spirit of place—D. H. Lawrence and the East Midlands' in *East Midland Geographer* V (1970/73) 88-96.

Stuart, Francis. 'Politics and the modern Irish writer' in *Ireland at the crossroads* (eds. Rafroidi and Joannon) 41-52.

Synge, John Millington. *The Aran islands*. Dublin: Maunsel, 1920.

—— *In West Kerry*. Cork: Mercier Press, 1979.

Thornton, Weldon. *J. M. Synge and the western mind*. Buckinghamshire: Colin Smythe, 1979.

Toomey, Desmond. 'Gaelic literature at the crossroads' in *The Leader* LXXXIII, 18 (1941) 420-21.

Tuan, Yi-Fu. 'Geography, phenomenology and the study of human nature' in *Canadian Geographer* XXV (1971) 181-92.

—— *Topophilia: a study of environmental perception, attitude and values*. Englewood Cliffs, New Jersey: Prentice Hall, 1974.

—— 'Place and space-humanistic perspective' in *Progress in Geography* VI (1974) 211-52.

—— *Space and place: the perspective of experience*. Minneapolis: University of Minnesota Press, 1977.

Unterecker, John. 'Countryman, peasant and servant in the poetry of W. B. Yeats' in *Views of the Irish peasantry* (eds. Casey and Rhodes) 178-91.

Ussher, Aarland (eag.). *Cainnt an tsean-shaoghail*. BÁC: Oifig an tSoláthair, 1942.

—— *Cúrsaí an tsean-shaoghail*. BÁC: Oifig an tSoláthair, 1948.

Walsh, R. B. 'Aspects of Irishness' in *Literature and folk culture* (eds. Feder and Schrank) 7-31.

Waters, Martin J. 'Peasants and emigrants: considerations of the Gaelic League as a social movement' in *Views of the Irish peasantry* (eds. Casey and Rhodes) 160-77.

Whorf, Benjamin Lee. *Language, thought and reality: selected readings* (ed. J. B. Carroll). Cambridge, Mass: MIT Press, 1956.
Williams, Caerwyn (ed.). *Literature in Celtic countries*. Cardiff: University of Wales Press, 1971.
Williams, Caerwyn agus Máirín Ní Mhuiríosa. *Traidisiún liteartha na nGael*. BÁC: An Clóchomhar Tta., 1979.
Wreford-Watson, J. and J. O'Riordan (eds.). *The American environment, perception and policies*. New York: Wiley, 1976.
Yeats, William Butler. 'Modern Ireland' in *Irish Renaissance* (eds. Skelton and Clark) 15-20.
Zaring, J. F. 'The romantic face of Wales' in *Annals of the Association of American Geographers* LXVII (1972) 397-418.

(b) NA HIRISÍ AGUS NA NUACHTÁIN A CEADAÍODH

Agus, Corcaigh.
American Anthropologist, Washington D.C.
An Claidheamh Soluis, Baile Átha Cliath.
An Gaodhal, Nua-Eabhrac.
An Glór, Baile Átha Cliath.
An Iris, Baile Átha Cliath.
Annals of the Association of American Geographers, Washington D.C.
Antiquity, Newbury, Berkshire.
An tUltach, Dún Dealgan.
Baile, Baile Átha Cliath.
Béaloideas, Baile Átha Cliath.
Bonaventura, Baile Átha Cliath.
Canadian Geographer, Toronto.
Comhar, Baile Átha Cliath.
Donegal Annual, Ballyshannon.
East Midland Geographer, Nottingham.
Éire, Baile Átha Cliath.
Éire: Ireland, St. Paul, Minnesota.
Ethnohistory, Tucson, Arizona.
Fáinne an lae, Baile Átha Cliath.
Fearsaid, Béal Feirste.
Feasta, Baile Átha Cliath.
Geographical Journal, London.
Geographical Review, New York.
Humanitas, Baile Átha Cliath.
Inniu, Baile Átha Cliath.
International PEN Bulletin of Selected Books, London.
Irish Monthly, Dublin.
Irisleabhar Mhá Nuad, Maigh Nuad.
Irisleabhar na Gaedhilge, Baile Átha Cliath.
Journal of Irish literature, Newark, Delaware.
Journal of the Royal Society of Antiquaries of Ireland, Dublin.
Léachtaí Cholm Cille, Maigh Nuad.
Misneach, Baile Átha Cliath.
Mosaic, Winnipeg.
National Geographic, Washington D.C.
New Society, London.
Old Ireland, Dublin.

Progress in Geography, London.
Rural Sociology, Baton Rouge.
Scottish Geographical Magazine, Edinburgh.
Studia Hibernica, Dublin.
Studies, Dublin.
The Bell, Dublin.
The Free State, New York.
The Irish Peasant, Navan and Dublin.
The Irish Rosary, Dublin.
The Irish Times, Dublin.
The Leader, Dublin.
The Maynooth Review, Maynooth.
The United Irishman, Dublin.
Times Literary Supplement, London.
Transactions of the Institute of British Geographers, London.

INNÉACS

Aalen, F. H., 40, 41, 59
Abhráin grádh chúige Connacht, 22, 215
Agus, 46
Allagar na hinise, 47, 63, 64, 70, 71, 75, 76, 77, 78, 79, 84, 86, 87, 88, 89, 90, 91, 92, 126, 130, 216, 217
Allen, Michael, 44
Amharclann na Mainistreach, 43
An béal bocht, 11, 68, 126, 127, 128, 129, 130, 140, 206, 207, 208, 209, 210, 211
An bóna óir, 66
An Bhreatain Bheag, 135
An Connachtach, 36
An Draoidín, 134, 180, 193, 194, 195
An druma mór, 135
An fánaí, 65
An fear aduaidh, 68, 96, 121, 122, 123, 124
An gleann agus a raibh ann, 215
An grádh agus an ghruaim, 135
An Iris, 48, 49
An Lóchrann, 46
An t-oileán a bhí, 66
An t-oileánach, 59, 63, 64, 67, 70, 73, 76, 77, 79, 80, 82, 83, 86, 88, 89, 90, 91, 92, 93, 126, 128, 130, 216
An t-oileán a tréigeadh, 24, 66, 94, 97, 98, 99, 100, 101, 130, 215
'An Seabhac' (féach Ó Siochfhradha, Pádraig)
An sean-teach, 134, 180, 202, 203, 204
An Stoc, 46
An tUltach, 46, 47, 48
Arensberg, Conrad Maynadier, 39

Bachelard, Gaston, 112, 215
Bairéad, Tomás, 215
Barrington, Thomas, 67
Bean ruadh de Dhálach, 134, 180, 199, 200, 201, 202
Beatha Pheig Sayers, 65, 70, 72, 76, 83, 86, 89, 92, 93, 94, 130
'Beirt Fhear' (féach Ó Dubhghaill, Séamas)
Beyond the hills: an Ulster headmaster remembers, 220
Binchy, D. A., 67
Breathnach, Micheál, 23, 36, 49
Breatnach, Pádraig, 53
Bríde bhán, 66, 94, 117, 118, 119, 120, 219

Broderick, John, 45
Brody, Hugh, 40, 41, 59, 141, 153, 155, 215, 217, 220

Caisleáin óir, 134, 180, 182, 184, 185, 186, 187, 189, 193
Cith is dealán, 179
Clark, David R., 42
Clocha sgáil, 66
Clódhanna Tta., 25
Coimisiún Béaloideas Éireann, 139
Coinnle corra, 67
Cois Fharraige le mo linnse, 215
'Conán Maol' (féach Ó Sé, Pádraig)
Connellan, Léan, 36
Conradh na Gaeilge, 15, 16, 20, 21, 22, 23, 25, 26, 27, 48, 54
Coogan, Tim Pat, 18, 212
Cormac Ua Conaill, 21
Crathadh an phocáin, 136
Cré na cille, 213, 214
Cronin, Anthony, 43, 44
Cross, Eric, 216
Cumann le Béaloideas Éireann, 33, 64, 215
Cumann Lúthchleas Gael, 15

Dá mbeadh ruball ar an éan, 135
Darby, H. C., 60
Davis, Thomas, 15
de Blácam, Aodh, 17
de Brún, an tAthair Nioclás, 65.
de hÍde, Dubhghlas, 15, 22, 33, 42
de Hindeberg, an tAthair Risteárd, 52
Deoraíocht, 212
De réir uimhreacha, 93
de Valera, Éamon, 18
Dialann deoraí, 24, 158
Dinnsheanchas na mBlascaodaí, 66
Dochartach Dhuibhlionna agus scéalta eile, 135
Drew, Fraser, 68
Duffy, Charles Gavan, 15, 22
Duffy, P., 60

Éire, 51
Eoghan Ruadh Ó Néill, 135
Evans, E. Estyn, 40, 61, 143

Feasta, 47
Fiche blian ag fás, 59, 63, 64, 70, 71, 72, 73, 74, 77, 78, 79, 80, 81, 85, 86, 87,

239